La mariée
de corail

De la même auteure

ROMANS, THÉÂTRE ET RÉCITS

J't'aime encore: monologue amoureux, VLB, 2019.

Cinq balles dans la tête: récits de guerre, Québec Amérique, 2017.

Nous étions le sel de la mer, VLB, 2014.

En terrain miné: correspondance en temps de guerre, en collaboration avec Patrick Kègle, VLB, 2013.

L'Orphéon: crématorium circus, VLB, 2012.

La Gifle, Coups de tête, 2007; Typo, 2016.

Whisky et paraboles, VLB, 2005; Typo, 2008.

NOUVELLES ET COLLECTIFS

«La classe de création», dans *Le Réseau des cégeps: trajectoires de réussites*, PUL, 2017.

«Nous venons de loin», dans *À la rencontre de l'autre: la solidarité dans la diversité*, CRÉDIL, 2016.

«Rififi à la bibli», dans *Crimes à la bibliothèque*, dir. Richard Migneault, Druide, 2015.

«Comme la fois où je suis allée à la taverne», dans *Comme la fois où*, dir. Geneviève Jannelle, VLB, 2015.

«Un moment d'égarement», dans *NU*, dir. Stéphane Dompierre, Québec Amérique, 2014.

«Lettre d'amour sans titre», dans *1000 mots d'amour*, Les Impatients, 2008.

«Surf 'n turf», dans *Moebius: À table!*, nº 115, dir. Francine Allard, Triptyque, 2007.

«Carribean dream», dans *Moebius: Compassion*, nº 110, dir. Diane Poirier, Triptyque, 2006.

Roxanne Bouchard

La mariée
de corail

La deuxième enquête de Joaquin Moralès

Libre
Expression

Catalogage avant publication de Bibliothèque et Archives nationales du Québec
et Bibliothèque et Archives Canada

Titre: La mariée de corail : la deuxième enquête de Joaquin Moralès / Roxanne Bouchard, auteure.
Noms: Bouchard, Roxanne, 1972- auteur.
Identifiants: Canadiana 20200072005 | ISBN 9782764814079
Classification: LCC PS8603.O92465 M37 2020 | CDD C843/.6—dc23

Édition : Nadine Lauzon
Révision et correction : Marie Pigeon Labrecque et Julie Lalancette
Couverture et mise en pages : Clémence Beaudoin
Photo de l'auteure : Mathieu Rivard

Cet ouvrage est une œuvre de fiction ; toute ressemblance avec des lieux, des personnes ou des faits réels n'est que pure coïncidence.

Remerciements
Nous remercions le Conseil des Arts du Canada et la Société de développement des entreprises culturelles du Québec (SODEC) du soutien accordé à notre programme de publication.
Gouvernement du Québec – Programme de crédit d'impôt pour l'édition de livres – gestion SODEC.

Les Éditions Libre Expression
Groupe Librex inc.
Une société de Québecor Média
4545, rue Frontenac
3ᵉ étage
Montréal (Québec) H2H 2R7
Tél. : 514 849-5259
libreexpression.com

Dépôt légal – Bibliothèque et Archives nationales du Québec et Bibliothèque et Archives Canada, 2020

ISBN : 978-2-7648-1407-9

Distribution au Canada
Messageries ADP inc.
2315, rue de la Province
Longueuil (Québec) J4G 1G4
Tél. : 450 640-1234
Sans frais : 1 800 771-3022
www.messageries-adp.com

Diffusion hors Canada
Interforum
Immeuble Paryseine
3, allée de la Seine
F-94854 Ivry-sur-Seine Cedex
Tél. : 33 (0)1 49 59 10 10
www.interforum.fr

*Pour Catherine Asselin,
SVN, compteuse de mots et
précieuse amie de grandes marées.*

La robe de mariée

Le bruit mouillé qui réveille Angel Roberts, c'est celui de l'eau qui se déchire sous le poids d'une cage qui tombe. C'est une trappe à homards, elle en est certaine ; elle a entendu des milliers de fois l'éclat de la mer qui se fend et se referme sur le piège, ce son chuintant comparable à celui d'un voile qu'on met en lambeaux.

Elle sourit, satisfaite de sa déduction, puis tente d'identifier le martèlement sonore qui l'accompagne. Ça ressemble au claquement qu'émet sa chaîne d'ancre, mais ce n'est pas le cliquetis précis de sa vibration métallique sur le davier. Il faut dire qu'elle n'utilise pas souvent cette chaîne. Ni l'ancre, d'ailleurs.

Le bruit persistant l'intrigue. Elle s'éveille peu à peu, prend conscience de ce qui l'entoure, de l'eau qui clapote contre la coque, de l'odeur du sel, du froid humide de la nuit, de la douleur de son bras droit plié derrière son dos, du tissu de sa robe qui lui colle à la peau. Elle ouvre péniblement les yeux. Appuyée contre la cabine de pilotage, elle aperçoit la poupe de son homardier, dont la porte est grande ouverte, et la chaîne qui se déroule vers la mer. L'émerillon qui la relie à un câblot d'ancrage passe par-dessus bord et c'est ce cordage qui file maintenant vers l'onde. Elle essaie de deviner : à quoi donc est-il attaché ?

IDENTIFICATION DE LA PERSONNE DÉCÉDÉE
Nom : Angel Roberts
Âge : 32 ans

Lieu de résidence : Cap-aux-Os
Cause du décès : Noyade

Une brusque secousse la tire vers le bas. Son corps glisse contre le pont, elle se cogne la tête. Sa robe remonte sous ses jambes, le froid dur lui mord les cuisses, sa main droite se coince bizarrement dans son dos. Dans un élan de panique, elle tâte de la gauche le tapis de caoutchouc rigide qui couvre le pont, essaie de freiner le mouvement. Il s'arrête soudain de lui-même. En rencontrant le contrepoids de son corps, la trappe a cessé sa descente vers les profondeurs. À moins qu'elle ait atteint le fond. La corde qui entoure ses mollets hésite. Angel se ressaisit, tente de remuer les jambes. Qu'est-ce qui se passe ?

Elle inspire un grand coup, puis comprend que ça y est : on est en train de la tuer. Elle se calme, expire en regardant le ciel.

Le visage délicat de la lune est penché vers elle avec un sourire doux. Elle a toujours aimé la lune, «la lune menteuse», disait sa mère. «Si elle forme la lettre D, tu penses qu'elle décroît et, si elle trace la lettre C, tu es certaine qu'elle croît. Mais la lune est menteuse, ma fille, retiens bien cela : quand elle semble décroître, elle prend de l'ampleur et, quand elle affirme qu'elle croît, elle s'amenuise.»

Un bruit inquiétant crève l'air, une déchirure dans le tissu de sa robe, puis la traction du câble qui la tire vers le large reprend lentement. Angel lâche prise. Elle savait que ça arriverait.

CIRCONSTANCES DU DÉCÈS (extrait)

Vers dix-huit heures, le 22 septembre passé, Mme Roberts a soupé chez son père, en compagnie de son mari, M. Clément Cyr, de son père, Leeroy Roberts, et de ses frères, Bruce (l'aîné) et Jimmy (le cadet). Son mari et elle fêtaient, quatre jours à l'avance, leur dixième anniversaire de mariage. Ils ont choisi ce soir-là, parce que c'était un samedi.

Vers vingt-deux heures, M. Cyr et Mme Roberts se sont rendus à l'auberge Le Noroît, chez Corine, à Rivière-au-Renard, où avait lieu une fête annuelle célébrant la fin de la saison de pêche. (Voir la liste des gens présents à cette soirée en annexe.)

Vers vingt-trois heures quinze, Mme Roberts a demandé à son mari de la ramener à la maison, alléguant qu'elle était fatiguée. M. Cyr a conduit son épouse chez eux et est revenu à la fête vers une heure du matin.

En glissant, son corps a légèrement pivoté et libéré sa main. Angel a la nausée, mais elle se sent parfaitement réveillée maintenant. Elle tourne la tête, aperçoit sur l'onde les éclats lumineux que la lune dépose jusqu'au bout de la mer. Effrités près du homardier, ils s'opacifient en touchant l'horizon. Ceux qui habitent la terre en parlent comme d'un sentier d'argent, d'une route pavée de sequins mouvants, d'un tapis orné de mille fulgurances. «Ils sont romantiques, disait sa mère. Il n'y a ni route ni argent dans les reflets que la lune couche sur l'océan. Essaie de les saisir et tu verras: ils te couleront entre les doigts! La lune est menteuse et la mer est un leurre.»

Angel glisse vers la poupe, approche de la lisière aqueuse, mouvante, qui berce la coque. Une vague froide lui embrasse les pieds, lui lèche les jambes. Elle pourrait se secouer, dénouer la corde, s'amarrer au bateau, forcer son destin en demeurant à bord, mais elle ne le fera pas. Le homardier va bientôt prendre le large, alors qu'Angel sera aspirée vers le fond.

CONSTAT DE DISPARITION (extrait)

M. Cyr est rentré chez lui vers dix heures, le dimanche 23 septembre au matin. Sa femme étant introuvable, il a tenté à de multiples reprises de la joindre sur son cellulaire, mais elle n'a pas répondu.

Inquiet, M. Cyr s'est rendu au quai de Grande-Grave où il a trouvé la voiture de son épouse. Le homardier de Mme Roberts n'était plus amarré au ponton. Il a alors appelé

Jean-Paul Babin, un des aides-pêcheurs de son épouse, qui a affirmé qu'il n'était pas à bord du bateau. M. Babin a quant à lui joint le frère de Mme Roberts, Jimmy, qui a téléphoné à son père.

Personne n'ayant vu Mme Roberts, les pêcheurs ont entamé diverses recherches en se rendant notamment dans les endroits où la victime aimait naviguer quand elle allait seule en mer.

Vers quinze heures, M. Cyr a alerté la police locale, signalé la disparition de son épouse et de son homardier. Les équipes de recherche de la garde côtière se sont mises en branle. (Voir le rapport en annexe.)

Le bateau ondule. Angel étend le bras gauche, touche le métal froid du rebord. Elle sourit. Elles ne sont que deux femmes, dans la pointe gaspésienne, à être propriétaires de homardiers. Tantôt, cette phrase se conjuguera au passé.

— Y avait rien que deux femmes capitaines dans toute la Gaspésie !

Les marins ajouteront qu'une d'entre elles est morte en mer.

— Même pas pendant une tempête !

Ils diront que la mer n'est pas un pays de femmes, que la pêche appartient aux hommes. Ils le diront comme une évidence, parce que le métier est dur et qu'ils aiment se savoir robustes.

Ils rappelleront qu'Angel était la fille d'un ancien pêcheur de morue devenu amer, la cadette d'un frère soupçonné d'avoir assassiné un concurrent, l'aînée d'un braconnier. Ils raconteront que son mari a perdu son père, puis son épouse au large – qu'il est lourd de son passé, que la vague engloutit tous ceux qui acceptent de se confier à la mer.

RAPPORT D'AUTOPSIE (extrait de la conclusion)
Nous n'avons noté aucune trace de violence physique *ante mortem*. Aucune marque de défense contre un quelconque agresseur n'a été relevée ni sur les bras, ni sur les mains, ni

12

sous les ongles de la victime. Le câble qui ceinturait ses jambes à la hauteur des mollets était attaché solidement, mais pas au point d'avoir entravé la circulation sanguine.

Le taux d'alcool élevé et les traces de sédatif trouvées dans le sang de Mme Roberts laissent croire que cette dernière était endormie au moment de sa mort. Si elle avait été éveillée, on peut supposer qu'elle aurait tenté de dénouer le câble qui enserrait ses chevilles ou qu'elle aurait griffé le tapis de caoutchouc contre lequel elle a glissé. Or nous n'avons trouvé ni fibre ni caoutchouc sous ses ongles.

L'eau imbibe le tissu, mouille ses cuisses. La vague s'arrondit à la bonne hauteur, le courant est calculé. Rien à redire, c'est une mort bien planifiée. Tout y est : la robe de mariée, le homardier et ce chemin de lune insaisissable qu'elle emprunte comme un poisson s'enferre à un appât cuivré. « On s'accroche à des leurres féeriques, ma fille, car nous avons la foi rêveuse des damnés de la mer. » Sa mère avait raison, mais elle ne regrette rien.

DÉCLARATION DES TÉMOINS (extrait)
Il n'y a aucun témoin direct dans cette affaire.

Soudain, le bateau fait un bond vers l'avant. Angel se retient une fraction de seconde au vide, tel un cormoran qui déploie ses ailes, puis s'abandonne. Le homardier glisse vers le large et ça y est : la gueule glaciale de l'eau la mord. Un instant, sa robe l'immobilise à la surface. Angel prend une ultime gorgée d'air, étend les bras, non pas pour se débattre, mais pour se tourner vers le ciel. Elle ouvre grands les yeux, regarde la lune une dernière fois, et ne les referme plus.

Dimanche 23 septembre

Avant minuit, les gens se méfient encore du jour. Passé cette heure, ils dorment, comme on dit, sur leurs deux oreilles. Ils ont confiance. Ils rêvent. Quand un agent de la paix sonne à la porte de la résidence d'un citoyen profondément endormi, c'est nécessairement parce qu'il est chargé d'un drame, d'un deuil, d'une voiture en ferraille, d'un coup de couteau, d'une balle perdue. Il appuie sur la sonnette, entend l'écho du carillon dans le corridor et attend, debout dans l'ombre, comme un messager d'apocalypse. Il imagine les gens qui se réveillent, inquiets, qui regardent l'heure, s'habillent confusément, font taire le chien qui s'est mis à japper, allument les lumières dans l'entrée, vérifient par la fenêtre qu'ils ne se sont pas trompés, qu'il y a bien quelqu'un sous le porche, puis ouvrent, déjà terrorisés à l'idée de ce qu'ils devinent d'emblée à la vue de l'uniforme. Pour les bonnes nouvelles, personne n'a besoin de policier. Et elles peuvent attendre le jour.

Non, on ne devient pas agent de police pour ça, se dit Joaquin Moralès, quand le carillon de sa porte fait chanter ses quatre notes symphoniques vers six heures, ce matin-là. Le crépuscule allume une pâle lumière à l'intérieur de la maison sans rideaux. Il enfile un jeans en sortant du lit, un chandail en descendant l'escalier.

Ce réveil aux aurores ne l'inquiète pas parce que c'est la recrue Robichaud qui est de garde au poste. Elle passe son temps à lui tourner autour, à lui demander des conseils, à qué-mander un avis, à battre des cils pour qu'il lui fasse une recommandation en vue d'être mutée à Montréal. Ce n'est pas une mauvaise policière, mais jeune encore, inutilement téméraire, trop influençable. Instable, elle vivote comme une mésange dans une forêt de conifères.

Elle frappe quelques coups discrets à la porte, c'est le protocole à appliquer quand on ne perçoit ni bruits ni lumière. Il faut prendre en considération que la sonnette est peut-être défectueuse.

Il se frotte les yeux et s'étire la nuque en traversant le salon. Ce n'est pas qu'il tenait tant que ça à dormir, même qu'il était déjà réveillé et avait prévu se lever bientôt pour aller à la pêche. Mais c'est un dimanche de congé et il aurait préféré que la recrue attende lundi. Or, avec elle, c'est toujours urgent, question de vie ou de mort, affaire de justice et tous égaux devant la loi.

Moralès allume une lumière dans l'entrée pour éviter de la surprendre en ouvrant. Rien de plus efficace qu'une jeune agente armée qui sursaute pour vous remplir de plombs.

Joannie Robichaud se tient debout, sérieuse comme un huissier, dans le soleil qui fait prélude au jour. Sa queue de cheval lui serre tellement les cheveux qu'elle lui bride les yeux, son manteau s'entrouvre sur un uniforme outrageusement sexy à hauteur de la poitrine, sa taille est chargée d'un équipement qu'elle s'entête à porter au complet : menottes, matraque, poivre de Cayenne, comme si elle officiait dans le pire quartier du Bronx, son pantalon est si moulé qu'il en perd son pli, ses bottes sont cirées comme à l'armée.

— Je m'excuse de vous réveiller, mais c'est urgent.

Il y en a comme ça dans tous les postes de police et jusqu'au fin fond de la Gaspésie.

Elle se faufile dans le vestibule. Il s'avance pour refermer la porte derrière elle. C'est que l'air est frais et qu'il se tient pieds nus. Il tente de la contourner. Elle est embarrassée de son stock. Ils se touchent, reculent, elle rougit, fait un pas vers la salle à manger, s'arrête, pivote, se plante bien droite devant lui, ses pouces dans son ceinturon, les coudes loin du corps, prête à intervenir.

Il ferme la porte et la suit de mauvaise grâce.

— Voulez-vous un café, agente Robichaud ?

Elle décline l'offre d'un mouvement sec du menton. Elle aurait dû faire son service militaire.

— Il serait peut-être préférable de vous asseoir, monsieur Moralès.

Non. « Monsieur » ne s'assoira pas. Elle l'exaspère. Il lui en veut de gâcher son réveil pour des broutilles de recrue – surtout à cette époque de l'année où l'été vous glisse entre les doigts comme le sable du temps –, de ne pas l'appeler « sergent », d'oublier qu'elle a affaire à un supérieur, de l'accaparer.

— Écoutez, agente Robichaud, j'accepte de vous aider, mais je ne suis pas à votre service en tout…

— C'est votre fils.

Elle l'a interrompu.

— Mon fils ?

— Un homme de trente ans répondant au nom de Sébastien Moralès.

— Sébastien ?

Soudain, il mesure ce que la présence matinale de l'agente, qui applique à la lettre le protocole d'intervention nocturne, peut impliquer.

— J'ai reçu un appel, vers quatre heures, mais j'ai attendu la fin de mon quart de garde avant de venir. Je voulais pas vous réveiller trop tôt.

— Un appel de qui ?

— D'une de mes amies qui travaille au poste de New Richmond.

— Je ne comprends pas.

Joannie Robichaud fait semblant de consulter ses notes. Elle a mémorisé les détails, mais elle a regardé pas mal de films d'enquête et elle aime ménager ses effets. Malgré ses airs protocolaires, elle rêve en secret d'une histoire passionnelle avec un criminel fougueux, un riche baron de la drogue qui s'enticherait d'elle, voudrait la détourner du droit chemin, la kidnapperait et lui ferait l'amour dans un lit d'eau. Une tragédie poignante entre le désir et le crime.

— Sébastien Moralès a été interpellé, un peu avant deux heures, à Carleton-sur-Mer. C'était la fête de l'équinoxe, il y avait des festivités en ville. Les patrouilleurs lui ont demandé d'arrêter de chanter devant les maisons endormies.

Elle hésite.

— Et de ne pas pisser devant la mairie. Ils lui ont dit qu'ils l'embarqueraient pour tapage nocturne et grossière indécence s'il continuait. Il a répondu qu'il était capable d'y aller tout seul, en prison, parce que son père était au poste de Bonaventure. Les patrouilleurs ont pensé que c'était le fils d'un détenu.

— C'est impossible...

Une histoire pareille pourrait arriver à Manu, son cadet, mais pas à Sébastien. Son aîné a tout le sérieux ordinaire d'un fils de bonne famille : il ne s'enivre jamais, suit des cours de danse sociale, boit de la bière sans alcool et achète son papier hygiénique en rabais.

— Ils l'ont aperçu, un peu plus tard, en face de la marina : il dansait sur le quai, avec les derniers fêtards. Après, ils l'ont pas revu. Faut dire qu'ils le cherchaient pas. Mais, vers trois heures quarante-cinq, votre fils s'est pointé au poste de New Richmond.

Elle étudie ses notes.

— Il se serait rendu là en voiture, mais personne l'a surpris au volant. Il est entré et il a déclaré, je cite : « Dites à l'enquêteur Moralès que son *chiquito* est ici ! » Quand il a compris qu'il se trompait de poste de police, il a voulu reprendre la route, mais les agents l'ont gardé. L'agent Leroux, c'est pas un doux : il voulait le laisser partir et l'arrêter pour ivresse au volant, mais ma copine m'a appelée. Je lui avais déjà parlé de vous et elle s'en est souvenue.

Elle rougit, mais Moralès ne s'en aperçoit pas. Son regard erre dans le vide, cherche vainement une réponse qui se serait miraculeusement accolée à un objet ou à un meuble dans cet îlot de silence.

— Il y a peut-être erreur sur la personne. Sébastien n'aurait pas fait la route depuis Montréal sans m'informer de…

— Mon amie m'a envoyé une photo.

Joannie Robichaud sort son cellulaire, ouvre l'album et tend l'appareil à Moralès.

— C'est bien lui ?

Pas vraiment. Joaquin reconnaît à peine son fils. La petite moustache, la barbe longue, les cheveux emmêlés y sont pour quelque chose, mais pas autant que cet air bravache, ce sourire ivre et vorace, cet éclat revêche qui anime son regard. Il hoche pourtant la tête.

— Si on veut.

Joannie reluque de nouveau le jeune homme, s'en mord la lèvre : le fils Moralès est aussi séduisant qu'un riche truand.

— C'est pour ça que je suis venue. Je me suis dit que… je pourrais vous accompagner. Il a trop bu pour conduire et mon amie voudrait qu'on passe le chercher avant que l'équipe de jour prenne la relève. Sinon son patron va lui dire qu'un poste de police, c'est pas un hôtel. Vous savez comment les boss peuvent être emmerdeurs quand on…

Elle s'arrête au milieu de sa phrase, rougit de nouveau, mais son supérieur ne dit rien. Joannie et son amie de New Richmond lui font une faveur ce matin, il attendra lundi pour jouer les enquiquineurs.

L'agente Robichaud aurait effrayé n'importe qui en arrivant ainsi, mais c'est difficile de lui en vouloir et tout aussi impensable de lui ordonner d'enfiler des vêtements civils pour aller chercher Sébastien. En plus, elle veut sûrement montrer à sa collègue de New Richmond combien son uniforme neuf lui va, d'une manière aussi autoritaire que sexy. Moralès laisse passer, mais insiste pour prendre sa voiture à lui. Il a besoin d'occuper son embarras en s'absorbant dans la conduite.

— C'est pas grave de boire un verre de trop, mais faudrait que votre fils évite de prendre le volant quand il est en état d'ébriété.

Moralès jette un œil à sa gauche, du côté de la mer qui pâlit dans le lever du soleil. Qu'est-ce que Sébastien vient faire en Gaspésie ?

— Si c'est problématique, il faudrait lui acheter un appareil pour qu'il puisse tester son taux d'alcool avant de conduire.

Pourquoi n'a-t-il pas appelé ? Et Maude ? Il serait venu sans elle ?

— J'ai un oncle qui fait partie des Alcooliques Anonymes, il pourrait sûrement l'aider. Je vais lui en glisser un mot.

Et son travail ?

— Mais des fois, ça prend une vraie cure de désintoxication. Parce que le problème, avec la boisson, c'est souvent la drogue.

Moralès s'impatiente.

— Agente Robichaud, mon fils n'a pas de problème de consommation.

— Vous êtes son père : c'est clair qu'il vous raconte pas tout !

— Nous avons une très bonne communication.

— Je veux pas vous contredire, mais vous saviez même pas qu'il était en Gaspésie !

— C'est un homme sérieux, ça doit être un malentendu.

Joannie hoche la tête, un peu déçue : dire qu'elle a gardé son uniforme pour que le beau rebelle voie en elle une autorité secourable ! Avoir su qu'il était ennuyant, elle l'aurait laissé se payer un taxi !

— C'est pas grave : s'il a besoin d'aide, il saura que je suis là. Qu'il peut compter sur moi !

Moralès soupire. Il préférerait nettement être en train d'étudier une scène de crime.

Il se stationne sans un mot dans la cour du poste de police de New Richmond. Pendant que l'agente prend les devants, Moralès observe la voiture de Sébastien, garée de travers. Joannie tient la porte quelques secondes, lance une œillade réprobatrice vers Moralès, constate qu'il ne semble pas pressé de retrouver son fils, puis franchit seule le seuil.

C'est que le cœur de Joaquin a manqué un battement quand il a vu le capharnaüm dans l'auto de son gars. Elle est remplie de boîtes, de sacs, de valises, de vêtements, de casseroles, le tout dans un fouillis de départ précipité, d'existence bousculée, d'amour incendié. Sébastien doit être désespéré, qu'il se dit. Ça expliquerait son ivresse. Et c'est vers lui, son père, qu'il se tourne quand sa vie le met dehors. Il inspire un grand coup, bouleversé par le drame qui l'attend, puis pénètre à son tour dans le commissariat.

Personne à l'accueil. Il frappe à la porte blindée, entend quelque chose. Du bruit. C'est confus. Enfin, l'agente de service ouvre en grand. La musique déboule sur Joaquin comme un glissement de terrain, *La Vida es un carnaval*, de Celia Cruz, qu'il a entendue jusqu'à s'en rendre malade quand il était jeune. L'agente de garde lui fait signe d'entrer. C'est bien son fils qui est là. Sébastien, un genou au sol, fait mine de lire l'avenir écrit sur la paume de Joannie.

— Je vois que vous aurrrrez une rrrroute longue et douce en borrrrdurrrre de merrrr, accompagnée par un vagabond mexicain déjà ivrrrre d'alcool. Et de votrrrre beauté.

Robichaud roucoule.

— ¡*Papà*!

Sébastien Moralès lâche de manière aussi abrupte que cavalière la main de la recrue Robichaud, s'élance vers son père.

— ¿ *Comó estás* ? Tou es mon sauveurrrrr !

Il l'enlace, le serre contre lui, se tourne encore vers Joannie et son amie du poste de New Richmond, qui ont les joues roses.

— *Con las senorrrritas…*

Joaquin Moralès garde son fils contre lui et, baissant la voix sous le volume de la musique, lui murmure à l'oreille :

— Qu'est-ce que tu fais ici ? Et lâche ton faux accent de don juan mexicain !

L'autre lui envoie un sourire formidable, empli d'ivresse.

— Je viens te voir !

Et lui flanque un baiser sur la bouche.

— On y va ?

Une fois dans le stationnement, Sébastien remet ses clés à la recrue.

— Je vais embarquer avec la *señorita*.

— Vous serez sage, Sébastien ?

Elle dit ça sans regarder son patron.

— Vous n'aurez pas à vous plaindre, promis…

Il s'assoit dans la voiture et relance sa musique sur son haut-parleur portable. Celia Cruz continue de chanter à tue-tête.

C'est ainsi que Moralès se retrouve sur la 132 Est à suivre la voiture de son fils conduite par Joannie Robichaud, qui accélère, ralentit, valse de gauche à droite dans la voie. Même ivre, il serait difficile de conduire de façon plus dangereuse. Arrivée dans le village de Caplan, la voiture bifurque soudain à droite, vers la plage municipale. Machinalement, Moralès la suit et s'immobilise bientôt derrière elle.

Les jeunes sortent sur la plage. Sébastien, qui a mis la musique à fond, laisse sa portière ouverte. Joaquin, ahuri, regarde son fils prendre la main de la recrue et faire tournoyer la jeune femme sur le sable dur battu par la marée descendante. Elle a retiré son arme et sa matraque, abandonné le kit de la parfaite policière dans le véhicule. Qu'est-ce que son gars fait là ? Il courtise sa subalterne ? Devant lui ? Moralès s'indigne intérieurement de cette impudeur qui le place dans une posture délicate entre son amour paternel et les valeurs conjugales de loyauté et de fidélité. Lui-même est marié à Sarah depuis plus de trente ans et…

Et quoi ?

En arrière-plan des danseurs, la mer rabat ses vagues contre le sable. Il y a trois mois, une femme lui a mis le cœur à l'envers.

Catherine. Puis elle est partie en voilier et Joaquin n'a plus entendu parler d'elle.

Dans un tournoiement, Sébastien réussit, Dieu seul sait comment, à retirer l'élastique qui tient quotidiennement l'abominable queue de cheval de la jeune agente, et sa chevelure dorée se répand, telle une onde ambrée, une méduse chamarrée, dans l'air humide du matin.

Sidéré, Joaquin observe son fils, debout malgré la route, l'insomnie, la nuit d'ivresse, transformer la pénible recrue en gracieuse cavalière de danse. Se sent-il en droit de lui faire la morale? Son regard file une fois de plus en direction de la mer, du voilier de Catherine dont il guette l'éventuel retour, puis revient vers le jeune couple. Après tout, qui lui dit que ça va mal entre Maude et Sébastien? Peut-être que ce dernier a obtenu une semaine de vacances au travail et que sa conjointe est en congrès à l'étranger. Ça ne serait pas la première fois. Peut-être que son garçon agit bien innocemment, lui qui adore danser. Joaquin observe la baie des Chaleurs, désespérément vide dans l'aurore. Il s'en détourne, embraye et regagne la route.

Ce serait l'heure d'aller mettre la ligne à l'eau, mais Moralès meurt de faim. Il ouvre le réfrigérateur avec peu d'espoir: il n'est pas allé à l'épicerie depuis un moment déjà. Il réussit quand même à sauver trois champignons, une moitié de tomate, un bout de poivron, deux œufs, un coin de fromage et un petit oignon: la matinée n'ira pas si mal, finalement.

Maintenant que Sébastien lui a mis la voix de Celia Cruz dans l'oreille, il fredonne *Rie Y Llora* en se concoctant un petit-déjeuner. Il n'attend pas l'arrivée de son rejeton trentenaire, qui danse la salsa sur la plage; la recrue le ramènera. Juste au moment où il dépose son omelette aux légumes *ranchero* dans une assiette et se sert un café, il entend la voiture de Sébastien se stationner dans son entrée. Ravalant un juron avant sa première bouchée, il sort remercier Joannie Robichaud et accueillir l'enfant prodigue.

— Vous pouvez compter sur moi, messieurs Moralès !

Elle s'éloigne, les cheveux en désordre et les joues rouges.

— Vous oubliez votre arme de service !

Elle émet un rire d'enfant pris en faute, revient en sautillant vers la voiture, ramasse ses affaires, puis repart, moitié marchant, moitié dansant, vers son véhicule.

— C'est la première fois que je la vois comme ça.

— Elle avait besoin d'un Mexicain.

— Depuis quand t'es mexicain ?

— Depuis que je suis en Gaspésie.

— Et depuis quand tu viens en Gaspésie ?

Joaquin regrette immédiatement ses mots, il déteste assaillir ses fils de questions. Sébastien prend une mine embarrassée, bredouille en se tournant vers sa voiture remplie jusqu'au toit. Le soleil est bien levé maintenant et la lumière éclaire la scène avec ce qu'elle sous-entend d'une vie conjugale en débâcle. D'un geste sûr, il ouvre la portière arrière, attrape une boîte remplie de chaudrons qu'il ramène contre lui tel un costume de parade.

— Je viens faire de l'expérimentation culinaire !

Sous le coup de la surprise, Moralès recule d'un pas.

— De l'expérimentation culinaire ?

Sébastien est chef dans un restaurant, mais ses repas ont toujours cruellement manqué de saveur. Il cuisine fade, des plats passe-partout qui ne laissent de souvenir ni sur le palais ni dans le désir. Moralès s'est souvent dit que les clients devaient vite oublier avoir mangé à ce restaurant. Il aurait aimé croire que les recettes du restaurateur obligeaient son fils à une sorte de standard insipide, mais après avoir goûté, à la maison, aux plats concoctés par Sébastien, il en était venu à la conclusion tranchante que son fils, qui calculait les épices et comptait les portions, cuisinait comme un comptable.

— Oui ! J'ai convaincu mon patron, il trouve que c'est une bonne idée.

Moralès est interdit.

— *Chiquito*…

— J'aimerais ça, découvrir les produits du terroir gaspésien : le homard, le crabe…

— La saison est finie. Les pêcheurs ont ramassé leurs casiers depuis des semaines. Ils ont fait le flétan, leurs bateaux sont presque tous en cale sèche.

Du bout du pied, Sébastien claque la portière.

— Les crevettes, alors !

— Il n'y a pas de pêche à la crevette dans la Baie-des-Chaleurs.

— T'es sûr ? C'est pas grave ! Y a pas juste les crustacés qui m'intéressent. La mer, c'est rempli de poissons frais !

Les hommes se dirigent vers la maison, Joaquin ouvre la porte pour laisser passer son garçon et sa boîte de casseroles.

— Ta fameuse omelette *ranchero* ! Ça fait des années que j'en ai pas mangé ! T'es extraordinaire d'avoir pensé à ça !

Il flanque la boîte sur le comptoir, s'empare de l'assiette et du café, les apporte sur la table. Il attaque l'omelette avant même d'être assis pendant que Moralès se rappelle amèrement pourquoi les enfants doivent un jour quitter le giron parental et aller faire leurs petits-déjeuners dans leur propre maison. Le père retourne à la cuisine et insère deux tranches de vieux pain dans le grille-pain en relançant la cafetière.

— Tu t'es remis à la pêche ?

— Oui. J'y allais, justement.

— Où ça ?

— Surtout près de l'eau.

— Je voulais dire : tu pêches directement ici ?

Joaquin sort les rôties du grille-pain. Plus de beurre. Il se verse un café. Plus de lait.

— Oui. On peut accéder à la grève par un escalier de bois. Il y a une fosse juste en bas de la falaise, à droite. L'été, les pêcheurs y déposent des casiers. J'y ai plongé une fois : il y a plein de homards, de crabes, de poissons.

— Tu pêches quoi ?

Joaquin s'avance vers la table pendant que son garçon en sort. Il a déjà tout avalé, comme un adolescent en poussée de croissance.

— Ce qui mord. C'est surtout de l'expérimentation sous-marine.

Sébastien ne relève pas la pointe.

— C'est vraiment beau chez vous!

C'est la première fois qu'il entre dans la maison où son père a emménagé trois mois plus tôt. Sans être immense, la demeure est chaleureuse. La salle à manger et le salon s'ouvrent sur de larges baies vitrées, une porte-fenêtre donne accès à une galerie surplombant la mer. Seule une toile, une œuvre que Moralès conserve depuis toujours et dont les teintes accompagnent celles du drapeau mexicain épinglé dans l'escalier, orne l'aire ouverte. L'ameublement est neuf et un puissant télescope est tourné vers l'horizon.

Sébastien se laisse tomber dans le divan. Moralès s'assoit à la table, repousse la vaisselle sale de son fils et mange en silence. Sébastien ne parle pas non plus. Joaquin sent que son fils n'ose pas aborder le vrai sujet de sa visite. Il finit ses rôties avant d'oser une première question.

— T'as prévu rester ici combien de temps?

Pas de réponse.

— Parce qu'il n'y a pas encore de lit dans la chambre d'amis…

Silence. Moralès s'approche : son gars s'est endormi, assis, le cou plié, la tête sur la poitrine. Il va chercher un oreiller et une couverture, l'aide à s'allonger. Puis il reprend sa tasse de café qu'il termine en une gorgée. Il attrape son manteau, son portefeuille, ses clés et file acheter un lit. Ce n'est pas tant qu'il tient à ce que son garçon soit installé comme un prince, mais il est hors de question que ce dernier squatte son sofa, sa longue-vue et étende ses affaires partout, même temporairement.

Quand, enfin, Joaquin descend près de la mer, la journée achève.

Il s'est rendu au magasin d'ameublement de Bonaventure et s'est cogné le nez contre la porte, le commerce étant fermé le dimanche. Il a roulé jusqu'à Grande-Rivière et a commandé un lit qui devrait lui être livré le lendemain. Il a ensuite filé à l'épicerie, fait les courses, puis est revenu à la maison. Son fils ronflant toujours à pleins poumons, il a rangé les provisions en contournant la boîte de casseroles et attrapé sa canne à pêche avant de descendre.

Il soupire en arrivant sur la grève. Il revoit tout ça : le sourire ivre de Sébastien, la chevelure libre de Joannie. Il démêle la ligne, vérifie que la cuillère argentée est attachée solidement, puis, dans un mouvement semi-circulaire, l'envoie à l'eau.

Dix heures de route pour aboutir dans un mensonge. Est-ce qu'il le regrette ? Disons que Sébastien Moralès n'a pas tout à fait la gueule d'un champion olympique, en se réveillant, la tête lourde, la bouche pâteuse, la couverture en travers des jambes, en cette fin d'après-midi gaspésien.

Il s'assoit péniblement sur le divan, jette un œil à son cellulaire. Il était certain d'avoir été réanimé par une sonnerie, mais son portable est en mode muet. L'écran affiche une série de textos et d'appels manqués. Maude le cherche, mais il ne répondra pas. Pas tout de suite, en tout cas.

Depuis jeudi dernier, il est en colère. Ce soir-là, son amoureuse et lui ont eu une sérieuse dispute autour de l'infidélité. Il y a des sujets de discussion, dans un couple, qui ressemblent à de petites fissures dans la fondation d'une maison. Emporté par l'enthousiasme confiant de la jeunesse, on a acquis la propriété en se disant que quelques gouttes d'eau printanières sur le béton du sous-sol ne pourraient jamais altérer la solidité de la demeure. Les années passant, les lézardes s'élargissent, mais par paresse ou habitude on ignore l'odeur de moisissure qui monte du côté de l'escalier. Or, par un soir d'orage, on entend un bruit sourd en bas et on découvre, sidéré, qu'un mur s'est affaissé.

Au milieu de la nuit, des incompréhensions et des paroles nauséeuses, Maude a décidé d'aller passer quelques jours chez sa sœur, afin de leur laisser, à Sébastien et elle, le temps de décompresser et de réfléchir à l'avenir. Elle a ramassé des vêtements en vrac et est sortie en claquant la porte tandis qu'il restait, lui, abattu devant le désastre.

Le pire, ce n'était pas tant les confidences de Maude, mais cette phrase qu'elle lui avait lancée comme un poignard : « Nous sommes tous les deux responsables de la situation ! » et qui lui avait tourné en tête jusqu'au matin. Comment pouvait-elle lui imputer ses propres infidélités ?

Le jour suivant, il n'était pas rentré travailler et, comme si le mauvais sort frappait à sa porte, sa mère, qui était absorbée depuis le début de sa ménopause par le projet de devenir une grande artiste, l'avait appelé pour lui parler de la prochaine étape de sa carrière. Il n'avait pas vraiment porté attention au début de la conversation, aussi avait-il sursauté quand Sarah l'avait interpellé :

— Tu m'écoutes, Sébastien ?

— Excuse-moi, m'man, j'ai pas entendu la fin…

— J'aimerais que tu viennes me donner un coup de main pour mon déménagement.

— En Gaspésie ?

Il y avait eu un silence au bout du fil.

— Non. Je viens de te dire que j'ai acheté un condo ici, à Longueuil, juste à côté de l'atelier où je travaille. Je déménage demain.

— Tu vas pas rejoindre p'pa ?

— Non.

— C'est toi qui voulais aller en Gaspésie ! C'est toi qui l'as convaincu de déménager là-bas !

— Oui, mais j'ai changé d'idée.

— C'est à cause de Jean-Paul, ça. Ton « agent ».

Il avait dit ça avec mépris parce que, la seule fois qu'il avait vu sa mère en compagnie de ce dernier, celle-ci ressemblait à une collégienne excitée devant la vedette sportive de l'école secondaire, et cette constatation lui avait donné la nausée.

— Ma carrière artistique a pris un envol inattendu, dernièrement, et…

— Papa est au courant?

Un autre silence, plus long cette fois, avait envahi la conversation. Puis sa mère avait ajouté:

— Ton père est un adulte. Il n'est pas victime de mes choix. Il est aussi responsable que moi de la situation dans laquelle…

Sébastien avait raccroché. Mû par la colère, il avait ramassé ses affaires et bourré l'auto jusqu'au toit. Il n'avait pas laissé de note à Maude avant de prendre la route de la Gaspésie. Il était enragé, mais confus: à qui en voulait-il? À sa conjointe? Évidemment. À sa mère? Peut-être. À lui-même? Il n'aurait su dire pourquoi.

À son père?

La question résonnait fortement dans sa tête. Qui était responsable des échecs conjugaux de sa famille sinon ce dernier? Il y avait un peu plus de trente ans, Joaquin Moralès avait quitté le Mexique parce qu'il avait mis une touriste enceinte. Il était venu s'installer à Longueuil et, à partir de ce moment, le fier et jeune policier mexicain était devenu un sage et malléable mari de banlieue. N'avait-il pas, en effet, abandonné son pays, laissé derrière sa famille d'origine, mis sa culture de côté pour sa femme, Sarah? Plus Sébastien y pensait, plus il revoyait son père, silencieux et obéissant, devant sa mère. Soumis. Et puisqu'aucune femme ne respecte un homme qui agit comme un tapis, il arrivait maintenant ce qu'il aurait fallu prévoir: sa mère déguerpissait avec un agent d'artistes! Voilà peut-être des années qu'elle le trompait. Elle avait même réussi à l'éloigner avec un projet de déménagement en Gaspésie!

Ces déductions faites entre son domicile et la sortie de la ville l'ont vite empli d'amertume. Puisque les enfants imitent leurs parents, se disait Sébastien, il avait lui-même agi comme son père, s'était soumis silencieusement à son amoureuse et vivait aujourd'hui avec les conséquences humiliantes des infidélités de celle-ci.

Il s'était vu forcé de constater que son échec conjugal à lui, le fils Moralès, prenait racine dans le comportement de son père. C'est ainsi que, gonflé à bloc, il avait filé sur l'autoroute, bien décidé non seulement à s'éloigner pour un temps de Maude, mais aussi à aller affronter son géniteur pour se dépouiller de cette servilité filiale qui lui empoisonnait l'existence.

Entre Montréal et Québec, il avait visualisé son arrivée. Entre Québec et Rimouski, il avait déployé son argumentaire. Entre Rimouski et Amqui, il avait peaufiné les mots de sa révolte. Plus les kilomètres passaient, plus sa pensée se précisait, plus sa langue s'affûtait. Mais voilà qu'en entrant dans Carleton il s'était aperçu qu'il avait faim. Il ne lui restait qu'une heure de route à abattre ; il ne faudrait pas arriver chez son père le ventre vide. Ç'aurait été un peu gênant.

Il s'était alors arrêté dans un bistro. De la faim à la soif, il n'y a qu'un geste. Difficile de ne pas l'exécuter, surtout quand c'est samedi et que la petite ville côtière est en fête. Il avait donc glissé dans l'alcool, sauté sur la piste de danse en entendant, pour la première fois depuis longtemps, des rythmes latino-américains. Emporté par son propre élan, il s'était mis à faire tournoyer les filles et, quand elles lui avaient chuchoté : « Moralès, c'est mexicain, non ? » il avait, pourquoi pas, enroulé sa langue autour de cet accent qui avait appartenu jadis à sa famille paternelle. Au fil de la nuit, il avait étourdi sa véhémence, engourdi sa rage et s'était mué, l'alcool aidant, en enfant prodigue qui aboutit, affamé et fuyant une relation conjugale étouffante, dans la cour accueillante d'un père aimant.

Ce dernier n'a pas posé de questions ce matin, mais Sébastien, trop épuisé pour se lancer dans une discussion père-fils, a senti une pression muette à justifier temporairement sa présence ici. Bien sûr, il aurait pu jeter une phrase sans conséquence qui lui aurait permis de remettre à plus tard l'affrontement qu'il était venu chercher. Il aurait pu formuler un petit mensonge inoffensif, dire qu'il avait obtenu une semaine de vacances inopinée, qu'il voulait lui rendre une visite surprise, question de gagner du temps. Mais il s'est senti l'obligation de formuler quelque chose de plus crédible. Un projet.

C'est ainsi que, se tournant vers la voiture et apercevant une boîte de casseroles appuyée contre la vitre arrière, il a ouvert la portière, saisi ladite boîte et s'est lancé.

— Je viens faire de l'expérimentation culinaire!

Son père a secoué la tête, et Sébastien, surpris comme un enfant la bouche remplie de mensonges, aurait dû se taire. Il se sentait aussi idiot qu'une mascotte de baseball dans une bijouterie. Mais justement : s'arrêter là aurait prouvé qu'il mentait. Il fallait donc poursuivre, surenchérir, ajouter des détails, montrer qu'il ne s'agissait pas que d'une fanfaronnade.

— J'aimerais ça, découvrir les produits du terroir gaspésien : le homard, le crabe…

Ça faisait des années que les mensonges le tiraient vers le bas et voilà que, coulant à pic, il inventait d'autres histoires. Or il se passait ceci d'étrange : plus il mentait, plus il arrivait à se convaincre qu'il disait la vérité. Il s'entendait feindre à pleine bouche, mais cela le soulageait, lui permettait d'étouffer sa douleur sous le poids d'un projet, comme d'autres recouvrent la fissure d'un mur par une jolie tapisserie. C'était ainsi : plus il dansait, plus il avait envie de danser.

Sébastien plie la couverture, se lève, avance vers la porte-fenêtre. Difficile d'admettre qu'il s'est dégonflé comme un ballon crevé. Devant son père, ce matin, il a été incapable de lui lancer, à brûle-pourpoint, que Sarah s'était acheté un condo à Longueuil et ne viendrait pas le rejoindre dans cette Gaspésie dont ils avaient rêvé ensemble. En mangeant à sa table, il aurait eu honte de lui parler de sa soumission aveugle envers sa femme. Et, en se réveillant face à la mer, il n'a pas envie de se remémorer avec lucidité les raisons de son départ. Il se convainc peu à peu que c'est mieux comme ça, après tout. Il doit atterrir, reprendre contact avec son père avant de l'affronter.

Le soleil étend sur la mer des copeaux d'or. Sébastien aperçoit, en bas de la falaise, vers l'ouest, Joaquin qui s'installe pour pêcher. Son père vérifie sa ligne, puis la lance. En crevant l'eau, le leurre crée une petite onde à la surface. Il commence à rembobiner. On dirait que ça mord. Au premier lancer? Il serait chanceux. Sébastien observe Joaquin qui donne du mou au fil, marche quelques pas vers la gauche, tente de mouliner. Ah, non. L'hameçon est coincé. Il redonne du mou, fait plusieurs pas vers la droite, tente de rembobiner de nouveau. Toujours immobile. C'est étonnant parce que son père a affirmé qu'il y avait une fosse à cet endroit.

À moins qu'un cerf soit tombé de la falaise. Dans un mouvement parallèle, le père et le fils se tournent du côté de la paroi rocheuse, plissent les paupières. Il y aurait du sang. Ils regardent encore en direction de la fosse, se demandent sur quoi le croc a bien pu mordre.

Joaquin pourrait couper la ligne. Ce n'est pas que le leurre est cher, non, c'est que rien ne devrait accrocher à cet endroit. Sébastien épie son père, qui hausse les épaules et se décide. Il pose sa canne en appui contre les pierres rouges, retire ses souliers, puis ses bas.

Un téléphone sonne. Sébastien sursaute. C'est une sonnerie similaire qui l'a réveillé, il en est presque certain. Il cherche l'appareil, le trouve sur le comptoir de cuisine. Un numéro masqué. Il revient rapidement vers la porte-fenêtre, l'ouvre, appelle son père, mais ce dernier ne l'entend pas, occupé qu'il est à retirer son chandail, ôter son pantalon, puis avancer dans l'eau fraîche.

Sébastien répond.

— Un instant, mon père vient de plonger. Ça sera pas long.

Il file à la salle de bain, ramasse une serviette et descend au pas de course l'escalier qui longe la falaise. Il pose les affaires sur une roche, prend la canne à pêche, laisse le fil aller. Attend. Quelque chose bouge enfin, puis son père paraît à la surface, nage rapidement vers la berge.

— L'hameçon a mordu sur un tronc d'arbre.

Le fils sourit, commence à rembobiner le fil maintenant libre.

— C'est froid ?

— Glacial.

Joaquin émerge de l'eau en grelottant, empoigne la serviette.

— Prends ton téléphone. Quelqu'un pour toi.

Le père saisit le cellulaire pendant que Sébastien s'occupe de la canne, du coffre de leurres et d'une partie des vêtements.

— Allô ?

— Enquêteur Moralès ?

Joaquin Moralès jette un œil vers son fils, qui gravit les marches de l'escalier vers la maison.

— Lui-même.

— Ici la lieutenante Forest.

Il tente de se sécher d'une main.

— J'allais vous appeler, justement. J'aimerais prendre quelques jours de congé.

Il a droit à trois semaines de vacances depuis qu'il a emménagé dans la Baie-des-Chaleurs, mais sa patronne arrive toujours à le coincer. Au moment où il entrait pour la première fois dans l'allée de sa nouvelle demeure, elle l'attendait avec un homicide. Puis il y a eu cette affaire de vols dans les terres et cette histoire de pillage de cimetière.

Moralès est patient. Il n'a pas insisté, parce qu'il prévoyait réclamer lesdites vacances à l'arrivée de sa femme, mais l'apparition inopinée de Sébastien et de sa batterie de cuisine l'a convaincu qu'il devait s'arrêter quelques jours, question de s'occuper de son gars.

— Enquêteur Moralès, la Gaspésie n'est pas un bon endroit pour prendre des vacances.

— C'est que mon garçon est en visite et... hum.

Il ne sait pas trop comment formuler sa requête. Il a reçu un mémo, dernièrement, au travail, qui expliquait que l'assistance à la « détresse psychologique » d'un membre de la famille constituait une bonne raison pour demander un congé immédiat, mais ce n'est pas un sujet qu'un père enquêteur aborde avec l'aisance d'une lectrice de revues de psycho pop.

— Mon garçon a besoin de... hum.

Comment pourrait-il verbaliser ça ? Joaquin et Sébastien détestent les conversations père-fils autant que les explications avec les patrons.

— Si vous pouviez terminer cette phrase aujourd'hui, sergent, je vous en serais reconnaissante.

— Il faudrait que je l'aide dans ses expérimentations culinaires.

Il s'entend prononcer ces mots qui sonnent aussi faux qu'un trompettiste dans un concert pour piano seul. Il se sent rougir stupidement. Sa patronne se racle la gorge avant d'enchaîner, lentement, d'une voix qui se contient de ne pas céder sous un déluge de sarcasmes.

— Moralès, j'aimerais quant à moi, comment dire, vous envoyer faire une « expérimentation d'enquête » du côté de Forillon.

Il se sent ridicule, mais ce n'est pas une raison pour plier l'échine.

— Ce n'est pas mon secteur.

— Les enquêteurs aux homicides manquent en Gaspésie, le poste de Gaspé a besoin d'aide pour élucider une disparition qui a eu lieu la nuit dernière.

— Vous confondez disparition et homicide, lieutenante.

Joaquin s'aperçoit qu'il grelotte. Il prend le chemin de la maison, s'engage dans l'escalier pendant que sa patronne fait semblant de ne pas l'entendre.

— Les prêts de service sont fréquents dans la région et nous permettent de gagner un temps précieux en attendant que les équipes de Montréal viennent prendre le relais. Quand elles viennent.

— J'enquête déjà sur le pillage du cimetière de…

— J'ai refilé votre dossier à la recrue Robichaud.

Moralès entre dans la maison. Il revoit la recrue en question et se demande si elle a raconté à leur patronne dans quelles circonstances ils sont allés au-devant de Sébastien ce matin.

— Mon fils est ici et j'aimerais vraiment…

— J'ai très bien compris. Mais vous irez popoter sur la pointe gaspésienne.

Impossible de réparer sa gaffe, d'avouer que son fils a peut-être besoin d'aide en présence de celui-ci qui, de l'autre côté de sa pile de chaudrons, s'affaire à fouiller dans les provisions. Évidemment, Marlène Forest en profite.

— Pour tout vous dire, j'ai pensé expressément à vous pour cette enquête.

Son fils ouvre le frigo.

— Et pourquoi donc, lieutenante Forest?

— Parce que c'est une femme qui a disparu.

D'un coup, la présence de Sébastien s'estompe, remplacée par une crainte glaciale.

— Une femme?

— Oui.

— En mer?

— Oui.

Sa patronne se délecte du silence. Joaquin jette un œil sur le télescope par lequel il épie quotidiennement l'horizon, en espérant voir revenir Catherine, la femme qui l'a bouleversé. Il hésite avant de poser la question suivante. Son cœur bat douloureusement dans sa poitrine.

— Sur quel type de bateau?

— Un homardier.

Moralès expire lentement, s'appuie sur le cadrage de porte, ferme les yeux. Sébastien se fige, debout dans le frigo.

— P'pa? Ça va?

Marlène Forest a repris sa tonalité cassante de patronne.

— Les femmes de mer ne laissent personne indifférent, Moralès. Ni vous ni les Gaspésiens. Si vous avez le cœur du bon côté du corps, vous allez lâcher vos chaudrons et vous rendre à Gaspé.

Elle a raison, mais Moralès est incapable de lui dire oui. Elle a deviné à quel point Catherine l'a rendu fragile et le jeu cruel auquel elle s'est prêtée le rend blême de colère.

Sébastien ferme le frigo, s'approche de son père, les sourcils froncés.

— T'es-tu correct ?

Joaquin ouvre les yeux, regarde son fils qu'il aime, qui est devant lui, avec sa musique, ses casseroles et sa maladresse. Il se redresse.

— Je ne suis pas enquêteur aux disparitions, lieutenante Forest. Rappelez-moi quand ce sera un homicide.

Il raccroche, fait un clin d'œil de faussaire à Sébastien et entreprend d'éponger énergiquement, avec la serviette, l'eau de mer qui détrempe encore sa peau.

Joaquin Moralès jogge jusqu'au cimetière, ralentit, tourne à gauche. La colère a fait place à l'indécision. Il s'approche sans bruit de la maison ancestrale près de laquelle une camionnette est stationnée, longe la corde de bois, rejoint l'escabeau judicieusement installé sous une fenêtre, grimpe les marches à pas de loup, jette un œil à l'intérieur. Il aperçoit d'abord un sac de marijuana sur une table basse, puis les mains d'un homme qui se roule un joint.

Assis dans son lit, Cyrille Bernard tourne un œil dans sa direction.

— Hiiii… C'est du *pot* thérapeutique, sergent.

Moralès ouvre la fenêtre et entre dans la chambre du vieil homme.

— Toujours vivant ?

— Pas encore mort, en tout cas.

Cyrille Bernard lèche et colle son papier pendant que Moralès referme la fenêtre.

La sœur de Cyrille, avec qui il partage la maison, refuse que le malade reçoive de la visite. Depuis le milieu de l'été, les proches ont pris l'habitude de monter sur la corde de bois sous la fenêtre pour venir voir le vieil homme cancéreux. Or Moralès, la semaine dernière, en a fait débouler presque la moitié. Malheureusement pour lui, la corde était partiellement recouverte d'une feuille de tôle qui empêchait la pluie de s'infiltrer entre les bûches, ce qui a créé un boucan d'enfer.

Alors que le policier roulait dans le tas, la sœur Bernard, trapue et tonitruante comme une caricature de mégère canadienne-française, a jailli de la maison en tenant, comme l'usage le veut, un rouleau à pâte. Moralès se souviendra longtemps et malgré lui de la vision qui l'a agressé quand, couché dans le tas de bois, il a ouvert les yeux. À contre-jour dans cet après-midi lumineux, une large ombre noire à la tête déformée tenait au-dessus de lui un objet contondant dans une position menaçante. Avant même qu'il ait pu se relever, elle lui a soufflé, d'une voix basse sortie des ombres : « Vous allez me ramasser ça, et vite ! »

Pris au dépourvu, il s'est excusé en hâte et a entrepris de corder le bois en un temps record, tandis que l'ombre, croyait-il, s'allongeait derrière lui. Toutefois, le voyant à l'ouvrage, la sœur de Cyrille était rentrée dans la maison et lui avait rapporté un petit escabeau : « Mettez ça en dessous de la fenêtre. Je veux pus vous entendre. » Il s'est retourné pour la remercier, mais elle avait déjà tourné le dos. Il les avait vus disparaître, elle, sa robe de chambre et son chapeau de bigoudis, au coin du perron. Il avait vaguement murmuré quelques mots avant de finir sa besogne et de rejoindre, écorché dans sa chair, mais surtout dans son orgueil, son ami Cyrille.

Depuis, il a beau monter sur la pointe des pieds, il n'arrive pas à se débarrasser de l'impression envahissante d'être observé.

Le vieux pêcheur allume son joint, ferme les yeux en fumant. Joaquin s'assoit à côté du lit.

— Ces jours-ci, la mer s'éteint. Le soleil se lève de plus en plus tard, comme s'il trouvait ça lourd de sortir des montagnes, pas pressé de faire sa job, et il se couche de plus en plus tôt, fatigué d'avoir éclairé si longtemps.

Cyrille Bernard n'est plus qu'une ombre dans son lit. Sa respiration est difficile et sifflante. Il ressemble à un noyé qui cherche son air.

— Le vent lâche pas beaucoup, surtout le jour. Il est teigneux sur la baie. À marée montante, la crête des vagues s'étire, longue et blanche. On dirait des dents de frimas. C'est pas encore la saison froide, mais ça donne une idée de ce qui s'en vient.

— Hiiii… Tu t'améliores, pour un gars de Longueuil! Peut-être qu'il te reste plus de Mexique que tu penses.

Moralès hausse les épaules, gêné par le compliment.

— On approche de la pleine lune.

— Hiiii… Tu sais ce qu'on dit, ici? Que la lune est menteuse, hiiii… pis que son reflet sur la mer, c'est l'argent des fous. Hiiii…

Le pêcheur reçoit des soins palliatifs. Il a fini sa pêche depuis un moment déjà, mais il n'a pas sorti son bateau de l'eau pour l'hiver. Il ne l'hivernisera pas. Il a pour projet d'aller mourir en mer avant que le grand froid les prenne, l'un et l'autre. Il l'a dit à Joaquin. Que la marée d'automne montait.

Moralès sait que ça s'en vient. Depuis presque une semaine déjà, Cyrille Bernard n'a pas quitté son lit, alors il se fait un devoir d'aller lui raconter la mer. Les goélands qui plongent dans l'onde glaciale, qui font éclabousser dans le soleil paresseux des gerbes d'eau qui ressemblent à des éclats de givre. La vague qui se bat contre le gel matinal en s'ébrouant. Les remous de plus en plus rares des bateaux qui rentrent à la maison. Les petites plages anonymes désertées par les derniers estivaliers. La grisaille qui arrive à mesure que le jour perd des minutes au profit de la nuit. Le silence qui envahit la grève.

— Mon plus vieux est débarqué chez nous ce matin. Soûl, son char plein de casseroles.

À travers la fumée, Cyrille arque un sourcil.

— Hiiii… On dirait que ça va mal avec sa blonde!

Joaquin hoche la tête.

— L'an passé, à Noël, elle a dit devant toute la famille qu'elle voulait un bébé. Mon gars est devenu rouge.

— Hiiii… Rouge comment? Gêné?

— Non.

Moralès a toujours trouvé son aîné un peu lâche. Il a vu tant de fois sa blonde parler à sa place, ouvrir le vin, raconter les grands événements de leur vie de couple, se moquer un peu, même, alors que Sébastien s'effaçait dans le sourire silencieux de celui qui laisse sa femme décider de la tournure féministe de leur vie. Cette fois-là, il avait réagi différemment.

— Rouge enragé.

Le père s'était dit que c'était la première fois qu'il voyait son gars faire preuve de colère, même silencieusement, en présence de sa femme.

Cyrille secoue la cendre de son joint au-dessus du cendrier.

— Hiiii… Il en veut pas?

Dehors, le bleu du ciel perd déjà de son intensité.

— Je ne sais pas.

— Hiiii… Tu y as pas demandé?

Joaquin contemple le cimetière sans répondre.

— Ce sera pus le temps d'y parler quand tu seras couché là. Hiiii…

— Qu'est-ce que tu voudrais que je lui dise?

— Hiiii… T'es enquêteur, tu dois ben savoir poser une ou deux questions de façon intelligente!

— Ce n'est sûrement pas moi qui vais lui montrer comment aimer une femme…

Moralès se lève, s'appuie sur le coin d'une armoire. Il revoit la façon dont son fils a dénoué les cheveux de Joannie Robichaud sur la plage, ce matin.

— Pis là ? Hiiii… Il fait quoi ?

— Quand je suis parti, il essayait de se faire un café.

Moralès change de posture, observe Cyrille qui achève son pétard.

— Marlène m'a appelé, tantôt. Elle a une enquête pour moi dans le bout de Forillon.

— Tu pars quand ?

— J'ai pas fini le dossier du cimetière de Saint-Siméon.

Moralès ne le dira pas, mais il veut accompagner Cyrille Bernard jusqu'à la fin.

— On meurt pas ben ben en Gaspésie. Hiiii… Faut que t'en profites, si tu veux rester enquêteur un peu.

— Ce n'est pas une mort, c'est une disparition.

Joaquin avance vers la fenêtre. Le cimetière de Caplan s'estompe délicatement dans la brume du soir. C'est jour d'équinoxe, l'automne s'est présenté sans bruit la nuit dernière. Le soleil attend la neige.

— Hiiii… C'est qui, le disparu ?

L'enquêteur hésite.

— Moralès ?

— Une femme.

Cyrille écrase le joint. Un moment, le souffle sifflant du mourant traverse la pièce comme s'il griffait les murs.

— Hiiii… Qu'est-ce que tu fais encore ici ?

Moralès se tourne vers le lit.

— Ils n'ont pas besoin de moi immédiatement.

— C'est sûr que tu pourras jamais apprendre à ton gars comment aimer les femmes, hiiii… si tu les laisses disparaître en silence !

Moralès encaisse le coup.

— Je vais voir…

— Joaquin Moralès. Hiiii…

— Si Marlène Forest rappelle…

— Tu vas y aller. Hiiii… Pis personne va te prier !

Moralès ravale. C'est pour ça qu'il a quitté la ville ? Qu'il s'est mis en préretraite ? Pour vivre loin de son épouse, être bouleversé par une femme partie en voilier, trouver Sébastien soûl de désarroi et abandonner son seul ami gaspésien devant la mort ?

— Il y a mon gars qui…

— Cette fille-là aussi, c'est la fille de quelqu'un ! Hiiii…

— Cyrille, je…

Le malade se redresse sur son oreiller. Il plante ses yeux très bleus dans ceux de son ami.

— Arrête ça ! Hiiii… Je suis malade, pas aveugle ! J'ai pas besoin de toi pour me parler de la mer, Joaquin. Hiiii… Ni pour mourir en paix.

Moralès revient en joggant, il court vite, comme s'il fuyait la noirceur qui a vaincu le jour. Il a les jambes lourdes et le souffle court quand il arrive au bout du chemin de gravier. Il gagne le sentier qui longe la mer, voit soudain de la lumière et une animation inhabituelle du côté du bistro. Il fait un détour pour aller jeter un œil. À trente mètres, il entend la musique mexicaine qui défonce les haut-parleurs.

Une vingtaine d'autos sont stationnées dans la cour. À travers les fenêtres, il remarque que les tables ont été rangées sur le côté. Une quinzaine de personnes, enthousiastes, tentent de suivre son fils, Sébastien, qui danse une salsa endiablée avec une femme replète qui se trémousse joyeusement. Le serveur Renaud Boissonneau se fait aller les hanches à contretemps, tournoyant au bras de sa partenaire, la couturière qui tient un atelier juste à côté. Joannie Robichaud, cheveux défaits et taille légère, accompagne un homme âgé que Joaquin ne connaît pas.

Dans un coin, quelques femmes pratiquent des pas en riant. Elles comptent les temps de la musique, avancent, se trompent, éclatent de rire en touchant les bras, le dos, les épaules les unes des autres. Elles font des clins d'œil à leurs maris. Ceux-ci ont déplacé le mobilier pour leur laisser de l'espace, ce qui a eu pour effet de créer une longue tablée à laquelle plusieurs hommes sont installés avec des verres de bière et de vin. Ils observent les femmes. Ils espèrent sûrement que la danse se poursuivra plus tard, à la maison, dans le salon, dans la chambre, le lit.

Soudain, la recrue Robichaud aperçoit Moralès à la lueur du lampadaire. Elle s'avance vers la fenêtre en sautillant et lui fait signe d'entrer, de se joindre à eux.

Joaquin hésite. Bien sûr que quelque chose en lui voudrait danser, mais il n'y arrive pas. Il pense à son épouse, Sarah, qu'il a choisie il y a trente ans. Elle ressemblait alors à cette jeune femme à la chevelure libre. Il contemple Sébastien, qui l'a aperçu et qui lui fait signe, lui aussi, à travers la vitre. Joaquin ignore pourquoi son fils est venu le retrouver, mais il l'aime sans réponses. Puis il songe à cette pêcheuse qui a disparu, au silence dans lequel elle s'enfonce à mesure que les heures passent. Au cœur qui doit être du bon côté du corps. C'est la fille de quelqu'un, Cyrille a raison. D'un geste doux de la main, il salue Joannie et Sébastien, qui lui grimacent des mines déçues et comiques avant de retourner danser. Puis l'enquêteur Moralès se détourne, sort du halo de lumière, reprend le sentier qui longe la mer et rentre chez lui.

Lundi 24 septembre

Leeroy Roberts a exigé de ses fils qu'ils balaient la mer, encore et encore, avec le radar et les faisceaux lumineux. Ils sont à bord de *L'Ange-Irène*, le crevettier de l'aîné. Alors que ses deux gars et Guy Babin se partagent le pont avec les longues-vues, Leeroy reste dans la timonerie, l'œil sur le radar et le pilote automatique. Avec cette lune presque pleine, même à l'œil nu, il peut voir loin.

Il descend à la cuisine, remonte avec un thermos de café, un sac de petits gâteaux et des tasses qu'il pose sur le comptoir longeant la lunette avant. Puis il ouvre la porte et hèle les hommes.

Ils entrent à tour de rôle en se frottant les mains, se servent du café, mangent des gâteaux. Bruce s'approche de l'ordinateur, vérifie la carte, la direction donnée à la barre, pendant que son frère bougonne.

— On est ben trop loin! On trouvera rien par icitte! On aurait dû quadriller plus au nord.

Le cadet a passé la dernière heure à maugréer dans la nuit froide. Le plus vieux ferme sa trappe. C'est le propriétaire du bateau et celui qui s'y connaît le mieux en navigation. Il a évalué les possibilités et a convaincu son père d'aller vers le sud, en suivant d'abord le courant de la marée, puis celui du Labrador. Leeroy lui fait confiance.

Teigneux, le cadet continue.

— Arrête de faire semblant de calculer!

Leeroy connaît son Jimmy. Depuis qu'il a vendu sa pêche, il fait le faraud avec les frères Babin, mais la pointe gaspésienne au complet le sait que c'est rien que du vent. Personne n'ose lui en parler quand il va sur le quai, mais il n'est pas sourd, Leeroy, il entend que ça murmure dans son dos.

Il se tait pour éviter la dispute. Quand Bruce et lui sont partis à la recherche d'Angel, Jimmy et Ti-Guy Babin se sont invités sur le chalutier. Ç'aurait été difficile de leur refuser le droit d'aider, mais on ne peut pas dire qu'ils agrémentent l'ambiance.

— Ça fait au-dessus de vingt-quatre heures que le homardier dérive, c'est impossible de savoir où y est rendu!

Soudain, Babin arrête de boire. Leeroy et Bruce se tournent vers Jimmy.

— Répète ce que t'as dit.

Le cadet ne réagit pas.

— Comment tu sais ça, toi, que ça fait «au-dessus de vingt-quatre heures» que le homardier est à la dérive? Cyr a dit qu'il était passé au quai à dix heures hier matin. Si je calcule ben, ça fait pas plus que quinze heures qu'on sait que le bateau a disparu…

Devant le mutisme de son frère, Bruce se tourne vers Guy Babin.

— Vous étiez où, vous autres, la nuit passée?

Babin serre les poings.

— Es-tu en train de m'accuser de quelque chose, toi?

Leeroy lève une main.

— Ça suffit!

Bruce hoche la tête. Il a compris ce qui se passait. Jimmy et Guy Babin ont compris qu'il avait compris.

— On va pas s'entre-tuer pour des niaiseries!

Bruce se tourne vers son père. Est-ce qu'il est au courant que les gars utilisent le bateau d'Angel? Probablement. Leeroy le fixe droit dans les yeux.

— Quoi qu'il se passe, on s'accuse pas entre nous, c'est clair?

L'aîné avale un gâteau pour éviter de répliquer. Son frère observe leur père d'un air soupçonneux. Le bonhomme leur cacherait quelque chose que ça ne l'étonnerait pas. Ce ne serait pas la première fois.

— Ça vaut pour toi aussi, Ti-Guy. Pis pour Jean-Paul.

L'autre acquiesce. Son frère et lui ne viennent pas de la famille la plus fiable de Haldimand, mais Leeroy les a quand même engagés à son bord quand ils étaient jeunes. Ça les a rendus fidèles. Aujourd'hui, ils ne sont pas riches, mais ils ont appris à travailler dur, et ça, ils le doivent plus à Leeroy qu'à leur propre père.

— Pour ce que j'en pense, monsieur Roberts, ça doit être la faute à Clément. À lui ou à son oncle.

Leeroy a bien fait de les engager, les Babin, même si Bruce les a toujours détestés. Ce dernier termine sa bouchée, persifle :

— T'iras dire ça à la police autant que tu veux, mon Ti-Guy, mais Clément a passé la nuit à l'auberge. Il va avoir un alibi en béton. Tandis que vous autres…

— Personne va traîner le nom des Roberts dans la boue, t'as compris ?

— Oui, p'pa.

Les hommes terminent leur collation en silence.

— Retournez dehors, on va continuer à chercher.

Jimmy marmonne, c'est plus fort que lui :

— On trouvera rien. Ça serait son genre en hostie, à Angel, de disparaître pis de couler son bateau juste pour nous écœurer !

La remarque tombe à plat, mais tout le monde est bien obligé d'admettre en son for intérieur que le cadet a sûrement raison.

La nuit passe avec une lune qui reste dans le ciel malgré l'approche de l'aurore. Les hommes se frottent les yeux de fatigue. La lumière entre progressivement dans leurs pupilles habitées par l'obscurité. Soudain, là-bas, regardez : on croirait voir un reflet sur l'eau. Un éclat, une brillance. C'est Bruce qui le pointe du doigt. Le père sort sur le pont. Ils se passent les longues-vues.

— Comment t'as fait pour savoir qu'il était là ?

Le ton de Jimmy est perfide et rempli de sous-entendus. Leeroy se tourne vers l'aîné pour observer sa réaction. Bruce ne dit rien, entre dans la timonerie, vire la barre à tribord pour rectifier la direction de *L'Ange-Irène*. Leeroy prend les longues-vues et regarde l'horizon. D'abord, il ne voit rien, mais il capte tout à coup une faible lueur et le cœur lui débat dans la poitrine parce qu'il le sait, il le sent : ce reflet, c'est le bateau de sa fille.

Joaquin a tourné longtemps dans son lit avant de redescendre dans le salon. Il se penche sur le télescope, observe la nuit qui attend l'aube, se redresse.

La Gaspésie est un pays sans trêve.

Il pense à Sarah, à leur projet de déménagement qui ne s'est pas déroulé comme il l'espérait. Moralès s'était installé à Caplan au début de l'été, question de préparer la nouvelle demeure pendant que sa femme finalisait la vente de leur maison de Longueuil. Elle devait arriver une semaine plus tard, avec l'ensemble de leurs effets. Or, quelque chose avait coincé dans le processus, l'eau de mer avait submergé l'engrenage et Sarah n'était passée à Caplan qu'à la fin de la saison estivale, sans s'annoncer, alors que Moralès enquêtait dans les terres en haut de Saint-Elzéar, dans une zone privée d'ondes cellulaires. Il avait dû coucher sur place, en compagnie de deux agents, dans une cabane prêtée par des chasseurs victimes de vols à répétition. Les policiers avaient assuré une surveillance qui avait conduit à des arrestations.

Il n'avait appris la visite de Sarah qu'en rentrant chez lui. Elle lui avait laissé un mot incriminant sur la table. Quelqu'un semblait lui avoir raconté qu'il avait eu une liaison amou-reuse en Gaspésie. Qui ? Le mystère restait entier. Toujours est-il qu'elle était repartie sans l'attendre. Depuis, elle boudait. Elle s'emmure dans un silence qui durcit, se dit Joaquin, qui recouvre avec de plus en plus d'opacité cette relation qui paraît maintenant destinée à se dissoudre dans la vague. Est-ce que ça l'attriste ? Il l'ignore. Après trente ans de vie commune, il faut être fait fort pour garder la mèche de la passion allumée.

Il retourne dans sa chambre, se déshabille, s'assoit dans son lit. Par la fenêtre, il contemple la lune qui s'effrite sur l'onde. Il songe à Catherine, partie de ce côté. Qu'est-ce qu'elle est allée chercher ? L'argent des fous ?

Il jette un œil vers sa table de chevet. Cinq heures du matin. Sébastien n'est pas rentré, mais cette absence ne l'inquiète pas : Joannie a dû mesurer son alcoolémie et l'obliger à dormir sur la banquette du bistro.

Joaquin a laissé son téléphone juste à côté du réveil, en espérant que la lieutenante Forest rappelle. Il déteste l'idée de cette disparition comme il détesterait ne pas travailler sur cette enquête.

Il se demande quel âge la femme du homardier peut bien avoir. « La femme du homardier. » En ville, les enquêteurs donnent ce genre de surnoms aux victimes. Il s'aperçoit qu'il aurait été incapable d'appeler Marie Garant, la victime du dernier homicide sur lequel il a enquêté, « la femme au voilier ». Les morts, ici, portent leurs vrais noms. Comment se nomme la femme disparue ? Il se retient d'appeler Marlène Forest.

La Gaspésie le défie non seulement par sa lenteur, mais aussi par la douloureuse expérience de l'intimité. Ici, il faut avoir une compréhension intime des gens pour résoudre une affaire. En ville, tout est plus cru, plus dur : on tue avec violence pour de la drogue, de l'argent. Les criminels qui assassinent des inconnus parlent d'exécution, de vengeance, et crachent sur leurs victimes. Ici, les meurtriers souffrent tellement de leur méfait que la prison devient un châtiment juste, presque apaisant. Cette souffrance atteint même Moralès, le rend captif, cette nuit, d'une enquête qui n'est pas encore entamée.

Le cellulaire est toujours silencieux. Joaquin n'a pas très envie de penser à son garçon, à la maladresse de leurs échanges, à la boîte de casseroles, aux détours qu'on s'impose parfois pour arriver à ne pas se parler.

Elle va rappeler, qu'il se dit. Et, exactement à ce moment-là, son téléphone sonne. Numéro masqué. Il répond vite. Il sait que c'est Marlène Forest. Et qu'il s'en va sur la pointe gaspésienne.

Elle ne le salue pas.

— Ils ont trouvé le homardier.

Moralès se lève, enfile un jeans.

— Où ?

— Il aurait dû être amarré à Grande-Grave, au sud du parc Forillon, mais il dérivait au large. Dans le golfe.

— Et la femme ?

Marlène Forest prend une grande inspiration.

— Lieutenante Forest ? Où est la femme ?

Elle ne répond pas. Moralès finit de s'habiller.

— Elle n'était pas à bord ?

— Non.

Il descend l'escalier au pas de course.

— L'agent Lefebvre attend votre coup de main au poste de police de Gaspé.

Moralès prend son manteau, son portefeuille, ses clés de voiture, un sac de sport rempli de vêtements qu'il a préparé plus tôt, sort dans l'aube.

— Une dernière question, lieutenante.

— Oui ?

— Quel est le nom de la femme ?

— Roberts.

Sa voix tremble, comme si elle souffrait personnellement de cette disparition, mais Moralès ne s'en aperçoit pas.

— Elle s'appelle Angel Roberts.

Il raccroche, monte dans sa voiture et s'engage sur la 132 vers l'est. À sa droite, la lune menteuse trace, sur la mer d'automne, un sentier d'argent brisé.

Les assassins s'inventent des histoires. Moralès l'a appris au fil des enquêtes. Unetelle a poignardé son mari parce qu'elle était certaine qu'il s'entourait de maîtresses, des ados ont massacré un couple de vieillards qu'ils s'imaginaient couchés sur un matelas bourré de billets verts, un dirigeant de secte a entraîné ses disciples dans un brasier funeste, car il croyait au pouvoir purificateur des flammes. Ces histoires, les criminels y adhèrent si fortement qu'ils refusent que la réalité leur donne tort. Dans leur esprit détraqué, les scénarios s'établissent avec une précision cinématographique et les protagonistes jouent leur rôle. Les victimes sont souvent secondaires : déshumanisées, elles sont réduites à des personnages sans nom servant l'atteinte d'un objectif, alors que les assassins tiennent naturellement la tête d'affiche. Ils affirment d'ailleurs péremptoirement être du côté de la justice : unetelle devait sauver sa dignité, les ados avaient vraiment besoin de cet argent, le prédicateur est persuadé qu'un monde meilleur nous attend tous. Ils sont si convaincus que leurs fictions sont véridiques qu'ils préfèrent tuer plutôt que d'abdiquer quand la vie réelle les contredit.

Depuis quelques années, l'enquêteur a remarqué que les criminels ne sont pas les seuls à s'inventer des histoires. Des psychologues œuvrant au sein des forces policières lui ont confirmé qu'il était courant que les gens se créent des fictions intérieures pour donner un sens aux défis du quotidien. Beaucoup adoptent même un comportement et un caractère propres au personnage qu'ils choisissent d'incarner. Cette attitude, loin de transformer tout un chacun en potentiel tueur, s'avère souvent salvatrice, car elle aide, lui a-t-on expliqué, nombre de gens à traverser les aléas de l'existence. Moralès a cependant constaté que certains individus ont parfois tendance à exagérer l'importance de leur personnage dans telle ou telle aventure, ce qui les rend particulièrement insupportables. Son arrivée au poste de Gaspé va malheureusement le conforter dans cette théorie.

Après trois heures de route, un muffin tiède et un café amer ramassés au dépanneur, il se stationne dans la cour de l'immeuble situé à flanc de colline face à l'embouchure de la baie de Gaspé, il sort de sa voiture et hume, sans trop s'en apercevoir, l'odeur du varech à marée basse. Il jette un œil sur son cellulaire muet et franchit la porte.

Derrière la vitre pare-balles, une secrétaire aussi joyeuse qu'une adjointe de croque-mort fait figure de réceptionniste.

— Bonjour. J'ai rendez-vous avec l'agent Lefebvre.

Elle refuse de lever ne serait-ce qu'une œillade impatiente en sa direction. Moralès regarde autour de lui. Sur le mur perpendiculaire, un babillard est rempli de numéros de centres d'aide pour contrer la violence et les dépendances, de feuillets sur les maladies mentales, de cartes professionnelles d'avocats capables de vous sortir du trou; sur l'autre mur, la porte d'accès est barrée et blindée. Les visiteurs doivent nécessairement réclamer leur accès au cerbère. Il revient donc à la charge, décroche son badge de sa ceinture, le tend vers la vitre et décline son identité.

— Je suis le sergent-détective Joaquin Moralès, du poste de police de Bonaventure.

La réceptionniste continue de pianoter sur son clavier.

— Je viens prêter main-forte à l'agent Lefebvre. Pouvez-vous le prévenir que je suis arrivé, s'il vous plaît?

Elle ne lève pas l'œil, ne regarde ni le badge ni l'homme, mais pousse un soupir raide, serre les dents, tape un numéro sans lâcher son écran des yeux et, dans son casque téléphonique, annonce sèchement le visiteur.

— L'enquêteur Poralès, de Bonaventure, vous réclame.

Sa voix râpe le micro comme du papier d'émeri. Un court silence, puis elle ajoute:

— Ouvrir la porte n'est pas dans ma description de tâches.

Elle ferme la communication, se remet à taper frénétiquement sur son clavier. Interloqué, Joaquin l'observe encore un instant, convaincu qu'elle devrait travailler dans un pénitencier fédéral. Soudain, la porte blindée s'ouvre et un homme un peu plus jeune que lui, cheveux châtains, moustache coquette, chandail rétro des années 1980 et bottes de cowboy, apparaît, équipé d'un franc sourire matinal. Il salue le nouveau venu d'un hochement de tête, se tourne vers la réceptionniste.

— C'est parti pour une belle journée, ma chère Thérèse ! Ça fait longtemps que je t'avais pas vue aussi en forme !

Rien n'indique que ladite Thérèse ait entendu quoi que ce soit. L'agent fait entrer Moralès dans une première salle où des gens poireautent sur des chaises de plastique devant un petit bureau vitré.

— Elle est géniale !

Il tend la main vers l'enquêteur.

— Érik Lefebvre. Elle est sexy sans bon sens, vous trouvez pas ?

Moralès fronce les sourcils.

— Qui ?

L'agent Lefebvre fait un signe de tête en direction de la réceptionniste.

— Thérèse Roch ! C'est tout un défi, pour des hommes comme vous et moi !

— Je suis marié.

Ravi, Lefebvre lisse sa petite moustache.

— C'est tout un défi pour moi !

Les hommes franchissent une autre porte et se retrouvent dans une pièce centrale, la salle des inspecteurs, occupée par six tables dont deux vacantes, des classeurs, des ordinateurs ; d'un côté, une enseigne « Archives » orne une porte fermée près des toilettes, de l'autre, une série de portes ouvertes laissent entrevoir des policiers au travail. Lefebvre conduit Moralès vers un corridor, au fond, qui sépare l'immeuble en deux parties.

— Venez, que je vous montre notre bureau.

— « Notre » bureau ?

— Les agents en prêt de service rêvent toujours qu'on leur octroie une salle de conférences face à la mer, mais on n'a pas ça. En ce moment, nos locaux sont en rénovation, alors on sait pas trop où vous installer. Après ça, comme c'est le temps de l'orignal, les gars de la construction sont partis à leur camp de chasse pour une semaine ou deux. Même chose avec notre lieutenant principal : c'est un bon, mais essaie pas de le joindre quand la chasse ouvre, son territoire est hors de portée des ondes. Vous avez dû remarquer que c'est pas rare, en Gaspésie. C'est le genre de détail qui dérange le monde de la ville, mais moi je me dis que c'est libérateur de temps en temps. Vous trouvez pas ?

Moralès hésite à prendre position sur la question.

— Mais vous inquiétez pas : je vais m'occuper de toutes les liaisons avec les patrons. C'est une pratique qu'on a adoptée pour éviter de surcharger nos enquêteurs en prêt de service. Voici notre bureau.

Ils passent une porte restée grande ouverte. Moralès s'arrête, décontenancé. La pièce est encombrée de feuilles, de porte-documents, de photos, de roches, d'objets hétéroclites empilés à la manière d'inukshuks à la précarité évidente, de classeurs entrouverts sur des dossiers mal rangés. Le panier d'une déchiqueteuse déborde de languettes de papiers multicolores, des notes de service aide-mémoire sont agrafées ou collées à l'aide de ruban adhésif un peu partout, une série de crochets déborde de manteaux et coupe-vent pour toutes les saisons.

— C'est un peu occupé parce que j'étudie, entre deux affaires, des dossiers pas réglés et j'essaie de faire des recoupements. J'aurais dû me faire archiviste. Après ça, j'ai pas le talent d'un agent de terrain, mais, côté paperasse, je me débrouille assez bien. L'ordinateur portable vous est prêté, faudra juste penser nous le laisser quand vous partirez. Je vous ai fait une place, hier soir, quand votre patronne a appelé pour dire que vous viendriez.

Moralès arque un sourcil.

— Hier soir ?

Marlène Forest était déjà certaine qu'il accepterait de se mêler à l'enquête ? Depuis qu'il est en Gaspésie, il a le sentiment d'être transparent, piégé. Ou ridicule.

— C'est pas le meilleur moment, le soir…

Au fond, à droite, près d'une fenêtre à demi emmurée derrière une pile de roches, une petite table qui ressemble à un pupitre d'écolier a été dégagée. Lefebvre n'a pas jugé bon de vider le babillard adjacent, bondé de feuilles jaunies. Une chaise carrée est disposée derrière.

— … pour faire du ménage…

En parlant, l'agent tente de se faufiler jusqu'au bureau. En vain.

— … mais j'ai quand même essayé de vous aménager…

De chaque côté du pupitre s'élèvent des piles de dossiers qui bloquent l'accès à la chaise.

— … un coin.

Il est manifestement impossible de s'y rendre, à moins de passer par-dessus la table. Lefebvre suspend sa quête. Observe l'état des lieux.

— Je pourrais peut-être organiser…

Il attrape une pile de dossiers, se tourne pour lui trouver une autre place.

— … un espace.

Soudain, son regard s'attarde sur un des dossiers. Intrigué, il l'ouvre et en feuillette quelques pages en affichant une mine surprise. Il pose la pile sur le bureau destiné à Moralès, le dossier ouvert bien en vue sur les autres, puis installe dessus une pierre qu'il prend sous la fenêtre et, se tournant vers l'enquêteur comme s'il était surpris de le trouver là, change de projet.

— Venez, on va aller voir où Simone en est rendue dans les recherches.

Ils sortent, traversent le corridor et entrent dans une petite salle de réunion où une femme, de dos, prend des notes sur une carte épinglée à un babillard. Un triangle parfait se dessine dans le tissu de sa chemise, entre le milieu de sa ceinture et ses omoplates. Ses cheveux sont remontés dans un chignon mou tenu par un mince morceau de bois de mer, mais ce n'est pas sa coiffure que Moralès remarque. La tête légèrement penchée vers l'avant laisse poindre un petit os, à la base de la nuque, sous la peau. Comment s'appelle cette vertèbre ? C3 ou C4, un numéro qui ne dit rien de la grâce de cette saillie qui étend l'épiderme, se dessine tel le nœud délicat d'une tige et qui disparaît dès que la femme lève la tête. Un mirage enfoui quelques centimètres à la base de l'occiput.

— Simone ?

Elle se tourne vers eux. Fin quarantaine, les cheveux châtains, elle porte une chaîne argentée qui s'étire sous le poids d'un pendentif englouti par le décolleté d'une chemise vert forêt. Les manches retroussées, elle respire la grande forme physique et l'efficacité fatiguée.

— Je te présente l'enquêteur Moralès du poste de Bonaventure.

Simone Lord l'examine de haut en bas.

— D'habitude, ils nous envoient des gars de Montréal.

Elle a les yeux d'un vert presque translucide et de petites arabesques gracieuses qui s'enracinent au coin des paupières.

— Je faisais partie de l'équipe des crimes contre la personne à Montréal. Je viens de m'installer en...

— La disparition a été signalée hier après-midi. Pourquoi vous êtes pas arrivé avant ?

Moralès ouvre la bouche, mais ne trouve pas de réponse. Son cellulaire se met à sonner. Il émet une excuse vague, fouille dans sa poche, étudie le numéro affiché. Ça ne lui dit rien. Il éteint la sonnerie pendant que Lefebvre continue les présentations sous le regard maintenant ironique de sa collègue.

— Simone Lord est agente des pêches depuis... quoi ?

— Une dizaine d'années. Avant, je travaillais à la garde côtière. Recherche et sauvetage. Chaque fois qu'on doit collaborer avec la police, c'est moi qu'ils envoient.

Elle a dit ça avec une sorte de dédain, de mépris, envers ceux qui l'envoient ou la police. Ou les deux. Puis, silence. Les deux Gaspésiens observent le nouveau venu, attendent. Moralès reprend la parole.

— Qui est responsable des recherches?

— En mer? C'est Simone.

— Non, sur terre. Si le bateau est vide, Angel Roberts est officiellement portée disparue. Qui est responsable de l'enquête?

Les deux autres échangent un coup d'œil d'incompréhension, puis Simone Lord réplique avec un sarcasme.

— Je suis pas sûre d'avoir bien entendu: êtes-vous enquêteur ou livreur de pizza? Parce que nous autres, on n'a pas commandé de pizza. As-tu commandé une pizza, toi, Lefebvre?

— Non, mais après ça…

Moralès fronce les sourcils. Sa patronne ne lui a jamais parlé de diriger l'équipe. L'agent Lefebvre ne termine pas sa phrase, file dans un coin de la salle, se penche sur une chaufferette portative qui s'est enclenchée avec un bruit infernal, la débranche, la ramasse et revient vers la table où il la pose. Simone Lord continue quant à elle sur son erre d'aller.

— Quand c'est un homme qui disparaît, la SQ nous expédie en catastrophe sa grande équipe de spécialistes montréalais, mais quand c'est une femme…

Elle détaille Moralès de haut en bas.

— Quand c'est une femme qu'on recherche, ils nous envoient le gars en préretraite qui prend dix-sept heures à effectuer deux cents kilomètres! C'est correct si vous en voulez pas, de l'enquête. Pas de problème. Allez demander une paire de pantoufles à Thérèse Roch et installez-vous dans l'entrée. On va appeler un préposé. Pendant ce temps-là, nous autres, on va faire comme si cette disparition-là était importante.

Elle pivote vers l'agent Lefebvre.

— Qu'est-ce qui se passe avec toi? T'es-tu en train de virer réparateur?

Lefebvre repousse brusquement la chaufferette.

— On a reçu l'ordre de vous attendre.

Moralès maudit intérieurement le laconisme et les pièges de la lieutenante Forest. Elle a parlé d'aider, pas de diriger l'enquête ! Il admet cependant que l'agente Lord a raison : il aurait dû s'en venir la veille. Pourquoi a-t-il tardé ? À cause de Sébastien et de Cyrille ? Parce qu'il a craint de s'éloigner de l'un comme de l'autre, alors qu'il a déjà subi la perte de Sarah ? À moins, tout simplement, que Lord ait touché dans le mille : il se fait vieux. Et ridicule.

— Où Angel Roberts a-t-elle été vue pour la dernière fois ?

Lefebvre, farfouillant dans une pile de feuilles qui traîne sur la table, trouve ses notes et répond sans les regarder.

— Son mari l'a conduite à la maison samedi, vers vingt-trois heures trente. Ils étaient à une soirée au village de Rivière-au-Renard. Après ça, il est retourné à la fête et n'a plus revu Angel. Il a retrouvé sa voiture au ponton où elle amarre son bateau de pêche le lendemain matin.

C'est Lord qui poursuit les explications.

— Le bateau était plus là. Les hommes de la famille Roberts sont allés à sa recherche, à bord du crevettier du frère aîné. Ils ont retrouvé le homardier, mais pas Angel.

Elle se dirige vers la carte maritime épinglée au babillard, avance légèrement la tête. Moralès épie malgré lui le mirage potentiel de la C3 enfouie, mais rien n'apparaît. L'agente pointe le bout de son crayon vers un endroit qu'elle a préalablement encerclé.

— Le port d'attache du homardier est Grande-Grave, de l'autre côté du village de Cap-aux-Os, dans le parc Forillon.

Moralès avance vers la carte.

— On peut pêcher dans un parc national ?

— Oui, mais c'est très réglementé. Le bateau a été retrouvé ici, au large de l'île Bonaventure. C'est à environ dix-huit milles nautiques, disons trente-cinq kilomètres, de son port d'attache.

Elle indique un autre endroit, annoté de coordonnées géographiques, beaucoup plus au sud, là où le golfe se confond avec la mer.

— Il s'est rendu là comment?

— Je sais pas. C'est vous, l'enquêteur.

Le sergent pivote vers l'agente des pêches. Il faudrait lui expliquer que la disparition de cette femme ne l'indiffère pas, justifier son hésitation, dire que son fils avait besoin de lui, révéler que son seul ami gaspésien se meurt, essayer d'établir une bonne relation de travail. Mais Moralès n'a jamais aimé ce genre de discussions.

— À partir du ponton de Grande-Grave, si on défait les amarres du homardier, le courant va le pousser vers la terre ou vers le large?

— Vers la terre. Grande-Grave, c'est une anse. Il faut piloter le homardier hors de l'anse pour arriver dans la baie de Gaspé.

— À partir de là, si le moteur était tombé en panne quelque part dans la baie, est-ce que le courant aurait projeté le bateau contre la côte ou l'aurait entraîné vers le large? Est-ce que la marée était montante ou descendante cette nuit-là?

Lord répond du bout des lèvres, presque à contrecœur, comme si elle se désolait de le voir poser les bonnes questions.

— Ça dépend. La pleine mer était autour de minuit, samedi. Dans les deux premières heures suivant la haute mer, il y avait un vent nord-est plus fort que le courant, qui était à peu près stationnaire. Si le moteur avait été éteint, le bateau aurait été projeté sur la rive sud de la baie de Gaspé entre minuit et trois heures. Il aurait fallu l'amener plus loin vers l'estuaire, presque de l'autre côté de la pointe du parc Forillon, pour s'assurer qu'il revienne pas. À partir de deux heures du matin, le courant de marée est devenu un peu plus fort. Une fois rendu au centre de la baie de Gaspé, le bateau, à partir de cette heure-là, aurait plutôt été entraîné vers le large.

— Est-ce que le moteur était en marche quand les hommes ont trouvé le homardier? Vous savez s'il a fait défaut? Est-ce qu'Angel Roberts a lancé un appel de détresse ? A-t-elle pris une embarcation de sauvetage ?

Il l'appelle par son nom. Simone Lord aurait presque préféré qu'il donne à Angel un surnom froid, comme les policiers le font souvent, pour se sentir en droit de le mépriser.

— Non. Elle n'a pas lancé d'appel de détresse et, quand les hommes ont trouvé le homardier, le bateau de sauvetage était encore à bord.

Elle hésite, puis avoue :

— Je ne sais pas, pour le moteur.

Moralès se détourne d'elle, observe de nouveau la carte. Si Angel Roberts n'a pas pris l'embarcation de sauvetage, ça veut dire qu'elle est passée par-dessus bord. Il regarde l'étendue du golfe. L'eau est glaciale, quatre degrés Celsius. Si elle est tombée, elle est morte. Simone Lord tend la main et désigne tour à tour les deux endroits qu'elle a encerclés.

— Notre zone de recherches s'étend entre ces deux cercles, depuis la baie de Gaspé jusqu'à l'île Bonaventure, le long de cette ligne.

Lefebvre, qui a rapporté discrètement la chaufferette de son côté, la pose près de ses feuilles. Il s'approche, dans le dos de l'enquêteur, étire le cou pour tenter d'entrevoir la carte.

— Et si Angel n'était pas montée à bord ?

Moralès se tourne vers l'agent, qu'il découvre étonnamment proche. L'autre s'écarte sans avoir pu étudier la carte.

— Vous avez commencé les recherches au sol, agent Lefebvre ?

— On cherche rarement au sol les gens qui sont partis en mer. Après ça, elle vient d'être déclarée officiellement disparue…

Le téléphone de Moralès se met à vibrer. Simone Lord lève les yeux au ciel pendant qu'il vérifie la provenance de l'appel. Même numéro que tantôt.

— Je vais avoir besoin de vous, agent Lefebvre.

Nerveux, mais empressé, ce dernier fouille dans les papiers disposés sur la table. Simone s'élance.

— Arrête ! Vire pas tout à l'envers !

Elle s'empare d'une pile de documents qu'elle range de son côté pendant que son collègue, un instant désarçonné de constater qu'autant de papiers bien rangés lui échappent, se replie judicieusement sur sa propre pile qu'il feuillette minutieusement avant de trouver un verso vierge. Lord lui prête un stylo.

— Vous avez une photo ?

— Je pensais que vous pourriez en demander une au mari…

— Dès que nous aurons une photo, je veux que vous alliez à la gare, à la station d'autobus, au terminal de taxis. Vous demanderez si quelqu'un l'a vue, si elle a quitté la ville et pour aller où. Vous avez pensé organiser une battue autour de l'endroit où sa voiture a été trouvée ?

— Ben, comme elle semblait partie en bateau…

— Faites-le. On cherche une femme, mais aussi des indices. Vous allez demander un mandat pour obtenir un relevé de ses transactions bancaires des derniers jours : a-t-elle retiré beaucoup d'argent ? A-t-elle ouvert un autre compte ? A-t-elle utilisé ses cartes de crédit, de débit ?

Il se tourne vers Simone.

— Le bateau arrivera quand ?

Elle regarde sa montre.

— Pas avant une heure. Les hommes sont en route pour le quai de Rivière-au-Renard. J'irai les interroger pour savoir comment ils ont…

— C'est moi qui mènerai l'interrogatoire, agente Lord.

Elle fait une moue contrariée pendant que, pour ne pas être en reste, Lefebvre tente de montrer l'efficacité du poste de Gaspé.

— Les gars de l'équipe technique sont déjà sur le quai.

Lord craque un demi-sourire.

— Ils doivent être en train de manger des beignes dans leur camionnette.

La remarque insulte Lefebvre dans tout son corps de métier.

— Ces gars-là sont des professionnels !

Moralès l'interrompt.

— On a le temps d'aller voir le mari ?

— Il habite pas loin. Je vais vous donner l'adresse et…

— Vous avez un cellulaire ?

— Oui.

— Vous venez avec moi.

— Je suis meilleur à mon bureau…

— Je vais conduire, vous ferez vos recherches en route. Je veux que vous assistiez à l'entretien.

Le ton est sans réplique et Lefebvre est bon joueur.

— Je prends ma veste.

Il sort. Lord range ses dossiers. Le sergent tente une trêve.

— Vous croyez qu'elle est toujours vivante ?

Elle prend une large inspiration.

— Si elle est en mer sans possibilité d'envoyer un signal de détresse, les chances qu'on la retrouve vivante sont minces. Infimes. Probablement nulles. Même si elle s'est réfugiée sur une embarcation de fortune, la zone à couvrir est immense et…

Le cellulaire de Moralès se remet à vibrer. Il vérifie : toujours le même numéro. Simone Lord s'interrompt, ramasse ses documents.

— Gérez votre *pacemaker*, on se retrouve sur le quai.

En partant, la récalcitrante agente des pêches passe près de Joaquin. Il remarque malgré lui qu'elle sent bon, qu'elle traîne une odeur terreuse de potager dans laquelle se mêle le vent du large. Elle quitte la pièce pendant qu'il se résigne à répondre.

— L'avez-vous retrouvée ?

Le mari d'Angel Roberts possède une stature colossale, des jambes puissantes, un torse épais, des mains carrées. Sa voix grave est un fil tendu sur lequel l'espoir vacille. Érik Lefebvre recule d'un pas, secoue la tête, désarçonné. Il déteste le terrain.

— Pas encore.

Clément Cyr s'appuie lourdement sur le cadrage de la porte d'entrée. Sa tête de géant impuissant s'affaisse sur sa poitrine.

Moralès prend cette image comme une photographie et l'imprime en lui, avec les autres. Tous ces portraits cumulés, dont il ne parle jamais, ont créé un recueil de souffrance qu'il porte dans sa mémoire tel un album de famille. Des stigmates oculaires qu'il garde malgré le temps, des fragments d'histoires auxquels se mêlent des odeurs, des sons, des attitudes qui lui rappellent une humanité en larmes.

Quand il a annoncé, en pleine nuit, la mort accidentelle d'un adolescent à ses parents qui dormaient, confiants, quelques minutes plus tôt. Quand il a ramassé le corps d'un motoneigiste enfoncé dans un arbre, alors que sa conjointe l'attendait au chalet. Quand il a sorti cette petite fille qui s'était pris les cheveux dans le filtreur de la nouvelle piscine. Quand il est entré dans la pièce où le père, un 24 décembre, s'était suicidé, vêtu de l'habit rouge du père Noël, alors que sa femme était partie réveiller les enfants pour déballer les cadeaux. La violence du coup est si forte que les agents absorbent l'onde de choc, reçoivent les débris durs propulsés par la douleur explosive. Certains font des blagues grossières, d'autres disent des idioties, mais personne n'est dupe, ils ramèneront tout chez eux, jusqu'aux détails les plus saugrenus : cette image de chaîne en or ensanglantée, la couleur de ce foulard coincé entre la peau et le métal, la marque du chandail déchiré, et ils tisseront avec ces lambeaux de malheurs un enchevêtrement de souvenirs accablants.

À côté de ça, les règlements de compte entre motards, les cambriolages de Jaguar et les contraventions de la route, c'est de l'initiation collégiale. Sans parler des chicanes de voisins, des vols à l'étalage et des bris de pare-chocs dont s'occupent les patrouilleurs. Monter en grade signifie aussi gravir les échelons du drame. Et de la douleur.

— Je suis le sergent Moralès et voici l'agent Lefebvre. Nous essayons de retrouver votre femme. Si vous le permettez, nous aimerions entrer. Nous avons des questions à vous poser, afin de nous aider dans nos recherches.

Les cheveux sales et le visage ravagé, le géant ouvre le passage vers la salle à manger. Il avance, les épaules voûtées et les pieds traînants, en homme condamné. Moralès et lui s'assoient à la table de cuisine. La maison, installée au nord de la 132 dans le village de Cap-aux-Os, tourne le dos à la vie de Gaspé, mais offre une vue grandiose sur la baie et sa rive sud, depuis la pointe de Sandy Beach jusqu'à la plage Haldimand, peut-être encore fréquentée par des vacanciers qui attendent l'Action de grâce avant de placarder les fenêtres de leur chalet et de quitter la région jusqu'au printemps prochain.

Érik Lefebvre, les mains dans le dos, entre dans la cuisine, s'arrête devant le réfrigérateur, regarde les mots doux, les clichés d'amis et les listes d'épicerie qui y sont aimantés. Sur le mur à droite de Moralès, des photos encadrées du jeune couple témoignent d'une vie conjugale remplie de voyages et d'activités : vélo, ski, randonnée, camping. Au début de la trentaine, le géant et son épouse sont énergiques, sportifs et amoureux.

Complètement désœuvré, Clément Cyr peine à ramasser ses idées, fixe le fond de la pièce. Elle est apparue. Là. Angel. Elle s'est matérialisée pendant qu'il ouvrait la porte aux enquêteurs. Elle s'est dépêchée, en les voyant arriver, de leur offrir du café, de nettoyer la cafetière, de sortir les belles tasses, le lait, le sucre brun, les cuillères de sa mère. Elle se retourne, repousse ses cheveux derrière ses oreilles, croise les bras, appuie ses hanches contre le comptoir, sourit à son homme.

Moralès suit le regard lointain de Clément Cyr qui tente désespérément d'éviter que les photos de son mariage virent au sépia. Il lui laisse encore une minute, pendant laquelle Lefebvre, de son côté, étudie le salon avec la minutie d'un agent en plein exercice de mémorisation, puis interrompt le songe du géant.

— J'aimerais que vous me racontiez ce que vous avez fait samedi dernier.

Devant Cyr, la cafetière sale et vide réapparaît.

— Ça fera dix ans après-demain qu'on est mariés. Chaque année, on fête ça. Angel met sa robe de noces, faut que je mette un habit chic, pis on va manger, soit dans ma famille, soit dans la sienne. Comme notre anniversaire de mariage tombe un soir de semaine, on s'était entendus avec le beau-père pour aller souper chez eux samedi. Le repas a pas fini tard, mais y avait une fête pour la fin de la saison de pêche au village. Ça fait qu'on s'est rendus là.

— Vers quelle heure ?

Il hésite.

— Vers vingt-deux heures, je dirais. On veille jamais tard dans ma belle-famille.

— C'était où, la soirée ?

— Chez Corine.

Moralès se tourne vers Lefebvre qui, tout en étant absorbé dans la contemplation d'une collection de roches, pressent une question muette à laquelle il répond.

— Corine a une auberge à Rivière-au-Renard. Chaque année, elle organise une fête pour les pêcheurs, à l'automne. Après ça, elle ferme pour la saison froide.

Angel sert le café, offre du lait, dépose les petites cuillères.

— Donc vous êtes allés chez Corine.

— À l'auberge, oui. Mais on n'est pas restés longtemps.

— Pourquoi ?

— Angel allait pas bien. Toute la soirée, elle a eu mal au cœur. Elle disait qu'elle se sentait fatiguée, que la tête y tournait.

— Elle était souvent fatiguée ces derniers temps ?

Elle tire la chaise près de son mari, s'assoit, prend sa tasse, hume l'odeur chaude de la matinée. Cyr jette un rapide œil du côté d'Érik Lefebvre, qui a disparu en direction du corridor.

— C'est pas un travail facile, la pêche. Quand la fin de la saison approche, c'est normal d'être éreinté. S'il vous plaît, dites-le pas. Angel aime ça passer pour une femme forte. Elle veut pas qu'on le sache qu'elle a des moments de faiblesse.

Moralès hoche la tête, comme s'il promettait.

— Donc vous allez chez Corine, mais Angel ne va pas bien.

— C'est ça. Elle a bu un verre pis elle m'a demandé de la ramener à la maison.

— Il était quelle heure?

— Avant minuit.

— Et vous l'avez conduite ici?

— Oui.

Lefebvre revient vers la salle à manger et lance brusquement une question.

— Vous êtes passés par le parc?

— Quand ça?

— Quand vous avez ramené Angel.

Clément Cyr secoue la tête.

— Non. Elle avait mal au cœur pis la route du parc est sinueuse. En plus, ma femme aime pas ça qu'on passe par là, la nuit: elle a tout le temps peur qu'on frappe un ours ou un orignal. J'ai pris par la Radoune. J'ai roulé lentement. Je me suis même arrêté une fois ou deux parce qu'elle pensait vomir. Finalement, elle a été correcte.

Moralès dévisage Lefebvre, interrogateur.

— La Radoune, c'est la 197. C'est un peu plus long de passer par là, mais moins dangereux la nuit.

L'enquêteur enchaîne.

— Et rendus ici, vous avez fait quoi?

— Ben, moi, je suis retourné au bar. C'était le *party* de fin de saison. Les capitaines payent la traite à leur équipage.

— Vers quelle heure?

Il hésite, tripote sa montre comme si elle allait lui répondre.

— Je me suis changé, parce que j'étais habillé en marié, pis je suis retourné là-bas. Les gars étaient encore là. Il était quoi? Une heure, une heure et quart, peut-être.

— Et quand êtes-vous revenu ici?

— J'ai bu un peu, ça fait que j'ai couché à l'auberge pis je suis revenu juste dimanche matin. Vers dix heures.

Clément Cyr poursuit, mal à l'aise.

— Angel était pas là. Je l'ai su tout de suite parce que son auto était pas dans la cour. En rentrant, j'ai trouvé ça sur la table.

Il leur tend un morceau de papier sur lequel une main féminine a écrit: «Je pars faire un tour, on se voit plus tard.» Deux X en guise de baisers concluent le message.

— Nous pouvons le garder?

Clément Cyr acquiesce. Moralès le passe à Lefebvre, qui s'en empare, apparemment soulagé de pouvoir enfin prendre un objet dans ses mains, puis sort un sac de plastique de la poche de sa veste pour glisser la note à l'intérieur.

— Je me suis rendu à son quai, pour voir si elle était là. Son auto était dans le stationnement, mais *L'Échoueuse II* était pas là. *L'Échoueuse II*, c'est son homardier. Angel a jamais échoué de bateau, mais elle trouve que l'univers marin est ben macho. Elle a baptisé son homardier de même par bravade. C'est une audacieuse, ma femme. Une battante.

Le géant baisse les yeux, ravale la vague qui roule dans sa gorge.

— Quand vous avez vu que son bateau était parti, ça vous a inquiété?

Cyr inspire un grand coup avant de répondre.

— Angel, elle aime la mer. Je veux dire: pas juste pour le travail. Elle aime aller faire un tour pour regarder l'horizon, voir les baleines, avoir la paix. Comme son bateau est pas ben gros, elle peut se le permettre. Ça lui coûte pas trop cher de gaz pis elle est capable de l'amarrer toute seule. C'est vraiment un bon marin, ma femme. Qu'elle parte en mer, c'est pas inquiétant.

— Sauf que vous vous êtes quand même inquiété.

— Oui. Parce que j'ai essayé de l'appeler sur son cellulaire pis sur sa radio marine, mais elle répondait pas.

— Il était quelle heure à ce moment-là?

— Entre dix heures pis midi.

— Donc vous ne lui aviez pas parlé depuis minuit et demi?

Le regard de Clément Cyr erre sur la table, sur l'absence de tasses, de lait, de sucre, de cuillères. Si elle était ici, Angel le fusillerait du regard parce qu'il ne dit pas tout. C'est vrai, mais il a trop honte pour parler. C'est ça, le drame de sa vie : il a voulu être à la hauteur de son père, puis à la hauteur de sa femme, mais il a tout perdu. Sauf la honte et la culpabilité.

— C'est ça. Après, j'ai fouillé dans son auto, à la marina, pis j'ai trouvé sa sacoche, avec son cellulaire dedans. Là, j'ai appelé Jean-Paul Babin, l'aide-pêcheur d'Angel. Lui, il a téléphoné à son frère Ti-Guy pis à Jimmy, le frère d'Angel. Ils se sont parlé pis, un peu plus tard, Jean-Paul m'a rappelé. Il a dit que les Roberts partaient avec *L'Ange-Irène*. C'est un gros chalutier, ça fait que j'ai déduit qu'ils iraient au large. J'ai demandé à Laurent Lepage de venir sillonner la côte avec moi. Lui, il a un homardier pis il l'a pas encore hivernisé. On est partis pis on a longé la zone de pêche de ma femme. Vers quinze heures, Lepage m'a dit qu'il fallait signaler la disparition d'Angel. C'est là que j'ai appelé la police. Après, je suis revenu à terre. Pis j'ai pus osé retourner en mer.

Sa voix se remplit d'eau. La fin est presque inaudible.

— Pourquoi ?

— J'avais peur.

Lefebvre ne saisit pas.

— Peur de quoi ?

— De pas la retrouver.

Le cellulaire de l'agent se met soudain à vibrer. Les deux autres se tournent vers lui, interrogateurs. Lefebvre regarde l'écran, secoue la tête : rien de nouveau. Il s'éloigne pour prendre l'appel dans l'entrée.

Moralès parle délicatement.

— Votre femme est-elle heureuse ? Va-t-elle bien ?

Cyr penche la tête vers la table, comme s'il ne voulait plus voir les fantômes aux quatre coins de la pièce.

— Vous me demandez si elle a pu se suicider ? Je le sais pas. Peut-être. Quand la police retrouve des gens qui se sont suicidés, l'entourage fait souvent le saut, comme si personne s'attendait à ça. Je pense pas qu'Angel est malheureuse, mais on dirait que là, je le sais pus…

Moralès n'ose pas formuler la possibilité qu'elle ait pu fuir son mari, peut-être même avec un autre homme. Il décide d'avancer autrement.

— Vous avez retrouvé son portefeuille ?

— Il est dans sa sacoche.

Le mari se lève, se rend dans l'entrée de la maison, revient avec un sac d'épaule plutôt grand qu'il pose sur la table. Il ouvre la fermeture éclair, sort un portefeuille en cuir rouge qu'il tend à l'enquêteur. Gêné par la franchise du geste, Moralès refuse de le prendre.

— Je vous laisse fouiller dedans, vous savez comment sont les femmes…

Cyr acquiesce.

— Pourriez-vous me dire si son permis de conduire et ses cartes bancaires y sont toujours ?

Cyr ouvre le portefeuille, sort et dépose sur la table les cartes mentionnées.

— Est-ce qu'il y manque quelque chose ?

— Je pense pas. Y a même de l'argent.

Il fixe le portefeuille d'un air abattu, comme si l'objet confirmait la disparition d'Angel.

— Elle sera pas contente si elle apprend que j'ai ouvert sa sacoche.

— Vous devriez peut-être remettre les cartes en place.

Pendant que Clément Cyr range le tout, Moralès se lève. La maison est chargée d'ombres et il a hâte de respirer un peu d'air frais. Justement, Lefebvre, qui a raccroché et qui revient vers la cuisine, lui fait signe. Moralès en déduit que les bateaux doivent être près d'accoster.

— Nous aurions besoin d'une photo récente de votre femme.

Cyr se dirige vers le mur où sont accrochés les souvenirs rieurs de leur vie à deux.

66

— Celle-là, c'est moi qui l'ai prise.

Il retire le cadre du clou, l'ouvre et saisit la photo par le coin du bas, comme s'il craignait qu'elle s'échappe.

— On était en camping dans le bout de Sept-Îles. Elle préparait des légumes pour le souper.

Sur l'image, on voit le visage d'Angel délicatement entouré de mèches folles qui témoignent du vent ou de l'état d'esprit des vacances. Ses yeux sont marron. Elle rit. On n'aperçoit ni ses mains ni les légumes. Juste l'orée de la forêt, en arrière-plan.

Clément regarde sa femme encore une fois et remet la photo à Moralès.

— Nous avons lancé des recherches. Elles s'intensifieront dans les prochaines heures. Vous savez que votre beau-père a retrouvé le homardier ?

— Oui.

— Nous devrons l'examiner.

L'autre hausse les épaules.

— Je m'en fous, de *L'Échoueuse II*.

Depuis l'entrée, Érik Lefebvre toussote : ils doivent partir. Moralès veut arriver avant les bateaux pour être certain que personne ne contamine une possible scène de crime. Il veut aussi rencontrer le père et les frères d'Angel Roberts avant qu'ils aient parlé à d'autres pêcheurs et qu'ils aient édulcoré leurs récits.

— Qui est la meilleure amie de votre femme ?

— Annie Arsenault. Elle habite juste là, la maison bleue.

Il pointe le doigt vers la demeure voisine.

— Pourriez-vous me décrire les vêtements qu'Angel portait la dernière fois que vous l'avez vue ?

— Je vous l'ai dit : sa robe de mariée.

— Elle a dû se changer avant de partir...

Clément Cyr secoue la tête.

— Non. J'ai vérifié. Il manque rien d'autre dans sa garde-robe.

Le géant esquisse un geste inutile de la main, depuis la salle à manger. Il laisse sa femme reconduire les hommes jusqu'à l'entrée, ouvrir puis refermer la porte derrière eux.

Sébastien Moralès se réveille en entendant, comme dans un cauchemar, la sonnerie de son cellulaire qui résonne en écho dans la pièce. Quelle pièce? Il bat des paupières, retrouve la vue. Il est étendu sur un canapé dans un corridor. Un Christ géant, cloué sur un crucifix peint en blanc, le regarde, la tête chargée d'épines.

— Allô! Ici, Renaud Boissonneau, doyen de l'école secondaire et homme d'affaires à toutes affaires.

La sonnerie s'est arrêtée.

— J'm'en vas vous dire que si vous appelez pour un cours de danse, faudra attendre votre tour. Il est ben populaire.

Ça lui revient: il est couché dans le corridor de l'appartement du curé, au-dessus du bistro.

— Quoi? Il est cuisinier à Montréal? J'm'en vas vous dire qu'il s'en est pas vanté ici!

Il a dû laisser son téléphone branché dans le haut-parleur du bistro, hier. C'est pour ça que la sonnerie était si forte.

— Ici, c'est le bistro de Caplan, Québec, Canada. On a un spécial sur la sole, à midi.

Sébastien s'assoit. La tête lui tourne. Il se souvient à peine d'avoir monté l'escalier.

— Oui, madame, mais M. Sébastien Moralès dort en ce moment.

Il dresse l'oreille. Son cellulaire a sonné combien de fois?

— Tant qu'à appeler, vous devriez faire une réservation.

Il plie la couverture.

— C'est sûr que, si vous êtes à Montréal, c'est un peu difficile d'arriver pour dîner.

Renaud Boissonneau a répondu à son téléphone! Sébastien se lève d'un coup, descend l'escalier au pas de course, tourne le coin, se retrouve face à la moustache poivre et sel du serveur, qui se dépêche, en le voyant arriver, de clore la conversation.

— Appeler dans un bistro à une heure pareille sans faire de réservation, ça dérange le monde, madame!

Il raccroche, mais garde le téléphone dans sa main.

— Vous êtes cuisinier pis vous me l'aviez pas dit!

Interloqué, Sébastien s'avance vers le comptoir. L'autre ne démord pas.

— Parce que moi, j'm'en vas vous dire que j'ai toujours voulu être cuisinier! J'ai même été aide-cuisinier en chef l'été passé! Mais j'ai eu le cœur brisé, ça fait que je suis revenu au service.

— Renaud, à qui parliez-vous quand je suis descendu?

— Quoi? À qui je…? C'est une question confidentielle, ça.

Sébastien s'arrête derrière la rangée de tabourets qui fait office de barrière entre lui et le comptoir derrière lequel le serveur se tient, prudent comme un soldat dans une tranchée.

— Étiez-vous en train de discuter avec ma conjointe?

Renaud Boissonneau rougit d'un coup. Mais pas de gêne. De colère. Il donne un coup de poing sur le comptoir.

— J'm'en vas vous dire rien qu'une affaire, que vous pis votre père, vous êtes pareils: vous courtisez les Gaspésiennes pendant que vos femmes vous attendent dans la grande ville!

Sébastien fait un mouvement de recul, giflé.

— Qu'est-ce que vous insinuez sur mon père?

Boissonneau se braque.

— Essayez pas de me tirer les vers du nez! Les histoires d'amour entre votre père pis la belle Catherine, ça reste en Gaspésie! Pis j'ai rien dévoilé non plus à votre mère quand elle est passée, mais inquiétez-vous pas: elle va prendre les décisions qui s'imposent. C'est pas une femme à se laisser pousser des cornes dans le front, votre mère, on comprend ça tout de suite!

Sébastien est complètement réveillé, maintenant.

— Écoutez, Renaud…

— Vous êtes rien que des menteurs, dans votre famille!

Le cellulaire se remet à sonner. Boissonneau sursaute et répond d'un coup.

— Allô! Ici Renaud Boissonneau, doyen de l'école secondaire et homme d'affaires…

Sébastien, abasourdi par les propos et le comportement du serveur, ne réagit pas tout de suite.

— Inspecteur Moralès, votre fils est cuisinier pis vous me l'avez même pas dit!

Un instant plus tard, il ajoute:

— Oui, il est ici, mais il est pas disponible.

— Comment ça, pas disponible?

Sébastien range les tabourets, se penche au-dessus du comptoir, mais Boissonneau recule.

— Non, non, il se passe rien.

— Renaud, donnez-moi mon téléphone!

Sébastien pose un pied sur un tabouret, s'élance, saute de l'autre côté du bar. Anticipant l'atterrissage, Renaud Boissonneau s'est enfui vers la gauche.

— Je lui fais le message. Bonne journée, inspecteur!

Puis il raccroche, dépose l'appareil sur le comptoir et fait dignement signe à Sébastien de sortir de son lieu de travail.

— Faut aller chez monsieur votre père, les livreurs de matelas s'en viennent. Faut aussi aller acheter des draps pis des oreillers à Bonaventure. Il va vous rembourser, qu'il dit.

Découragé, le fils Moralès prend son appareil, attrape sa veste sur un crochet, s'apprête à sortir quand il entend l'autre l'interpeller encore:

— Monsieur Sébastien! Quand est-ce que vous allez revenir pour la danse?

En sortant de Cap-aux-Os, les policiers ont fait un crochet par le poste de police de Gaspé, question de prendre une seconde voiture avant de se diriger vers Rivière-au-Renard. Pendant que les véhicules roulent sur la Radoune, le ciel s'ennuage sans passer au gris. La route est ennuyante un bon moment, entourée de maisons jetées en désordre à la lisière d'une forêt dense composée d'épinettes noires qui tordent leurs têtes pointues sous les assauts du vent, comme si elles cherchaient à s'attaquer les unes les autres, puis s'ouvre enfin sur un horizon plus large : ils arrivent en bord de mer.

Lefebvre prend à droite sur la rue de l'Église, bifurque sur la rue du Banc, entre dans un grand stationnement cahoteux, immobilise la voiture de patrouille derrière l'édifice de la garde côtière. Moralès fait de même. L'air frais presque froid le happe au moment où il ouvre la portière. Il sort, déplie le dos et relève la tête tel un cormoran qui s'ébroue en s'éveillant d'une sieste. Derrière lui, le village a amassé ses maisons en demi-cercle sur la pente d'une colline qui fait fièrement face à la mer. Rivière-au-Renard, ainsi positionné, surveille le quai avec la droiture entêtée d'un phare.

Les hommes traversent la cour de la garde côtière et se retrouvent dans la rue qui longe le quai réservé aux petits chalutiers. Il est presque désert. Lefebvre dirige son supérieur à la rencontre des deux gars laconiques de l'équipe technique, bien installés dans leur camionnette. Moralès se souvient de les avoir croisés à deux reprises au cours des dernières enquêtes. Il doit donner raison à Simone Lord : l'un des techniciens sort du véhicule et file vers une poubelle, une boîte de beignes vide à la main.

Lefebvre le présente sans fioritures.

— C'est lui qui est chargé de l'enquête.

Joaquin acquiesce.

Voilà, c'est définitif : il s'en charge. Et personne ne l'a forcé. Il l'a compris tantôt, quand il a pris la photo d'Angel Roberts. Il a su qu'il y tenait déjà, à cette pêcheuse fière disparue en robe de mariée blanche.

— Hmm.

— OK.

Soudain, Moralès se demande qui a envoyé les techniciens en scène de crime ici, puisque lui-même n'en a rien fait.

Sûrement pas Lefebvre qui, visiblement passionné de géologie, marche dans le terrain vague en fouillant le sol du regard.

— Qui vous a dit de venir ?

Ils haussent les épaules.

— Les ordres viennent toujours d'en haut.

— Hmm.

— Vous savez qu'on enquête sur une disparition, pas sur un homicide.

L'un d'eux prend un papier dans leur véhicule, lit l'adresse, fait un signe de tête en direction du quai.

— C'est là qu'on est.

Moralès jette un œil à la ronde.

Vers l'est, le quai finit par un puits de halage surmonté d'une gigantesque grue-portique qui ressemble à une araignée métallique. À l'extrémité du puits, des dizaines de chalutiers en cale sèche jonchent le parc d'hivernement. Entre les navires en cale sèche, les camionnettes des propriétaires, des mécaniciens, des soudeurs sont stationnées.

De l'autre côté du puits, des bâtiments de transformation des produits de la mer, une poissonnerie, des bacs et des camions-remorques occupent l'espace jusqu'au grand quai. Ce dernier, perpendiculaire au premier, est construit à même le brise-lames, qui sépare le golfe du bassin de la marina. C'est là que s'amarrent les gros crevettiers semi-hauturiers.

L'endroit ressemble peu à une marina, plutôt à une aire industrielle occupée par une machinerie lourde qui extrait le poisson de la mer. Vers le nord, l'estuaire du fleuve Saint-Laurent brasse de l'écume blanche sur des vagues noires. L'autre rive est invisible.

Lefebvre désigne des bateaux, vers l'est. À mesure que les embarcations approchent, les pêcheurs quittent les navires en cale sèche et marchent vers le quai. Des voitures arrivent, des femmes de pêcheurs et des badauds qui viennent non seulement assister à l'accostage, mais aussi témoigner d'une solidarité de marins. Tous vêtus de coupe-vent, ils s'assemblent dans un silence à peine entrecoupé de chuchotements. Des doigts pointent ceci ou cela. Un homme au début de la cinquantaine explique qu'ils ont trouvé le homardier de l'autre bord de l'île Bonaventure. Il a entendu ça dans sa VHF. Les autres commentent que c'est loin, que c'est une chance dans la malchance, mais que les assurances auraient payé ; que c'est pour Angel que personne ne paye et qu'une fille de même, ça se remplace pas.

Le dos appuyé sur une camionnette sport portant l'inscription « Pêches et Océans Canada », Simone Lord échange de loin des signes de tête plus ou moins courtois avec les pêcheurs. Ses bras sont croisés sur sa poitrine, son visage est complètement fermé.

Au moment où elle lui jette un coup d'œil, Moralès sent son téléphone vibrer dans sa poche. Il met la main dessus, le sort. C'est Sébastien. Ce n'est pas le moment. Lefebvre revient vers son supérieur, en enfouissant des cailloux dans son manteau.

— Les v'là.

Un homardier jaune vif, orné d'un dessin de homard rouge et baptisé *L'Échoueuse II* entre rapidement dans le bassin de la marina, contourne le brise-lames fouetté par le vent du large et accoste presque trop vite sur le quai des chalutiers, en avant du navire de la garde côtière.

Moralès indique à Lefebvre de le suivre et se faufile dans l'attroupement jusqu'au bateau. Deux hommes au début de la trentaine sont à l'amarrer. L'un d'eux saute sur le quai. L'enquêteur s'avance, se présente en leur montrant son badge. Les pêcheurs le saluent froidement, se nomment de loin : Jimmy Roberts et Guy Babin. Ce dernier se détourne et remonte à bord. Moralès intervient.

— Je vais vous demander d'éteindre le moteur et de débarquer. Mon équipe technique va prendre le bateau en charge.

Jimmy Roberts relève le menton, met les mains dans ses poches.

— Pour quelle raison ?

— Parce qu'il s'agit potentiellement d'une scène de crime.

Les badauds écoutent en silence. Ils étudient l'échange comme des journalistes en quête de une.

— Qui vous dit qu'il y a eu un crime ?

— La disparition de votre sœur est suspecte. Éteignez le moteur et quittez le bateau.

Jimmy Roberts et Guy Babin tardent.

— Je sais pas. Ça serait pour combien de temps ?

Derrière Moralès, une voix de femme s'élève soudain avec autorité.

— Le temps qu'il faudra !

Simone Lord s'avance. Elle a revêtu un coupe-vent orné du logo des agents des pêches. Autour d'elle, les curieux forment un demi-cercle. Roberts et Babin grimacent. Lord insiste :

— Vous avez pas compris ? On a besoin du bateau. En plus, la pêche est finie.

Court sur pattes, Babin a un physique carré, un torse de bœuf au large licol, des mains d'ours. Il fixe Moralès depuis le début de l'échange avec un mépris féroce dans l'œil. Joaquin garde les mains dans ses poches, il laisse Simone Lord jouer son jeu, mais se promet bien de la remettre à sa place dès qu'il en aura l'occasion. Jimmy Roberts hésite devant l'agente qui lui fait face.

— Ouais, mais va falloir l'hiverniser avant qu'il fasse trop froid.

Lord lui décoche un regard ironique.

— T'auras tout le temps de jouer avec, mon Jimmy. Éteins le moteur et sortez ou je retiens les deux premières semaines de ce bateau-là sur la prochaine saison. On sait jamais : c'est peut-être toi qui vas en hériter, du homardier. Tu vas les mettre où, tes cages, quand tous les bons *spots* vont être pris ?

Jimmy Roberts tergiverse encore, mais pour la forme. La partie est terminée, il est clair que l'agente a marqué le point final. Il obtempère à contrecœur. Babin se penche par-dessus bord et crache dans l'eau, entre lui et Moralès. Jimmy lui fait un signe de tête.

— Viens-t'en, Ti-Guy.

Babin le suit.

— Vous laisserez vos coordonnées à mon collègue et vos empreintes à l'équipe technique.

Lefebvre, en retrait, sort son calepin pendant que les techniciens enfilent leur survêtement et s'affairent.

Simone Lord fait un signe à Moralès.

— On va prendre mon véhicule pour aller rejoindre *L'Ange-Irène.*

Les curieux se dispersent, alors qu'elle guide l'enquêteur vers sa camionnette. Moralès fait signe à Lefebvre, qui en a rapidement fini avec les deux pêcheurs, d'embarquer. Si le père et le frère Roberts sont aussi peu accueillants, il préfère ne pas arriver seul. Lefebvre, enthousiaste, s'installe sur la banquette arrière.

— Wow, Simone! T'es pas allée de main morte! Après ça, t'as peut-être charrié un peu, non?

— Ces gars-là agissent en empereurs. Ils pensent que la mer est à eux.

Moralès regarde dehors pendant qu'elle répond. Il reste silencieux. Pour l'instant. L'apostrophe de Simone a brusqué les deux hommes et l'a placé, lui, dans la position du policier timoré incapable d'obtenir ce qu'il exige. Il entrevoit bien sûr le pouvoir des agents des pêches, or ça ne sera utile que si Lord travaille en équipe. Elle prend son rôle trop au sérieux et ça l'énerve, mais il se retient de la rappeler à l'ordre. Ce n'est pas le moment.

Passé la poissonnerie La Marinière, elle bifurque à gauche, en direction du grand quai. Là aussi, quelques curieux attendent, cette fois à l'abri du vent, dans leurs véhicules. Seuls deux hommes se tiennent debout près du bord où le crevettier accostera. La houle frappe l'enrochement du brise-lames, et des vagues, emportées par le mouvement, se fracassent sur le quai.

L'immense chalutier à la coque bleu marine entre dans la marina, vire de bord pour se positionner face au vent, laissant ainsi voir, sur la lourde structure blanche du double pont, l'arsenal de treuils et de poulies aux câbles d'acier, les potences grises sur lesquelles s'enroulent les filets pélagiques verts, les portes métalliques, les cylindres des stabilisateurs, les bouées orange sur lesquelles est peint, en lettres noires à demi effacées, le nom du bateau : *L'Ange-Irène*.

Il avance presque avec délicatesse vers le quai. Il tangue sur bâbord, poussé par la rafale et la vague, revient sur son tribord, cette fois emporté par son propre poids. Un homme, fin de la trentaine, chaussé de bottes vertes, vêtu d'une salopette et d'un manteau orange, une tuque en laine noire profondément enfoncée sur sa tête, attend patiemment que le crevettier se stabilise, manœuvre qui s'exécute quasi au ralenti, puis il lance les amarres, une à une, aux hommes qui, sur le quai, les fixent sans un mot aux bittes d'amarrage.

Moralès sort de la camionnette. Le vent le happe et le fait reculer d'un pas. La portière se referme violemment. Les vagues claquent plus durement qu'il le croyait contre l'enrochement, arrosent le quai de lames agressives. Avant même qu'il puisse éviter l'une d'elles, l'enquêteur reçoit un baquet d'eau salée. Il se secoue, peste, puis se met à l'abri d'un conteneur pour parer les autres coups d'eau.

Simone Lord et Érik Lefebvre, qui a lui aussi revêtu un imperméable des agents des pêches, viennent le rejoindre. Le vent qui s'engouffre dans leurs vêtements leur donne l'air de bouffons prêts à s'envoler.

L'homme aux amarres les regarde, salue Simone.

— L'enquêteur responsable du dossier, le sergent Moralès.

L'autre se tourne vers lui.

— Bruce Roberts. Je suis le frère d'Angel. Mon père est dans la timonerie.

— On peut se parler ?

Moralès crie pour faire entendre sa voix dans le vent.

— Venez.

Moralès laisse passer Simone, par politesse et pour épier sa façon de monter à bord. Elle franchit d'un pas leste l'espace entre le quai et le navire, avance sur le pont, attend les deux policiers en expliquant quelque chose à Bruce Roberts que, dans le vacarme, seul le pêcheur entend. Moralès comprend qu'elle lui dit qui est Lefebvre. Le pêcheur acquiesce puis leur ouvre la porte.

Sur le quai, les camionnettes reculent et prennent la direction du village. À travers les vitres, le père Roberts a vu les badauds. Ça suffit pour montrer qui est solidaire.

Moralès entre pour la première fois dans un tel navire. La timonerie est plus vaste et confortable qu'il ne l'aurait cru. Une large banquette de cuir gris prend tout le côté bâbord, sous les fenêtres. À l'avant, un comptoir noir muni d'un rebord de bois s'étend d'un bout à l'autre de l'espace, jusqu'au siège du capitaine, haut, rembourré et pivotant, installé du côté tribord. Des cartes, papiers et crayons y sont cordés. Six écrans affichent la position des filets, des cartes marines, des images du pont arrière et des moteurs. Une dizaine d'émetteurs-récepteurs VHF sont fixés au plafond. Pas de roue traditionnelle, mais des manettes, des claviers, des compas, profondimètres, inclinomètres, sondeurs : l'équipement électronique d'un vaisseau. Derrière le poste de pilotage, une étagère s'ouvre sur des vestes de sécurité d'un orange vif et à l'arrière, face à la fenêtre du pont, est installée une autre série de manettes et d'écrans. Au centre, un escalier, protégé sur trois côtés par un muret de bois, descend vers le ventre du mastodonte.

Lefebvre mime un sifflement admiratif.

Un homme dans la soixantaine avancée se tient debout, immobile, près de l'escalier, derrière le banc du capitaine. Le père d'Angel Roberts. Il a les lèvres serrées, de colère ou parce qu'il se retient de pleurer. Il regarde sans bouger Simone Lord qui vient au-devant de lui.

Les pêcheurs savent qu'elle n'a jamais hésité, quand elle faisait partie de la garde côtière, à mettre en jeu sa propre vie pour sauver la leur. Ils acceptaient sa tête dure et son caractère de cochon, mais ils auraient préféré que ce ne soit pas une femme. Ç'aurait été plus facile d'admirer un homme. Après, quand elle est devenue agente des pêches, ils ne se sont pas gênés pour la mépriser ouvertement.

— Salut, Leeroy.

Elle s'approche, ils se serrent chaleureusement la main. Il la regarde avec reconnaissance. Lui, il ne pourra jamais lui en vouloir. Quand il a brûlé son bateau de bois, il y a une quinzaine d'années de ça, ses hommes, son gars et lui seraient morts dans le brouillard si elle et ses collègues n'étaient pas venus à leur secours. C'est après que la fille Lord est devenue agente des pêches. *Watcheuse.* Il ne passe pas pour généreux, Leeroy, mais il a de la mémoire et de la reconnaissance, quand il le faut.

— On va la retrouver, ta fille.

— Merci, Simone.

Elle fait les présentations. Leeroy Roberts observe intensément Moralès, derrière ses lunettes à monture grise. C'est à lui qu'on confie le sort de sa fille. Ce nom-là n'est pas d'ici et le gars est trop bronzé pour la saison.

— Vous venez d'où ?

— De Caplan. Je travaille au poste de Bonaventure.

Leeroy est satisfait. Pas obligé d'être né ici pour être gaspésien. Suffit de le vouloir et de jouer dans la bonne équipe.

Moralès se sent imposteur. Angel Roberts manque à l'appel et son père est devant lui, avec sa méfiance, certes, mais aussi avec ses lambeaux d'espoir. Il voudrait lui redonner sa fille, mais doute que ce soit possible. Il souhaiterait qu'il ne s'agisse que d'une fugue de femme fatiguée qui avait besoin d'air. Ça arrive. Un mari ou une épouse prend une pause sans en informer personne. Pas toujours pour une histoire d'adultère. Parfois juste par désir ou besoin d'être seul quelque temps, de « faire le point », comme ils disent. Moralès trouve ça déraisonnable de mettre son entourage en panique pour « faire le point », mais qu'est-ce qu'il peut y faire ? Il pense aux « expérimentations culinaires » de Sébastien, secoue la tête. Plus tard, il parlera à son fils. Plus tard, il discutera avec la lieutenante Forest au sujet de ses vacances. Plus tard, il appellera sa femme.

— Vous êtes bien installés, j'en reviens pas ! Tout un équipement ! Ils coûtent pas cher pour rien, vos bateaux !

Lefebvre semble avoir complètement oublié la raison de sa présence à bord. Simone le regarde, scandalisée, mais aucun des pêcheurs, ni le père ni le frère d'Angel, qui est entré à leur suite et a refermé la porte derrière eux, n'y porte attention. Moralès comprend qu'il doit procéder rapidement s'il ne veut pas que les deux autres morpionnent son interrogatoire.

— Quand avez-vous appris la disparition de votre fille ?

Leeroy reste debout, malgré la fatigue, parce qu'on parle de la mort possible de sa fille et qu'il n'est pas du genre à s'asseoir quand le destin frappe. Il pose une main sur le muret qui encadre la descente d'escalier, se place face à l'enquêteur.

— Hier matin, Ti-Guy Babin a appelé mon gars Jimmy pour lui dire que le bateau d'Angel était pus à Grande-Grave.

Simone Lord intervient.

— Et vous êtes partis vers quelle heure ?

Le bonhomme lui jette un regard méfiant, choisit de l'ignorer et termine sa réponse en regardant Moralès. Il est de la vieille école : il va s'adresser au patron.

— C'est son frère Jean-Paul qui l'avait appelé. C'est un des deux aides-pêcheurs d'Angel. Il a dû passer au quai pis voir que le homardier était parti.

— Et vous êtes...

Moralès ne laisse pas l'agente continuer.

— C'est qui, l'autre aide-pêcheur ?

— Jacques Forest, l'oncle maternel d'Angel.

Lord fulmine, mais ne relance pas sa question. Érik Lefebvre s'est faufilé du côté tribord. Perché sur le siège du capitaine, il le fait pivoter de gauche à droite dans un roulement agaçant. Bruce s'est appuyé le dos à la porte, il fixe une tache sur le plancher.

— Est-ce qu'Angel est l'unique propriétaire du homardier ?

Leeroy hoche la tête, se tourne vers la fenêtre de bâbord, qui donne sur le bassin de la marina, regarde le bateau de sa fille sur lequel les techniciens en scène de crime s'activent.

— Son port d'attache est au sud de Forillon, mais on l'a ramené ici. J'habite juste là, sur le bord de la côte. Je voulais qu'il soit près de chez moi. Au moins pour aujourd'hui.

Moralès réfléchit. Clément Cyr lui a bien déclaré qu'il avait lui-même alerté Jean-Paul Babin, mais Leeroy semble l'ignorer. Ou fait semblant de l'ignorer. Il décide de poser une autre question pour vérifier si l'omission est intentionnelle.

— Si je comprends bien, hier, l'aide-pêcheur de votre fille, Jean-Paul Babin, s'est rendu au quai pour aller à la pêche, mais…

Simone Lord l'interrompt.

— Ben non! La pêche est finie!

Moralès se tourne carrément vers elle, mais s'adresse à son partenaire.

— Agent Lefebvre, pouvez-vous aller inspecter l'intérieur du bateau, je vous prie?

Ce dernier se lève d'un bond, plein d'espoir.

— Tout de suite?

Les Roberts n'ayant pas réagi à cette intrusion inattendue, l'enquêteur hoche la tête.

— Ce serait le moment.

L'autre s'élance vers l'escalier.

— L'agente Lord va vous accompagner, puisque c'est la spécialiste.

Simone recule d'un pas, froissée.

— Viens-t'en, Simone! J'ai besoin de toi. Après ça, j'ai jamais visité de chalutier, ça fait que…

La voix de Lefebvre se perd à mesure qu'il file dans les entrailles du crevettier. L'agente Lord fusille Moralès du regard avant de descendre à son tour.

Leeroy fait un signe de tête dans leur direction.

— C'est vos meilleurs hommes de terrain, ça?

Il est amer. Ça se comprend. Sa fille disparaît et on lui envoie l'équipe B. Moralès n'a rien à répondre. Il attend, décide de laisser le père reprendre son récit là où il s'en sentira capable. Leeroy Roberts poursuit.

— Je pense que Clément Cyr, mon cher gendre, a veillé tard samedi soir. Il a couché à l'auberge pis, en rentrant dimanche matin, il trouvait pas sa femme. Il a dû descendre au quai pis, quand il a vu que le bateau était pas là, il a dû trouver ça bizarre pis appeler Jean-Paul Babin pour y demander s'il savait où Angel était allée. Il devait se douter que ça se rendrait à Jimmy. Pis à nous autres.

— Pourquoi il ne vous a pas appelé directement?

Leeroy pince les lèvres de mépris.

— C'est pas parce qu'on est gaspésiens qu'on est amis. Pis c'est pas parce qu'il a marié ma fille qu'on s'apprécie.

— Est-ce que votre fille va parfois seule en mer?

— Oui, même qu'elle aime ça.

— Alors qu'est-ce qui vous a inquiété?

— C'est Jimmy qui m'a inquiété. On s'appelle pas souvent. D'un coup, ça sonne pis il me dit que sa sœur est partie avec le homardier. C'était bizarre qu'il me téléphone pour ça : elle est pêcheuse, c'est normal qu'elle aille en bateau! Ça fait que j'ai voulu joindre Angel sur son cellulaire. Elle répondait pas. J'ai demandé à mon gars de la contacter sur la radio marine.

Bruce Roberts, toujours appuyé contre la porte, acquiesce d'une voix morne.

— Elle a pas répondu.

L'aîné des Roberts est solide de cette force svelte et dure qu'on bâtit aux travaux extérieurs. Des tatouages d'ancres et de sirènes entourent ses bras de teintes bleues et noires. Pas jasant, sans être taciturne, il est le genre de capitaine à descendre sur le pont même lors des tempêtes.

Le père reprend la parole. Lentement.

— Vous avez des enfants?

Moralès hoche la tête.

— Deux gars.

Ça lui redonne un peu confiance, à Leeroy.

— Vous savez comment c'est : ils ont beau être adultes, on s'en inquiète tout le temps. Pis les maudits cellulaires ! On a tellement l'habitude qu'ils répondent tout de suite que, quand ils répondent pas, on sait pus quoi penser. Ça fait que j'ai tourné en rond là-dessus pis, à un moment donné, j'ai dit à Bruce de rappeler Clément pour y demander depuis quand y avait pas de nouvelles d'Angel. Mon cher gendre a répondu qu'y avait pas de nouvelles depuis la veille au soir pis que ma fille avait pas enlevé sa robe de mariée.

Il a soudain du mal à parler.

— Ça m'a fait un frisson. Comme dans les vues, quand ils mettent tout en place pour qu'on sente que quelque chose va mal tourner. Ça fait que j'ai dit à Bruce : « On va aller voir. » Pis on est partis.

— Il était quelle heure ?

— On n'avait pas soupé. Autour de seize heures.

— Qui était à bord avec vous quand vous êtes partis ?

— Bruce pis moi, on est venus au quai, pis en arrivant on a vu que Jimmy était là. Il voulait embarquer avec Ti-Guy Babin. Angel, c'est sa sœur. Ça se refuse mal. Pis il m'a convaincu en disant que, si on trouvait le bateau, on aurait besoin d'aide pour le ramener.

Simone Lord et Érik Lefebvre remontent en coup de vent.

— C'est la première fois que je visite un bateau pareil ! Vous avez tout un système de couchettes ! C'est pratique !

Personne ne se tourne pour le regarder. Embarrassé, Lefebvre se recule, s'assoit sur la banquette grise et croise les jambes nonchalamment, laissant voir ses bottes de cowboy. Simone Lord interrompt durement Moralès.

— Je sais pas où vous en êtes rendus, mais j'ai besoin de savoir comment les hommes s'y sont pris pour retrouver le bateau.

— On y arrive.

Leeroy continue son récit. Il regarde la fille Lord en parlant, parce qu'elle connaît la mer, mais c'est à l'enquêteur de Caplan qu'il s'adresse, parce qu'il a des enfants.

— On s'est rendus au bout de la pointe Forillon pis on a arpenté l'embouchure de la baie de Gaspé, mais on voyait rien. Ça fait qu'on a calculé.

Simone Lord s'étonne.

— Vous avez calculé quoi?

C'est le fils qui répond.

— La marée et le vent des douze dernières heures.

— Et vous êtes arrivés dessus?

Bruce Roberts secoue fermement la tête.

— Ben non. Tu le sais comme moi : douze heures, c'est une période trop longue pour quelqu'un qui veut calculer la dérive d'un bateau !

Simone esquisse un sourire soupçonneux.

— Qu'est-ce que t'as calculé?

Devant l'agente, l'aîné des Roberts choisit de se taire. Son ironie lui déplaît. Leeroy se tourne vers Moralès, fait un signe du côté de son fils.

— Mon gars Bruce est ben bon en navigation. Meilleur que moi. Il a dit qu'on devrait aller vers le sud pour suivre le courant du Labrador. Que, si on allait dans la bonne direction, mais plus vite qu'un bateau à la dérive, on le retrouverait peut-être. J'ai trouvé que ça avait du bon sens. Ça fait qu'on est allés dans ce sens-là tant qu'on a pu.

Il hésite à poursuivre. Il sait que ça semble louche. Lui-même a trouvé que Bruce savait trop bien où aller, mais il le défendra, s'il le faut.

— Un coup de chance. Jimmy a vu quelque chose qui brillait dans l'horizon à matin. J'ai dit : « C'est ça. » On y est allés pis c'était ça.

Le regard de Leeroy Roberts descend le long de l'escalier, se perd dans les profondeurs. Sa fille aurait pu être encore à bord.

— En arrivant, qu'est-ce que vous avez vu?

Sans comprendre ce que l'enquêteur veut dire, l'ancien pêcheur relève la tête, fronce les sourcils.

— Ben, le bateau.

Il avait ressenti une violente douleur dans la poitrine, au moment de l'accoster.

— Dans quel état?

Cette fois, c'est Bruce qui répond.

— En bon état. On n'est pas montés, nous autres. Jimmy l'a pris en main. Le moteur était éteint, mais y avait du gaz. Quand il l'a mis en marche, on a compris que tout était correct.

Il s'arrête brusquement, serre les mâchoires. Moralès insiste.

— C'est tout?

Bruce Roberts hausse les épaules. Simone intervient.

— Qu'est-ce qu'il a dit, ton cher frère?

— Jimmy a dit: «C'est une bonne surprise quand même.»

Le père Roberts regarde Moralès, se demande s'il connaît ça, lui, les enfants imbéciles. Les enfants qui, même devenus adultes, disent des affaires à vous défoncer le cœur. Des enfants dont il lui arrive, des fois, d'avoir un peu honte. Moralès hoche la tête. Peut-être que nos enfants héritent de nos pires maladresses.

— Vous avez remarqué autre chose?

Bruce Roberts inspire.

— Le *deck* était ouvert.

Moralès ne comprend pas, mais sent qu'il s'agit peut-être de quelque chose d'important. L'aîné des enfants Roberts s'en aperçoit.

— Regardez les autres.

Il s'avance vers la fenêtre de bâbord et pointe le doigt vers les deux seuls homardiers encore à l'eau en cette saison. Ils sont amarrés près de l'usine. Moralès l'accompagne.

— En arrière, le pont est fermé. En Nouvelle-Écosse, comme les pêcheurs vont loin et que les conditions sont dures, les chantiers navals ont commencé à construire des bateaux avec le tableau arrière ouvert. Les pêcheurs attachent une douzaine de cages une à la suite de l'autre. Ils appellent ça une «ligne de cages». Quand ils remontent une ligne, ils le font par le côté du bateau. Ils vident les cages, mettent l'appât, les empilent à bord et, quand ils les retournent à l'eau, ils ont juste à envoyer la première cage et à laisser les autres glisser une après l'autre, par l'arrière.

Bruce Roberts continue de regarder dehors en lui parlant.

— Ma sœur, elle aime pas ça, faire forcer son monde. Elle a décidé de faire ouvrir l'arrière de son homardier. En mer avec ses aides-pêcheurs, elle ouvre l'arrière pour laisser filer les lignes de cages. Mais comme son bateau est pas trop gros pis qu'elle aime ça amener des amis en mer, elle a fait poser une porte en arrière, comme sur les *pick-ups*. Quand elle sort juste pour le plaisir, elle garde la porte fermée pour éviter que quelqu'un tombe à l'eau.

Moralès regarde de nouveau *L'Échoueuse II*. En effet, la poupe est montée à la manière des hayons des camionnettes sport.

— Et qu'est-ce qui clochait avec cette porte quand vous avez trouvé le bateau ?

Bruce Roberts reprend sa place avant de répondre.

— Elle était ouverte. La saison est finie, ma sœur était à la veille de sortir son homardier. Elle devait garder son bateau à l'eau encore quelques jours pour faire de la plaisance avant l'hiver. C'était son genre.

— Et donc vous pensez qu'elle aurait gardé la porte fermée ?

— Je le pense pas, j'en suis sûr.

Simone Lord revient à la charge vers le père Roberts.

— Vous avez remarqué autre chose ?

— Non. On a trouvé le homardier, on l'a abordé.

Il s'arrête. Il avait voulu monter à bord, mais il n'avait pas été capable. Bruce enchaîne.

— Jimmy pis Ti-Guy Babin sont embarqués. Pis ils ont rien trouvé.

Soudain inspiré, Lefebvre fronce les sourcils.

— Rien trouvé ? Que voulez-vous dire ? Ils cherchaient quelque chose ?

Exaspéré, le vieux pêcheur lève des yeux féroces vers l'agent.

— Ma fille. Ils cherchaient ma fille.

— Ah. Oui. Après ça, je m'excuse, je suis pas très bon avec ces affaires-là…

Leeroy Roberts semble épuisé.

— On a averti la garde côtière. Ti-Guy pis Jimmy ont fait démarrer *L'Échoueuse II* et on a ramené les deux bateaux.

Moralès fait signe aux autres que c'est suffisant pour aujourd'hui. Lord regarde le vieux pêcheur.

— Va te reposer, Leeroy. Nous, on va continuer les recherches.

Bruce Roberts se range, ouvre la porte pour les laisser passer. Les hommes se serrent la main en silence. En sortant, Moralès entend Lefebvre qui tente de les rassurer.

— On va tout faire pour la retrouver.

Dans la camionnette qui les ramenait à *L'Échoueuse II*, Lefebvre a refilé les coordonnées de l'auberge de Corine à Moralès, lui a promis de passer à l'heure du souper, puis s'est enfui en direction du poste de police.

Les badauds, las d'attendre dans le vent froid des informations ou des potins qui n'arrivaient pas, ont quitté le quai et sont retournés à leurs occupations. Le cellulaire de Moralès vibre encore dans sa poche, mais il ne le regarde pas. Simone Lord s'est avancée rapidement vers les techniciens, au moment où ceux-ci enlevaient leurs gants. Moralès ne veut pas la laisser prendre le contrôle de l'enquête. Il s'approche. La porte du homardier est barrée du ruban jaune des scènes de crime.

— Vous avez trouvé quelque chose ?

— Rien dans la timonerie ni dans la proue. Il y a des empreintes, mais c'est probablement celles des gars de tantôt. Les deux clowns ont l'air d'avoir touché à tout.

C'était prévisible.

— Rien dans la cale ni du bord du moteur.

Moralès regarde le pont, derrière le poste de pilotage.

— Il paraît que le panneau arrière était ouvert quand les hommes ont trouvé le homardier.

— Une évidence.

— Pourquoi vous dites ça ?

Les techniciens remettent leurs gants, marchent vers la poupe, chacun de son côté, ouvrent le hayon. Puis le plus jeune explique ce qu'ils ont trouvé, mais sans regarder l'enquêteur ni l'agente des pêches. Son collègue se contente d'approuver ses explications.

— La fille était couchée là.

— Hmm.

Moralès fronce les sourcils, s'approche d'eux.

— Où, exactement ?

Les deux autres continuent comme s'il n'avait rien dit.

— Avec une main dans le dos.

— Comment, une main dans le dos ?

Le plus jeune le regarde de haut, comme si Moralès interrompait une discussion primordiale pour la survie de l'espèce. Il hésite à lui répondre, puis accepte, après un débat muet.

— Elle était à demi couchée, dos au poste de pilotage, juste là, avec la main droite placée dans le dos, paume vers le pont.

— Hmm.

— Il y a des bouts de doigts féminins clairement étampés là. Le reste de l'empreinte est bizarre. Comme si la main avait viré sur elle-même.

— Hmm. Viré.

Il se détourne de Moralès, met sa main dans son dos, paume vers l'enquêteur.

— Comme ça.

Il laisse retomber sa main, mais continue, toujours de dos.

— Après, c'est comme si elle avait été tirée vers le bas.

— Hmm. Vers la mer.

— Pardon ?

Le plus jeune des techniciens fixe Moralès.

— C'est dur d'expliquer quand on se fait interrompre !

Son coéquipier acquiesce. L'enquêteur poursuit sans se formaliser du commentaire.

— Quelqu'un l'aurait tirée vers la poupe ?

— Vers l'eau.

— Autre chose qui prouverait cette hypothèse ?

— Hmm. Du froufrou blanc.

— Pris dans le boulon du couvert de cale, là.

Moralès désigne les couvercles de cale.

— Ça ?

— Hmm. Pis des cheveux.

— Dans les deux têtes de boulon. L'angle indique qu'elle a glissé de la proue vers la poupe.

— Hmm.

— Pis on en a trouvé d'autres dans la penture de la porte.

— Comme si elle avait été tirée vers la mer et que des cheveux seraient restés accrochés là au passage ?

— Hmm.

— Des marques de lutte, de bataille ?

— Aucune.

— Hmm.

— Elle était attachée.

— Attachée à quoi ?

— Au câblot, qui était relié à la chaîne d'ancre. Mais l'ancre est toujours dans le puits, en avant.

— Il y avait quoi, au bout de la chaîne ?

Les deux hommes haussent les épaules comme s'ils exécutaient une chorégraphie de nage synchronisée.

— On sait pas. Tu résumes ?

— Hmm. Je résume. Il y a la fille, habillée en froufrous blancs, qui est à demi couchée là, adossée au poste de pilotage, avec une main dans le dos. Elle est attachée à un câblot, lui-même relié à une chaîne d'ancre, qui ont été préalablement prélevés dans le puits d'ancre, en avant. Nous ignorons ce qu'il y avait au bout de la chaîne. Le panneau arrière était ouvert. La fille a été tirée, depuis sa position à demi couchée, jusqu'à l'extérieur du bateau. Il y a des marques de glissement de chaîne et des fibres de câblot sur le bord de la portière. Celle-ci a été refermée ce matin, quand les deux gars sont montés à bord.

Le plus jeune lève un sourcil admiratif vers le technicien plus âgé, qui lui renvoie un hochement de tête : c'est ainsi qu'on trace un bilan rapide des événements qui se sont produits sur une scène de crime. Moralès interrompt leur échange muet.

— Elle arrive sans se bagarrer, se couche sur le pont en robe à froufrous, une main derrière le dos, et se laisse tirer à l'eau sans réagir.

Simone Lord intervient.

— Elle est inconsciente.

— Ou déjà morte.

— Il aurait fallu que le meurtrier quitte *L'Échoueuse II*, qu'il plonge à l'eau après l'avoir attachée ?

— Ou qu'il saute sur un autre bateau.

— Vous avez remarqué des traces d'amarrage ?

— Hmm.

— Il y a des taches de peinture rouge.

Le technicien pointe le doigt vers un endroit près de la poupe, sur tribord.

— Autre chose ?

— On va analyser la peinture pour voir sur quel type d'embarcation ça peut coller. On va aussi aller chez la fille et chez ses aides-pêcheurs pour prélever des cheveux et des empreintes. D'elle et de ses proches. On va avoir besoin d'autorisations.

L'enquêteur acquiesce.

— L'agent Lefebvre est au poste. Il va vous arranger ça. Vous lui faites signe dès que vous avez les résultats de vos analyses.

Ils hochent la tête. Moralès se tourne vers Simone Lord, mais elle est déjà rendue près de son véhicule. Il la regarde s'éloigner. Malgré son mauvais caractère, il sait que quelque part, au bas de sa nuque, il y a cette vertèbre. Il passe près du bâtiment de la garde côtière, retourne à sa voiture et quitte le quai.

Avant d'entrer dans l'auberge, Joaquin s'arrête pour contempler le large. Respirer. Angel Roberts est sûrement là, quelque part dans l'étendue bleue et venteuse. En robe de mariée, elle a rejoint les algues et le limon. Si les recherches n'aboutissent pas, elle disparaîtra en silence, le laissant sur la berge avec le mystère assourdissant de sa mort.

Cyrille Bernard lui a dit, déjà, que c'était le meilleur endroit pour mourir, surtout quand on aime la mer, quand on l'a pêchée toute sa vie. Lui-même veut mourir ainsi. Il lui a expliqué qu'il deviendrait sédiments et corail. Qu'on faisait des bijoux splendides et illégaux avec le corail. Des bijoux d'épousailles.

Le vent baisse lentement avec la fin de l'après-midi, comme fatigué par sa journée de travail à fouetter la mer, à brasser l'écume, à tenir les vagues en éveil. Moralès sent l'humidité grasse du salange sur sa peau, dans ses cheveux, contre le bas encore mouillé de son pantalon.

En ville, il ne voyait jamais que le contour défini des immeubles, de la table et du dossier dessus. Là-bas, il fallait forcer les faits à s'emboîter, les empiler rapidement, dans des ordres divers, jusqu'à ce qu'ils finissent par ressembler au casse-tête du réel. Passé ou anticipé. Ici, les événements prennent une autre dimension. Un autre rythme. Ils s'imposent en contrepoint de l'horizon, s'impriment en transparence du paysage, et le mouvement précis, calculé, de la marée finit par les ordonner. Courir se révèle souvent inutile ; il faut, Bruce Roberts l'a démontré, calculer la force du courant et s'adapter à sa direction.

Joaquin secoue la tête. Depuis qu'il est en Gaspésie, la mer lui monte dans les veines. Froide et dure, boréale et spectaculaire. Il prend son cellulaire. Son garçon a appelé deux fois. Il le rappellera. Il compose le numéro de la sœur de Cyrille : pas de réponse.

Il marche vers l'auberge. Il a stationné sa voiture du côté de la rue, il y a presque une demi-heure déjà. Il se rend à la porte et entre.

Si on lui avait demandé, plus tôt, comment il s'était imaginé Corine, quand Clément Cyr lui avait parlé de l'auberge, sûrement qu'il l'aurait dépeinte comme une femme d'un certain âge, une image défraîchie de tenancière de cabaret qui fume, tousse et engueule les marins qui vomissent dans les coins. La vérité, c'est qu'il n'y avait même pas réfléchi.

Ce sont ses pantoufles, d'abord, que Joaquin a regardées. Non pas qu'il donne dans le fétichisme ou quelque obsession du genre, bien au contraire. C'est juste qu'il s'est adonné à regarder par terre au moment où elle filait derrière le comptoir du bar, puis pivotait sur elle-même pour lui faire face et l'accueillir. Et voilà. Des pantoufles en cuir, ouvertes à l'arrière, comme des sabots. Et, dans ces pantoufles, ses pieds. Ce n'est pas qu'il a une fixation sur les pieds des femmes. Non plus. Mais parfois il se passe quelque chose d'étrange. D'incompréhensible. La ligne concave entre le bout du talon et le haut de la cheville, à peine quelques centimètres de perfection apparaissent entre le bas d'un jeans délavé retroussé et le haut d'une mule que le sang chaud d'un homme se liquéfie, que son cœur oublie un battement.

Corine sourit en lui tendant la main.

— Moralès, c'est mexicain, non ? Je peux vous appeler par votre prénom ? Est-ce qu'on prononce Joaquin ou Yoaquin ?

L'intérieur est divisé en deux. À droite, il y a une salle à manger conviviale, avec des banquettes de cuir rouge et des chaises de bois. Au fond, on aperçoit l'ouverture vers la cuisine. La section bar de l'auberge, à gauche, est équipée de tables carrées et d'un comptoir derrière lequel sont rangées des dizaines de bouteilles d'alcool. Le fond des deux pièces est entièrement vitré et offre une vue spectaculaire sur le golfe.

Corine a fermé officiellement hier pour la saison froide.

— Je vous offre quelque chose ?

Elle l'entraîne vers le bar, leur verse à tous deux une coupe de vin blanc. Moralès ne pense même pas à l'arrêter, à refuser son verre. Les gestes suivent le courant de cette fin d'après-midi.

Elle se perche sur un tabouret, laisse un banc de distance entre eux. Il résiste à la tentation idiote de regarder sous le zinc. Sûrement que sa pantoufle pend au bout de son pied, que la courbe de son talon s'est refermée.

— Donc...

Elle sourit, hoche la tête comme si elle encourageait un enfant à parler.

— Vous avez tenu une fête ici samedi dernier ?

Il se sent ridicule, tente de se détendre, puis il laisse aller l'interrogatoire en conversation, l'écoute en buvant son vin à petites gorgées.

— Oui, j'ai vu Angel. Elle était avec Clément. Elle s'est mariée il y a dix ans et elle porte toujours sa robe de mariage à cette date-là. C'est plus une belle robe blanche qu'une robe de mariée traditionnelle, avec des pacotilles pis des dentelles raides, si vous voulez mon avis. On est habitués. Clément était chic aussi, mais c'est pas son habit de noces. Il rentre plus dedans. Mais j'imagine que c'est pas ça que vous voulez savoir.

Elle réfléchit intensément, comme si elle cherchait à se rappeler un détail essentiel. Depuis quand les femmes lui font-elles autant d'effet ? Depuis qu'il a rencontré Catherine ?

— Ils ont bu, mais ils sont partis vite. Angel était fatiguée, elle disait qu'elle dormait debout. C'est vrai qu'elle était pâle, j'ai pas vraiment eu le temps de m'en inquiéter. On avait beaucoup de travail, vous savez.

Depuis que Sarah ne donne plus de nouvelles ?

— Clément est allé la conduire, peut-être vers minuit, et il est revenu une heure après, je dirais. Il a pas été parti longtemps. Après, il est resté ici jusqu'au matin, vers neuf heures. Il a dormi dans la chambre 2.

— Qui est venu à cette fête ?

— C'est pas une fête privée, mais presque. Il y a juste des pêcheurs. Pas de touristes. Entre vous et moi, les touristes, ils aiment les pêcheurs sur les quais. Ils les trouvent exotiques, avec leur langage de quotas, de palangres, de zones pis de poissons de fond, mais seulement pendant une demi-heure. Le reste du temps, ils se tiennent entre eux, ils se parlent de leurs *spots* de camping préférés pis ils se vantent d'avoir vu des baleines à Percé.

Elle lève un petit doigt moqueur en portant sa coupe à ses lèvres.

— Ils veulent souper au homard et boire un verre de vin français devant un coucher de soleil rouge et tiède, pour la photo de vacances.

Elle lui fait un clin d'œil complice. Troublé, Joaquin se dépêche d'avaler une gorgée de vin.

— Veiller avec une cinquantaine de pêcheurs, c'est pas tellement leur genre !

— Vous me feriez la liste des gens qui étaient présents à cette fête ?

— Des pêcheurs ?

— Oui, et de leurs invités, de leurs femmes...

— Volontiers. Mais les invités, c'est les aides-pêcheurs. Les femmes viennent pas. C'est comme un *party* de bureau.

Elle termine son vin, va porter sa coupe dans l'évier derrière le comptoir.

— Vous allez dormir ici ?

Il acquiesce.

— J'habite à Caplan. L'agent Lefebvre, du poste de police de Gaspé, m'a dit que vous pourriez m'héberger, le temps de l'enquête.

— Venez, je vais vous montrer.

Docile, Moralès lui emboîte le pas. Il observe malgré lui ses talons qui sautillent dans ses pantoufles. Elle lui fait traverser la salle à manger.

— Vous pouvez faire votre épicerie et vous servir de la cuisine.

Corine lui montre l'équipement, ouvre un frigo.

— Il reste de quoi virer trois ou quatre filets de flétan dans la poêle, des légumes et tenez : du homard ! Je vous laisse tout ça, si vous avez faim. Je vais souper chez ma mère.

Moralès salive déjà. Il n'a presque rien avalé de la journée.

— Vous voulez choisir une chambre ?

Elle revient en direction du bar, ouvre une porte derrière la réception, s'engage dans un petit escalier. L'enquêteur la suit à l'étage.

— Ici, c'est mon appartement.

Joaquin détourne les yeux, confus d'entrevoir une si grande proximité avec son hôtesse. Elle prend à gauche, longe un corridor, descend trois marches. Le dédale de chambres, couloirs et paliers défie toutes les règles de la logique et de la sécurité des incendies.

— Je sais que la construction est étrange. C'est une ancienne épicerie à laquelle un ex-propriétaire a joint un chalet qu'il a fait déménager. Ensuite, il y a eu deux agrandissements. Des plans complètement loufoques d'une vieille Anglaise qui voulait que toutes les pièces regardent la mer ! Sauf les pièces des domestiques. Mais la maison est coquette quand même, vous ne trouvez pas ?

— Très coquette.

Elle ouvre une porte sur laquelle est peint le chiffre 9.

— Je vous propose cette chambre, qui a deux fenêtres et un grand bain. La salle de bain est juste là. Vous pouvez en prendre une autre, si vous le souhaitez. De 9 à 15, elles sont propres.

— Celle-ci est parfaite.

— Le plus court, pour retourner en bas, c'est de prendre par l'escalier de secours, ici.

Elle pivote sur elle-même, descend un escalier circulaire, vire à droite en bas des marches, passe devant les toilettes et aboutit à l'accueil.

Simone Lord est arrivée. Elle salue Corine, se glisse derrière le bar. Moralès va la rejoindre et aperçoit, quand elle se penche pour se verser un verre d'eau, cette vertèbre têtue qui pointe sous sa peau. L'aubergiste prend un papier, un crayon, note quelque chose.

— Je vous laisse le code pour la porte d'en avant. Les clés des chambres sont accrochées derrière la réception, si vous voulez barrer votre porte. Mais ne vous inquiétez pas, il n'y a que moi ici et je suis pas fouilleuse. Vous pourrez vous organiser ? Ça va, Simone ? Je m'en vais chez ma mère. Je vous laisse enquêter en paix.

En parlant, elle a attrapé sa veste, l'a enfilée, puis s'est dirigée vers le vestibule. Elle sort au moment où Érik Lefebvre arrive. Il lui tient la porte.

— Merci beaucoup, Corine. Tu notes tout et tu fais une facture à la SQ, d'accord ?

— Oui, oui, c'est pas la première fois. Bonne soirée.

Moralès s'assoit au bar. Au fond de la salle, la large baie vitrée s'ouvre sur le nord, du côté de l'estuaire. La mer prend les teintes pâles de la fin de l'après-midi. Le vieux Cyrille Bernard lui a dit cent fois que la Gaspésie était un pays vieillissant, à la terre âgée et aux pierres ridées. Pourtant, ce n'est pas ainsi que Joaquin Moralès la voit. Depuis que son garçon lui a mis Celia Cruz en tête, les paysages gaspésiens se sont parés de la chevelure de Joannie, de la vertèbre de Simone et de la courbe du talon de Corine.

Discrètement, il touche de son pouce gauche le jonc à son annulaire. L'alliance a traversé les ans en gardant sa brillance. Le motif imprimé dans le métal précieux s'est un peu effacé, témoignant de jours plus difficiles. Ou devenant lisse comme l'ennui.

La première semaine après le départ de sa femme de Caplan, il l'a appelée plusieurs dizaines de fois. La deuxième semaine, il a espacé les coups de fil, en se disant qu'elle s'inquiéterait peut-être de perdre son ascendant sur son mari, qu'elle rétablirait, ne serait-ce que par l'ironie, une forme de contact avec lui. Rien. Ensuite, il lui a écrit qu'il lui laissait le temps de réfléchir et le loisir de lui répondre quand elle serait prête. Elle n'a jamais donné de nouvelles.

Simone Lord s'installe sur le tabouret que Corine a occupé plus tôt pendant que Lefebvre contourne le comptoir. La mer se teinte d'un éclat bleu pâle tandis que le vent diminue encore.

— La garde côtière tente de couvrir le plus de territoire possible entre la côte, plus particulièrement le quai de Grande-Grave, et l'endroit où les Roberts ont trouvé le bateau. Les trois quarts des effectifs sont là-dessus, mais on se fera pas d'illusions : si elle a glissé hors de son bateau, Angel Roberts est probablement morte depuis un moment. Quand un pêcheur décide de se suicider en mer, il va généralement dans un coin où il sait que la marée ramènera pas le corps.

Lefebvre regarde la bouteille de vin que Corine a laissée sur le comptoir, les deux verres vides près de l'évier, puis sa montre.

— On est encore en service.

Elles vont où, les femmes qu'on aime ? Pourquoi s'emmurent-elles dans le silence ?

Lefebvre s'appuie sur le comptoir.

— Vous pensez qu'il s'agit d'un suicide ?

Simone boit une gorgée d'eau avant de répondre.

— C'est probablement la seule conclusion à laquelle vous arriverez si on trouve pas le corps.

Moralès n'ajoute rien. Si sa femme le rejoignait, là, aujourd'hui, est-ce que sa venue le rendrait heureux ?

— Les agents de la faune ont décidé de nous venir en aide pour la battue. Ils ont un plan d'urgence, au cas où quelqu'un s'égarerait en forêt; ils l'ont mis en branle. Ils ont appelé leurs employés et chacun a mis sur pied une équipe de citoyens bénévoles qui connaissent bien le parc. Ils sont pas nombreux, mais efficaces. Ils sont là jusqu'au coucher du soleil. Après ça, ils recommenceront demain. Ils partent de Grande-Grave et ratissent le bois autour. L'agent m'a dit que, demain, ils auraient plus de monde.

Comment se fait-il qu'il n'arrive plus à se souvenir du corps de Sarah ?

— C'est une perte de temps. Les techniciens l'ont dit qu'Angel Roberts était passée par-dessus bord.

— Tout le monde est au courant : on cherche pas juste une victime, mais des indices. J'ai fait les vérifications que vous m'avez demandées : rien du côté des autobus, des taxis ou de la gare. J'attends le mandat du juge pour le compte en banque.

La présence de sa femme lui manque. De sa femme ou d'une femme ? D'un autre côté, Joaquin doit admettre qu'il aurait pu demander congé et aller la voir. Mais il est resté en Gaspésie.

— Sergent Moralès, est-ce que ça importunerait Votre Majesté de vous joindre à la conversation ? Dites-le si on vous dérange, on ira inspecter le sous-sol !

L'enquêteur porte son attention sur l'agent Lefebvre.

— Dès que vous aurez le mandat, élargissez les recherches. Il nous faut l'état des finances et le montant des assurances d'Angel Roberts. Je veux savoir qui hérite. C'est sûrement son mari, mais demandez quand même au notaire de procéder à une recherche testamentaire. Il nous faut aussi un bilan des avoirs du mari et des autres héritiers, s'il y en a. Une victime a toujours une valeur marchande. Réelle ou symbolique. Si on trouve la valeur d'Angel Roberts, ça pourrait nous mettre sur la piste d'un potentiel assassin.

Enfin, il se tourne vers Lord et pénètre, sans s'y attendre, dans l'onde de ses yeux verts.

— Est-ce qu'il y a une grande compétition dans le secteur des pêches ?

— Les pêcheurs vivent bien, mais peut-être que quelqu'un veut racheter son permis, sa zone d'exploitation.

— Vérifiez. Quelqu'un lui en voulait d'être une femme pêcheuse ?

— Tout le monde déteste les femmes qui font des métiers d'hommes : les épouses s'inquiètent, les hommes deviennent misogynes.

Elle lui adresse un sourire cinglant que Moralès refuse. Il observe un instant les arcs délicats qui signent la commissure de sa bouche avant de se détourner d'elle.

— L'équipe technique a relevé les empreintes dans la voiture d'Angel ?

— Non, mais je vais le demander.

— Il y a des prédateurs sexuels connus dans le coin ?

— Je vais vérifier les allées et venues de ceux qu'on tient à l'œil.

Lefebvre hoche la tête avec satisfaction : enfin de l'action pour rester au bureau ! Le téléphone de Moralès se fait entendre à cet instant.

— Gérez-vous une agence d'escortes, sergent ?

Il fouille dans sa poche, sort l'appareil, le regarde, le pose sur le comptoir. Curieux, l'agent Lefebvre se penche au-dessus.

— C'est mon fils, je vais le rappeler tout à l'heure.

Simone Lord se renfrogne, mais Érik Lefebvre est curieux.

— Vous avez un fils ? Il a quel âge ?

— J'en ai deux. Sébastien a trente ans. Il vit à Montréal, mais il est de passage.

— De passage ? On peut pas passer en Gaspésie : c'est une péninsule. Faut faire un détour. Il est en vacances ?

— Je sais pas. Il est arrivé hier et je suis parti à l'aube, j'ai pas eu le temps de lui parler.

— Il est seul ? Dites-lui de venir vous rejoindre. Y a de la place ici pour l'héberger.

— Moralès le père, le fils et le Saint-Esprit ! T'exagères pas, Lefebvre ?

— Leeroy Roberts vient de perdre sa fille. Il doit regretter de plus pouvoir y parler. Dites à votre gars de venir. Corine va se faire un plaisir de lui offrir une chambre.

Érik Lefebvre quitte le bar en direction de la salle à manger. Comme si elle n'avait attendu que ce moment-là pour monter à l'assaut, Simone se tourne vers Moralès.

— C'est pas le premier accident de pêche auquel on assiste. Du côté de la Nouvelle-Écosse, ils en déclarent au moins un par année. Mais des morts comme ça, on n'en voit pas souvent. Ça ressemble pas à un accident. En plus, je le sais que les hommes méprisent les femmes qui ont du cran.

Qu'est-ce qu'elle sous-entend? Il le sait très bien que les femmes doivent souvent déployer plus de courage que leurs congénères masculins pour prendre et garder leur place.

— Je travaille sur ces quais depuis presque vingt-cinq ans. Je connais tous ces hommes. C'est dur pour une femme de mériter leur respect.

Il ne réplique rien pour éviter de mettre le feu aux poudres, continue de regarder la mer qui s'apaise sous les couleurs du couchant.

— Ne m'envoyez plus jamais au fond d'une cale, sergent Moralès. Est-ce que c'est clair?

Lentement, l'enquêteur se tourne vers elle.

— Agente Lord, je vous ai vue à l'œuvre sur le quai. Vous êtes efficace, c'est vrai. Mais vous avez oublié qu'il s'agit d'une investigation policière. Aussi, je vous conseille... Non. Je vous ordonne, puisque c'est moi qui dirige cette enquête, d'éviter vos démonstrations de force en ma présence. Votre rôle, c'est de coordonner les recherches en mer. Et votre devoir, c'est de suivre mes directives.

À mesure qu'il parle, il se sent misérable de la remettre à sa place. Il essaie de se convaincre qu'elle l'a cherché, que c'est pour le bien du travail en commun, que l'enquête avancera mieux si chacun respecte le rôle qu'il doit jouer, en vain. Il détourne le regard. La mer se colore de mauve et de lilas. Elle encaisse le coup.

— Vous dirigez quoi, en ce moment, Moralès? En fait, votre investigation policière dépend de mon équipe. Si nous ne retrouvons pas Angel, votre présence n'aura servi à rien. Et si on la retrouve…

Elle se lève et, dans ce mouvement, se rapproche involontairement de Joaquin. La mer s'estompe à mesure qu'il est submergé malgré lui par son odeur de jardin d'automne.

— Lefebvre a raison : appelez votre fils pendant qu'il est temps et allez jouer aux touristes.

Elle prend sa veste sur le dossier de son banc.

— Parce que je vais tout faire pour qu'on la retrouve.

Elle se penche légèrement vers son oreille et baisse la voix, mais Moralès ne s'y trompe pas : il y a souvent des silencieux sur les armes de précision.

— À ce moment-là, les vrais enquêteurs de Montréal vont débarquer pour prendre votre relève, et vous, vous retournerez jouir de votre préretraite à Bonaventure.

Elle se détourne et se dirige vers la porte. Moralès fait pivoter son siège et épie, alors que l'agente enfile sa veste, la vertèbre saillante qui apparaît puis disparaît sous le col. Lord ouvre la porte et sort dans le soir qui se transforme en nuit.

— Simone est partie, notre journée est finie : apporte-nous la bouteille de blanc qui traîne sur le bar ! Club sandwich au homard, ça te tente, Moralès ?

À l'autre bout de la salle à manger, Lefebvre dépose des aliments sur une table. Il retourne à la cuisine pendant que Joaquin prend la bouteille de vin et deux coupes du côté du bar.

— Elle est sexy, mais elle a un caractère de cochon.

— Je pensais que t'avais l'œil sur la réceptionniste.

Lefebvre pose les couverts sur la table.

— Non, non, je parlais pour toi. Je t'ai vu la regarder. Et comme ton mariage ne va pas bien, alors… Ça vous gêne si je te tutoie quand on est tout seuls ?

Moralès pose les coupes sur la table, verse le vin.

— Qui te dit que mon mariage va pas bien ?

— Tu jouais avec ton alliance, tantôt. Ça fait trois mois que t'es en service à Bonaventure pis t'as expliqué que ton gars est seul à Caplan, ça veut dire que ta femme t'a pas suivi. Après ça, on comprend pourquoi l'alliance te brûle.

— Tu devrais être enquêteur, Érik Lefebvre !

— Pour Simone, je sais ce que c'est. Moi aussi, j'ai toujours aimé les femmes qui sont des grands défis.

Ils s'assoient pour souper.

— Mon père a aimé une femme inaccessible. Ma mère avait le vent du large dans la tête. Mon père était pharmacien à Gaspé, on habitait à Haldimand. Souvent, ma mère partait marcher le long de la mer pis elle s'égarait.

Ils étendent du beurre, de la mayo, des tranches de tomate sur le pain, ajoutent le bacon et le homard. Ils referment les sandwichs, les coupent.

— Mon père allait à sa recherche, la retrouvait transie, la ramenait à la maison. Il en prenait soin. Il l'adorait. Elle était pas folle, mais insaisissable. Après ça, je me suis aperçu que j'essayais de faire comme mon père : mettre la main sur une femme insaisissable.

Lefebvre boit une gorgée de vin.

— Et t'es tombé amoureux de Thérèse Roch.

— Elle occupe ma passion pour l'inaccessible, mais je me fais pas d'illusions. D'ailleurs, qu'est-ce que je ferais si elle disait oui ? Je le sais pas si j'ai envie de me compliquer la vie avec des côtés de lit, des couleurs de rideaux, des chemises à la mode pis une pension alimentaire ! Mais faut pas t'inquiéter : je suis gaspésien, ça fait qu'en l'attendant je profite de la saison touristique.

— Ce qui veut dire ?

D'un geste gracieux, Lefebvre nettoie sa fine moustache.

— J'ai des aventures d'été avec des touristes qui s'entichent du titre d'agent de la paix.

— Quoi ?

— Je passe mon année à chercher des voleurs, des fraudeurs, des meurtriers, alors quand arrive la migration des femmes en bikini, j'ouvre l'œil ! Beaucoup de femmes veulent des souvenirs torrides de leurs vacances. Tu serais surpris. D'une certaine façon, on peut dire que je suis au service des citoyens… et des citoyennes.

Joaquin éclate de rire.

— En plus, les touristes, ça sert aussi à tester mon kit de police : les filles me posent des questions lugubres et demandent que je leur passe les menottes.

Fier de son laïus, Lefebvre finit son sandwich pendant que Moralès verse ce qu'il reste de la bouteille dans les verres.

— Ton gars aussi, ses amours vont mal ?

— Je pense que oui. Il a une blonde, mais il fait danser les filles.

— Il est bien parti pour mal finir.

Lefebvre devient soudain rêveur.

— Je sais pas si t'as remarqué, mais quand on aime, on regarde juste une femme. Après ça, les gestes, le corps, le rire, même le vent qui fait bouger les robes des autres, on les voit pas. La seule femme qui marche sur le tapis rouge, c'est la nôtre. Comme si toute la beauté se condensait en elle. Quand un gars fait danser plein de filles, ça veut dire que la beauté se disperse.

Lefebvre se lève.

— Pis quand ça arrive, ça veut dire que ton mariage est fini.

Moralès n'a pas bougé. Il prend son temps pour encaisser la théorie de son nouveau collègue. C'est peut-être ça qui est arrivé quand Catherine est passée dans sa vie : elle a fait exploser la beauté de Sarah.

— Moi, je dois retourner au bureau. Ça te dérange si je te laisse la vaisselle sale ?

Mardi 25 septembre

— Bonjour, Joaquin! Bien dormi?

Son prénom chante entre les lèvres de Corine.

— Je vous apporte la liste des fêtards que vous m'avez demandée hier.

Elle pose un papier sur sa table. Il le prend, fait semblant de ne pas être troublé, mais entrevoit, en se penchant sur la feuille, ses chevilles, recouvertes de bas légers, dans les sabots. Il s'est réveillé tôt et est allé jogger dans le parc Forillon. De retour à l'auberge, il a pris une douche, avalé un solide petit-déjeuner et s'est installé, papiers en main, dans la salle à manger. Il se concentre sur les noms.

— Je les ai regroupés par bateau.

— Vous avez une minute?

Elle sourit, s'assoit près de lui.

— Vous m'avez dit que Clément Cyr a dormi ici, la nuit où Angel Roberts a disparu en mer.

— Oui. Dans la chambre 2.

— Il a dormi seul?

Elle rougit, hésite.

— C'est une question intime.

— Intime pour qui? Pour vous?

— C'est que je suis aubergiste dans un petit patelin. Si je commence à bavasser sur tout ce qui se passe dans les chambres, je perdrai la moitié de mes clients, c'est clair.

Moralès promet de tenir les réponses secrètes et formule de nouveau sa question.

— Il a dormi seul ?

— Je le pense, oui.

Il tique. Qu'est-ce qu'elle protège ? Son auberge ou Clément Cyr ? Ou quelqu'un d'autre ?

— Corine, êtes-vous au courant d'une quelconque relation, amoureuse ou sexuelle, entre Clément Cyr et une autre personne ?

— Une relation qui aurait eu lieu ici ?

— Ici ou ailleurs.

— À ma connaissance, c'est un homme fidèle.

Il n'obtiendra rien de mieux pour l'instant. Il lit la feuille qu'elle lui a donnée, trouve rapidement les noms qu'il cherchait, les lui montre du doigt.

— Je vois que Bruce Roberts et son père étaient ici le soir où Angel a disparu.

Elle hoche la tête.

— Ils sont partis tard ?

— Le père est juste passé saluer le monde. Bruce est resté jusque vers une heure et demie, deux heures.

— Et Jimmy ?

— Il n'était pas là. Il n'a plus de bateau. Depuis qu'il a perdu sa pêche, il se mêle moins aux autres.

— Perdu ? Comment ? Aux cartes ?

Elle fixe la liste comme si elle regrettait de lui avoir remis un document qui pourrait incriminer quelqu'un. Elle détourne les yeux. Puis elle se lève, sauvée de son embarras par une voiture qui entre et se stationne dans la cour. Elle s'élance vers la porte.

— Excusez-moi, c'est mon amie qui arrive. On va participer à la battue…

Le reste de sa phrase se perd dans le vent. Moralès voit Corine se diriger vers la conductrice, qui est sortie de la voiture. Elle l'embrasse, puis tient un long conciliabule avec cette dernière. L'inconnue hoche la tête pour indiquer qu'elle comprend. Moralès se penche sur la liste, alors que les femmes franchissent le seuil de l'auberge.

— Enquêteur Moralès, je vous présente Kimo. Elle habite juste ici, à côté.

La nouvelle venue lui tend une poigne solide. Le cellulaire de Moralès sonne. Il se rappelle qu'en revenant de son jogging il avait remarqué qu'un message était entré, mais il a oublié de l'écouter. Il ne répond pas. Kimo porte des leggings et une veste de sport sous lesquels se découpe la force dure de son corps. Ses yeux sont rougis, de fines perles ornent les lobes de ses oreilles. Ses cheveux courts, coiffés à la garçonne, sont humides.

— Vous êtes allée nager ?

— Oui, dans la baie.

— J'ai plongé samedi, l'eau est très froide.

— L'eau reste chaude plus longtemps qu'ailleurs le long de la côte, et j'ai un bon *drysuit*.

— Kimo a gagné la médaille d'argent au triathlon de la Gaspésie l'an dernier !

— Ça fait deux ans.

— C'est pareil ! Elle donne des cours de yoga en ville.

— On y va ?

Les jeunes femmes saluent Moralès et s'enfuient. L'enquêteur vérifie la liste dressée par Corine : Kimo n'y figure pas.

Sébastien Moralès se verse un café, compose le numéro de Joaquin.

Il s'est réveillé froissé. Hier, il a reçu la consigne paternelle d'aller ouvrir la porte aux livreurs de matelas, puis est allé acheter les oreillers, les draps, qu'il a tendus sur le lit. Il a fait une sieste et préparé un souper pour deux. Il a tenté de joindre son père à de multiples reprises. En vain.

Quand il était enfant, ces absences inattendues revêtaient des allures mystérieuses et héroïques. Il disait à qui voulait l'entendre qu'il deviendrait policier, lui aussi. Enquêteur, comme son géniteur. Le rêve s'est évaporé quelque part dans son adolescence, peut-être vers quatorze ans, quand l'enquêteur Moralès a reniflé le premier joint de son fils et lui a fait visiter la prison, question de lui donner la frousse de sa vie.

Aujourd'hui, le fils se demande ce qui se cache vraiment derrière ces départs précipités. Les allégations de Renaud Boissonneau l'ont rendu perplexe. Son père joue-t-il au mari infidèle? Si c'est le cas, Sébastien devra admettre qu'il ne s'est pas soumis à Maude par mimétisme filial. Il refuse d'y croire.

— Salut, *chiquito*! Comment ça va?

C'est parfois gênant de répondre la vérité.

— Pas pire. Toi? T'es où?

Sans compter qu'il se sentirait franchement idiot d'être installé dans ce lit neuf de Caplan, à attendre son père pour une discussion sur la fierté, si ce dernier était en train de s'envoyer en l'air entre les cuisses d'une coquine gaspésienne.

— Au poste de police de Gaspé.

— Tout seul?

Un instant de silence.

— Je viens de me stationner dans la cour. Dans mon auto, je suis pas mal tout seul, oui. T'as bien dormi? J'ai essayé de te joindre, hier soir, mais t'as pas répondu. J'ai pas laissé de message, ta boîte vocale était pleine.

Il dit vrai. C'est que, après avoir été informée par Renaud Boissonneau que Sébastien était en Gaspésie, Maude s'était mise à l'inonder de coups de fil et de textos. Il avait d'abord tenté de l'ignorer, mais elle avait tellement insisté qu'il avait éteint son téléphone.

— Je me suis couché tôt. Tu vas rester là-bas longtemps?

— Je ne sais pas, mais tu pourrais venir me rejoindre.

Sébastien temporise. Il pense encore qu'il retournera rapidement en ville, même si sa vie s'y effrite. Hier matin, il a appelé au travail pour réclamer deux semaines de vacances. Son patron lui a toujours raconté qu'il tenait à ses employés comme de l'or en barre. Pourtant, quand Sébastien a formulé sa demande, un mutisme glacial a raidi la ligne téléphonique. Nerveux, le cuisinier a réagi bizarrement.

— Mon père est malade. Il est seul en Gaspésie, je suis à son chevet.

Un long silence a suivi cette affirmation que le jeune homme avait énoncée avec la maladresse d'un adolescent devant son directeur d'école.

— Ouais. Et ma grand-mère est à l'agonie. Tu rentres à midi ou je te vire, Moralès.

Le patron a raccroché et Sébastien s'est senti honteux. Il s'en fiche un peu de se faire mettre à la porte : tous les bons restaurants de la ville cherchent des cuisiniers et celui-là n'offre pas des conditions de travail exceptionnelles. Mais pourquoi avoir menti ?

— On verra. Si je pars de Caplan, Renaud Boissonneau risque de lancer un avis de recherche. Il tient vraiment à avoir un deuxième cours de danse !

— Arrête ça et viens-t'en. Je suis à l'auberge Le Noroît, à Rivière-au-Renard.

— Ça sera pas facile de laisser mon nouveau matelas.

Joaquin Moralès se racle la gorge.

— *Chiquito*… J'ai quelque chose à te demander.

Sébastien ne se souvient pas que son père lui ait déjà formulé une requête avec cette sorte de timidité dans la voix.

— OK, vas-y.

— J'aimerais que tu regardes la mer dans le télescope et que tu prennes en note ce que tu vois.

— Les bateaux ?

— Tout.

— OK.

— Après, je voudrais que t'ailles voir… heu… quelqu'un…

— OK.

— Le plus simple, c'est de te rendre au café, juste à côté du quai. Tu laisses ta voiture là et tu prends le chemin de terre qui passe en dessous de la voie ferrée.

Le fils Moralès s'aperçoit qu'il retient son souffle : son père l'envoie à la rencontre de sa maîtresse !

— Arrivé au bout, tu vas voir un cimetière à droite et une maison à gauche. En dessous d'une fenêtre, y a une corde de bois avec un escabeau de trois marches. Tu vas monter dessus et tu vas entrer par la fenêtre.

— Écoute, p'pa, je suis pas sûr que...

Mais Joaquin ne l'a pas entendu. Il enchaîne aussi naturellement qu'un gynécologue enfile une paire de gants.

— Tu vas te retrouver dans la chambre de Cyrille Bernard.

— Cyrille ? C'est un homme ?

Joaquin s'arrête comme s'il ne comprenait pas le sens de la question.

— Oui. Un pêcheur. C'est un ami qui est malade. Pourquoi ?

— Pour rien. Attends, je prends ça en note.

Sébastien trouve de quoi écrire.

— Tu vas lui dire que la femme sur laquelle j'enquête, celle qui est disparue, elle s'appelle Angel Roberts. Elle avait un homardier dans le coin de Rivière-au-Renard. Tu l'as marqué ?

— Oui.

Sébastien se sent ridicule : son père l'envoie voir un pêcheur pour son enquête !

— Sois délicat, il la connaît peut-être. Après, tu lui diras tout ce que t'as vu sur la mer ce matin. Ou avant. Oui : parle-lui de la mer en premier. T'as compris ? En premier.

Sébastien acquiesce.

— Tu lui dis tout. Même ce que tu penses qui n'est pas important.

— C'est bon.

— Il est malade.

— Je comprends. Fais ton enquête. Je vais aller le voir, ton bonhomme.

— Merci, *chiquito*.

— On se rappelle.

En longeant la marina, Moralès a constaté que *L'Échoueuse II* avait disparu. Il s'est arrêté au quai pour questionner les badauds. Personne n'a pu lui dire qui était parti avec le homardier, aucun curieux ne semblait même avoir remarqué son départ. Au bureau de la garde côtière, trois hommes bien installés devant une télévision grand écran lui ont nonchalamment répondu qu'ils n'étaient pas les gardiens du débarcadère.

La réceptionniste du poste de police tape du texte à toute allure au moment où l'enquêteur s'approche de la vitre pare-balles.

— Bonjour, madame Roch, je viens voir l'agent Lefebvre.

Aucun signe que la secrétaire récalcitrante a enregistré l'information. Il frappe un petit coup délicat contre la vitre et recommence, un peu plus fort, cette fois, en ajoutant « s'il vous plaît ».

Elle tape rapidement un code sur son téléphone.

— L'agent Poralès.

Et elle raccroche, sans attendre de réponse. Pendant que l'enquêteur se dit que le poste de Gaspé devrait la muter à la sécurité de l'aéroport, l'agent Lefebvre ouvre la porte, souffle un bruyant baiser en direction de Thérèse qui, mystérieusement, l'a vu faire sans lever les yeux, car elle hausse les épaules d'impatience.

— On est en train de revoir la zone de recherche, avec Simone. Tu veux te joindre à nous ?

Ils s'enfoncent dans le poste de police.

— Non. Je vous fais confiance. Et je connais mal le territoire. L'agente Lord va être plus efficace que moi là-dessus. Par contre, le bateau a disparu.

Lefebvre s'arrête, fronce les sourcils.

— *L'Échoueuse II* ?

— Oui. Il n'est plus au quai.

Lefebvre l'entraîne vers son bureau. En passant devant la salle de réunion, Moralès entrevoit Simone Lord et deux autres personnes qui observent une carte du golfe. Il s'arrête.

— Agente Lord, j'ai besoin de vous un instant.

Elle lève des yeux mécontents, mais lui emboîte le pas.

Ils entrent dans le bureau de Lefebvre qui – il faut le faire – est encore plus encombré que la veille. Même le petit pupitre vide n'existe plus, enseveli sous un amas d'affaires qui semblent croître d'elles-mêmes. Moralès se tourne vers Simone.

— *L'Échoueuse II* n'est plus au quai de Rivière-au-Renard. À part les aides-pêcheurs, qui a la clé de ce bateau?

— Le frère d'Angel qui l'a ramené hier, Jimmy Roberts. Il l'a probablement gardé. Et le mari, j'imagine.

Lefebvre se frotte le menton, saisit une des tasses à moitié pleines de café, avale une gorgée, grimace, la dépose loin, en attrape une autre.

— Pourquoi ils partiraient avec le bateau? Pour le voler?

Simone secoue la tête.

— Non. Les gars ont dû le ramener à son quai pour faire l'entretien, l'hiverniser. Vous aviez mis des scellés dessus?

— Non. Je pensais que les rubans des techniciens seraient suffisamment intimidants pour que personne n'ose embarquer dessus.

L'agente lui envoie un sourire condescendant.

— Vous pensez vraiment qu'un ruban jaune va intimider un pêcheur?

Moralès a travaillé en ville, sur des enquêtes autrement plus dangereuses; ce n'est certainement pas Simone Lord qui va lui donner des leçons sur l'intimidation. Il se tourne vers Lefebvre.

— La battue, ça se passe comment?

— Ils ont eu le temps de couvrir tout le secteur sud depuis hier.

Il lui montre une carte du parc Forillon installée sur son bureau et largement crayonnée.

— Depuis Grande-Grave, ils sont descendus jusqu'à L'Anse-aux-Amérindiens et ils sont remontés jusqu'au camping Petit-Gaspé. Au centre, c'est montagneux et escarpé. Ils peuvent pas se rendre partout, mais ils avancent bien. Les agents du parc ont fait appel à des abonnés de saison, à des gens qui connaissent les sentiers. Ils sont efficaces. Ce matin, ils ont fait des équipes. Il y en a une qui couvre le site vers le Bout-du-Monde, une autre qui est partie vers le Cap-Bon-Ami et une troisième en direction de Petit-Gaspé jusqu'à la maison d'Angel. Les gens de Cap-aux-Os cherchent aussi dans leur village.

Simone Lord pose un doigt sur la carte.

— Nos zodiacs sillonnent la côte avec ceux des agents du parc et de la SQ. Les avions de recher…

Soudain, dans la salle principale, on entend une voix aiguë qui sort du lot. Simone se retourne, surprise, quitte le bureau, avance dans le corridor, jette un coup d'œil du côté de l'entrée. Lefebvre attrape Moralès par le bras.

— Vite, viens-t'en !

Plantant là Simone qui leur tourne le dos, il sort de la pièce et entraîne Moralès à sa suite. Pliés en deux, ils filent à toute vitesse vers le fond du poste de police. Moralès se met à l'abri contre le coin d'un mur, pose la main sur son arme. Lefebvre freine son geste.

— Arrête ! Qu'est-ce que tu fais là ?

— Qu'est-ce qui se passe ?

— Après ça, c'est Dotrice qui arrive.

— C'est qui, Dotrice ?

Lefebvre fait signe à Moralès de se taire, tire l'enquêteur jusqu'à une porte de service à l'arrière du bâtiment.

— C'est une femme de Cap-des-Rosiers.

— Qu'est-ce qu'elle fait ici ?

— Elle voit des affaires.

— Quelles affaires ?

Lefebvre continue de faire le guet.

— À chaque enquête sérieuse, elle débarque en disant qu'elle a vu des affaires.

— Elle en voit pour vrai ?

— Sûrement, c'est une voyante.

Moralès se met à rire. Il y en a un ou une comme ça dans chaque enquête.

— Comment elle fait pour s'introduire dans le poste?

— Pose-moi pas de questions sur la gestion de l'entrée principale, Thérèse est tellement insaisissable!

Érik Lefebvre fait sortir Moralès.

— Il est où, le quai de *L'Échoueuse II*?

— Simone a dit qu'Angel Roberts amarrait à Grande-Grave. C'est au sud de Forillon. Regarde...

Lefebvre coince une roche dans l'embrasure de la porte, puis s'avance du côté est du bâtiment. Il désigne le nord de la baie de Gaspé.

— Là. Tu veux y aller?

— Oui.

— Prends le pont, continue sur la 132 et, quand la route bifurque à gauche vers le parc, garde la droite. Le quai est six ou sept kilomètres plus loin. Faut que t'entres dans le parc. Y a une guérite, mais elle est ouverte aujourd'hui. De toute façon, si tu dis que t'enquêtes sur la disparition d'Angel, les gardiens vont te laisser passer. Grande-Grave, c'est un site historique. Tu descends dans le stationnement. Y a un quai, mais les bateaux s'amarrent au ponton, juste en arrière.

— OK.

— Je rentre faire diversion. Salut!

La boîte de chaudrons traîne encore, plantée comme une honte, sur un coin du comptoir. Sébastien se dit qu'il accumule les histoires clinquantes comme autant de casseroles vides. Il avale une troisième gorgée de café, marche vers la baie vitrée du salon. Qu'est-ce qu'il est censé observer? Qu'est-ce qu'il faudra raconter au pêcheur?

Il trouve ça beau, la Baie-des-Chaleurs, mais pas autant que le fleuve. Ici, il voit le Nouveau-Brunswick de l'autre côté, la terre qui se referme un peu sur la pointe acadienne, alors que le fleuve, dans la région de Rimouski, par exemple, s'ouvre sans cesse sur l'océan, vers ce que les marins, se dit-il, nomment « le large ». Il n'est jamais allé au bout de la pointe gaspésienne. Il ignore encore que là, la splendeur l'attend.

Il balaie le large du regard, aperçoit un voilier de sternes arctiques qui s'immobilise autour d'un point, tourne en rond au-dessus de ce qui doit être un banc de poissons. L'eau frétille sous elles. Elles tournent dans l'air, leurs ailes maculées envoyant des éclairs lumineux autour d'elles, puis descendent en flèche dans la mer. Elles replient leurs ailes dans une position de chasse, font exploser la surface de l'eau en gerbes spectaculaires, disparaissent un instant et réapparaissent en secouant leur plumage. Sébastien les voit qui, alourdies par leur pêche, reprennent difficilement leur envol et filent vers le sud.

Son cellulaire vibre. C'est encore elle. Il garde l'appareil dans sa main jusqu'à ce que cesse sa vibration.

Il doit observer la mer. Mais quoi ? Il cherche. Une brise de l'ouest froisse la surface qui se transforme en drap de soie, puis s'aplatit. Il se penche de nouveau vers le télescope. D'un coup, le soleil apparaît, la mer devient aveuglante. La lumière éparpille des pièces d'or en une ligne compacte et éblouissante. Il plisse les paupières, recule de deux pas. L'horizon lui donne le vertige. Il ferme les yeux un instant. Le ciel s'ennuage. Le vent prend de l'élan, le large ondule. Le brouillard se réinstalle, s'opacifie, et la vitre se transforme en miroir translucide. Son reflet fantomatique apparaît dans la fenêtre : sa main gauche qui tient la tasse de café, la droite qui s'agrippe à son téléphone comme à une bouée qui s'emplit d'eau, qui coule et l'entraîne vers le fond. Il se détourne, met la musique en route. Il augmente le volume pour tapir le désarroi, faire taire sa voix, l'ensevelir sous les notes d'Orishas. Le hip-hop cubain lui met un petit mou dans les genoux, un mouvement souple dans les hanches. Ce n'est pas de la fuite, il essaie de s'en convaincre.

Il finit son café. Il a faim. Bien sûr, il pourrait se jeter sur ses casseroles, mais son père étant absent, l'expérimentation culinaire peut attendre. Se forcer à jouer le jeu quand les spectateurs manquent à l'appel, c'est comme revêtir les habits colorés du clown triste pour aller se coucher. Il ira dîner au bistro du village. Il marchera jusqu'à la maison du pêcheur tout de suite après. Rendre service à son père l'aidera à se sentir moins con. Moins honteux. Il enfile sa veste, s'apprête à sortir, s'arrête.

Qu'est-ce qu'il va raconter à Cyrille Bernard ? Dans sa main, son cellulaire vibre encore. Il jette un œil sur l'écran. Encore Maude. Il enfouit le téléphone dans sa poche, revient dans le salon, se penche de nouveau vers la lentille, balaie l'horizon, qui s'est empli de brouillard. Deux cargos. Ça sera ça.

Moralès arrive au stationnement. Au fond, un hangar de location de kayaks et un centre de plongée s'appuient contre une falaise dominée par la forêt. Vers le sud-est, un quai de bois et un ponton s'avancent dans la petite anse de Grande-Grave qui s'ouvre sur la baie de Gaspé. Il sort de la voiture. Une camionnette sport est garée face à la mer près du ponton où *L'Échoueuse II* est amarrée. Il hâte le pas dans cette direction. Son téléphone sonne. Il regarde l'écran en vitesse. C'est le poste de police de Gaspé. Il ne répond pas. Il a vu un homme sortir des affaires du homardier – manteau ciré, glacière, couverture, sac à dos – et les poser sur le quai.

Inutile de se presser, l'autre a vu l'enquêteur et lui tend la main.

— Jacques Forest, je suis un des aides-pêcheurs d'Angel. Vous devez être l'enquêteur Moralès.

— Oui. Est-ce que c'est vous qui avez déplacé le bateau de Rivière-au-Renard jusqu'ici ?

— Non. Jean-Paul Babin m'a appelé vers neuf heures et demie. Il m'a dit de venir chercher mes affaires. De toute façon, la saison est finie.

Il détourne la tête. Sa voix s'est cassée dans la dernière phrase.

— Jean-Paul Babin, c'est l'autre aide-pêcheur sur ce bateau.

— Oui.

— Mais c'est pas lui, votre patron…

— Non, c'est Angel.

— Il vous a dit qui a amené *L'Échoueuse II* ici ?

— Non, mais c'est probablement Jimmy. C'est le plus jeune frère d'Angel. Il a déjà eu un pétonclier dans la Baie-des-Chaleurs. Il l'a vendu ça fait trois ou quatre ans. Les frères Babin, c'étaient ses aides-pêcheurs. J'imagine que, si Jimmy a besoin d'aide, c'est eux autres qu'il va engager. Mais je vous l'ai dit : la saison est finie. C'était pas utile que je laisse des affaires traîner dans le bateau.

— Ça fait combien de temps que vous travaillez pour Angel ?

L'aide-pêcheur se tourne vers la baie de Gaspé. Le ciel est moche et l'air, empli de tristesse.

— Depuis le début.

Une vraie douleur marque non seulement ses yeux, mais tout son visage, comme si la perte de sa capitaine lui faisait physiquement mal. Moralès se rappelle qu'il s'agit de l'oncle maternel d'Angel. Son regard s'enfonce dans le mauvais temps.

— J'étais secouriste en mer, quand j'étais jeune. J'ai fait ça aux États, avec une équipe de fous. On sortait en plein orage pour sauver des plaisanciers qui s'étaient mis dans le trouble.

Ses yeux attrapent un vol de goélands qui traversent le vent.

— C'était un âge où j'avais besoin d'adrénaline, j'imagine. Pis à un moment donné, je suis revenu. J'ai appris que la petite s'achetait un bateau, j'y ai offert mes services. Elle a dit oui. Ça fait quoi ? Dix ans ?

Le téléphone de Moralès sonne de nouveau. Il s'excuse, jette un œil à l'écran : encore le poste de police de Gaspé. Il remet l'appareil dans sa poche.

— Vous étiez à la fête, samedi soir.

C'est une affirmation plus qu'une question. L'enquêteur sort la liste de Corine de sa poche et la tend à l'aide-pêcheur.

— Oui. J'y suis resté jusque vers minuit.

— Est-ce que cette liste vous semble complète ?

Forest prend des lunettes de lecture dans sa poche de chemise, lit le document, fronce les sourcils en tentant de se souvenir, fait le tour des noms.

— Vite de même, c'est difficile à dire… mais oui, ça ressemble pas mal à ça.

— Il y a des gens qui auraient dû se trouver à cette fête et qui n'y sont pas allés ?

— Ben oui. À peu près juste la moitié des pêcheurs du coin sont venus. C'est pas tout le monde qui veille tard. Pis y en a qui sont partis à la chasse, d'autres qui se sont chicanés avec leur capitaine en fin de saison…

— Connaissez-vous quelqu'un qui aurait pu avoir des démêlés avec Angel Roberts ?

— Avec Angel, non. Elle fait des envieux, c'est ben certain. Ça reste que c'est une femme dans un métier d'hommes, personne va lui faire de cadeaux. Vous savez comment on est, les hommes : on les aime ben, les femmes, mais on préfère qu'elles viennent pas se mêler de nos affaires. Pareil, je pense que tout le monde la respecte. Pis on est tous sous le choc de… sa disparition.

La sonnerie retentit encore. Moralès regarde l'écran : poste de police de Gaspé. Il s'excuse, s'éloigne pour répondre.

— Salut, c'est Lefebvre. On a effectivement un prédateur sexuel qui a été remis en liberté le mois dernier. On essaie de le localiser. Penses-tu que je devrais mettre les gens du parc au courant pour qu'ils informent les bénévoles qui participent à la battue ?

— Non, trouve le gars avant. Ça sert à rien de créer de la panique.

— OK. T'as trouvé le bateau à Grande-Grave ?

— Oui. Mais là, je suis occupé…

— Après ça, c'est pas de mes affaires, mais il faut que tu le saches : Simone est dans tous ses états.

— L'agente Lord ? Pourquoi ?

— J'ai pas insisté pour qu'elle m'explique. C'est toi, le chef, c'est toi qui gères.

— OK. Mais là, je suis occupé au quai. Dis-lui de se calmer, je vais aller…

— Elle a essayé de t'appeler, pis comme tu répondais pas, elle m'a demandé où t'étais. J'ai dit que t'étais à Grande-Grave. Elle devrait arriver au quai d'un moment à l'autre.

— Lefebvre ! T'aurais pu…

— Non, Moralès. Je pouvais pas.

Il raccroche.

Jacques Forest s'approche de l'enquêteur.

— Si vous avez une minute, j'aimerais ça que vous veniez à bord avec moi.

Sur la route du parc, derrière eux, un véhicule fait lever la poussière.

— Y a des affaires qui ont disparu…

Une camionnette de Pêches et Océans Canada dévale en trombe la pente menant au stationnement de Grande-Grave et freine violemment. Jacques Forest s'interrompt.

— C'est la *watcheuse* des pêches. Elle a toujours le nez fourré sur nos bateaux. Je vais vous laisser mes coordonnées pis on se rencontrera plus tard…

— Vous inquiétez pas : c'est moi qu'elle vient *watcher*.

Forest le regarde, surpris et désolé pour lui, pendant que Simone Lord sort de son véhicule. Elle fonce, furieuse dans son coupe-vent de travail, en direction de Moralès.

— Si vous voulez bien m'attendre, ça ne sera pas long.

Jacques Forest salue l'agente de loin, puis s'enfuit d'un pas rapide vers le quai. Il attrape son sac, sa glacière, sa couverture, son manteau et file les ranger dans sa camionnette.

Probablement que, si les bistros étaient plus nombreux à Caplan, Sébastien Moralès serait allé manger ailleurs. Mais peut-être pas. En face de lui, Renaud Boissonneau frotte des coupes de vin comme si sa vie en dépendait. Il lève un œil vers son client, qui a la tête plongée dans le menu.

— J'm'en vas vous dire que je vous recommande une sole parce qu'il en reste pis que le chef voudrait que je la passe.

Il pose son linge, suspend le verre.

— OK. Une sole.

Renaud Boissonneau s'éloigne vers la cuisine, passe la commande, revient.

— Si vous êtes pas allergique, j'ai un petit vin de pays ici…

Il montre une bouteille entamée.

— Un vin de pays ?

— De pays de France. Il reste une demi-bouteille. Ça se perd vite.

— J'en prendrais un verre.

Le serveur empoigne un verre bien frotté et brillant, le pose devant Sébastien, lui verse du vin blanc.

— Je laisse la bouteille ici, si vous en voulez un deuxième.

— C'est bien aimable.

L'autre hoche la tête, puis se remet en devoir de frotter ses coupes à vin.

— Vous venez pour un cours de danse ?

— Pas aujourd'hui.

— Pour nous montrer une recette ?

— Non plus.

— Ça fait que vous êtes rien qu'un client ?

— Malheureusement.

— C'est pas grave.

Sébastien prend une gorgée de vin. Il veut demander des éclaircissements à Renaud concernant son père et cette femme,

Catherine, mais il ignore comment s'y prendre. L'autre, visiblement préoccupé, se penche vers le comptoir, tend à son client un crayon et un papier.

— Je pourrais-tu avoir votre numéro de téléphone, des fois que j'aurais des questions culinaires ?

Sébastien Moralès le lui donne sans réfléchir aux conséquences.

La sonnette de la cuisine retentit. Renaud ramasse l'assiette sur le comptoir de passe, la pose devant son client, qui prend sa fourchette et entame la sole. Boissonneau, attentif, suit ses mouvements des yeux. Sébastien avale une bouchée. Le repas est très bon. Le voyant satisfait, Boissonneau glisse le papier avec le numéro dans sa poche de chemise, reprend son linge et poursuit son frottage.

— Ça fait que vous êtes venu voir votre père, mais il vous fait pas à manger ? Parce que j'm'en vas vous dire que, s'il vous faisait à dîner, vous seriez pas ici.

— Il est parti travailler à Gaspé.

Renaud Boissonneau ouvre de grands yeux.

— Y a eu un meurtre à Gaspé ?

Sébastien répond entre deux bouchées.

— Je sais pas.

— Pis j'imagine que vous allez le rejoindre ? Vous devez être un peu enquêteur, vous aussi. C'est souvent de famille, ces affaires-là.

— Non, c'est pas de famille.

Boissonneau retourne à son ouvrage, perplexe. Il s'évertue, entre deux coups de linge, à faire de la buée avec sa bouche sur le verre. On dirait que la tête lui tourne un peu, mais il poursuit néanmoins son manège.

— C'est vrai que c'est pas un métier pour se faire des amis. Je vous verse un autre coup de vin, votre père en prend toujours deux. Et je vous apporte le dessert du jour.

Boissonneau remplit son verre, file vers la cuisine, reparaît et pose devant lui un renversé au sucre à la crème.

Sébastien regarde, hésitant, le gâteau et le verre de vin. Ce que Renaud lui dévoile de son père correspond peu à l'image qu'il en a.

— J'm'en vas vous dire que, sur la route de Gaspé, vous allez passer par Percé. Vous êtes ben chanceux, c'est un coin que les touristes aiment dans le monde! Vous y êtes déjà allé peut-être?

C'est exactement le genre de paysage dont Sébastien Moralès se fiche. Il l'a trop vu en photos, sur les cartes postales ou dans les livres touristiques.

— Non.

Le jeune homme prend sa cuillère, goûte au dessert.

— Jamais? J'm'en vas vous dire rien qu'une affaire, qu'il faut absolument voir ça avant de mourir! Allez-y!

Son dernier verre bien frotté, Boissonneau l'accroche, pied vers le haut, sur un porte-verres récemment installé.

— Vous l'avez vu, vous?

Renaud attrape un linge propre et s'immobilise, presque surpris par la question.

— Non, jamais! Mais moi, c'est pas pareil. Ça peut attendre, je suis pas prêt à mourir.

Le cellulaire se met à vibrer dans la poche de Sébastien. Il sort l'appareil, jette un œil dessus, l'enfouit de nouveau dans l'ombre de sa veste. Renaud Boissonneau suit son geste.

— J'm'en vas vous dire rien qu'une affaire, qu'on dirait que la Gaspésie, c'est la meilleure place pour pas répondre au téléphone!

L'air inquiet, il désigne la poche du manteau.

— Mais vous allez répondre si j'appelle?

— Ça dépend…

— De quoi?

L'employé ouvre un lave-vaisselle fumant et bat, avec son linge, la vapeur qui s'en échappe.

— Renaud, vous m'avez laissé entendre, hier, que mon père avait eu, avec certaines femmes, des relations…

Boissonneau tend la main au-dessus du comptoir pour arrêter le jeune homme.

— J'm'en vas vous dire que je peux pas répondre à des questions privées comme ça ! C'est le secret professionnel des serveurs de restaurant !

Il se penche cependant vers Sébastien avec un air d'agent secret.

— Je peux juste vous confirmer que votre père, il a le don de s'attirer du trouble, avec les femmes !

— Enquêteur Moralès ! J'imagine que vous êtes fier de votre découverte : vous avez trouvé le homardier que vous cherchiez !

— Agente Lord, je vous remercie de vos conseils, je n'y serais sûrement pas arrivé sans vous.

— Je me suis trompée sur votre compte : vous êtes pas un enquêteur de la ville en semi-retraite, mais un vrai macho ! Un vrai de vrai ! Un de ceux-là qui prennent les trouvailles de leurs collègues féminines et qui s'enfuient, comme des enfants d'école, par la porte d'en arrière !

Il n'en croit pas ses oreilles.

— M'enfuir ? Mais de quoi parlez-vous ?

En vitesse, Jacques Forest s'assoit dans son véhicule et claque la portière. Un instant, Moralès craint que le pêcheur s'en aille.

— Vous êtes passé au poste, vous m'avez consultée pour que je vous aide dans la recherche du bateau et vous vous êtes sauvé en pleine discussion !

— Je n'étais pas allé vous consulter...

En le disant, Moralès s'aperçoit qu'il ferait mieux de se taire. Forest met de la musique et se détourne, pour éviter d'assister à la scène.

— Je rêve : le *lonesome* cowboy est en train de me dire que j'ai la berlue ! J'ai halluciné que vous êtes venu au poste pour comprendre où était passé ce bateau. J'ai imaginé que je vous ai indiqué où il devait être amarré! Pis j'ai inventé que vous vous étiez volatilisé comme un magicien pendant que je vous renseignais sur les recherches en cours!

Moralès sent la moutarde lui monter au nez. La situation est tordue: l'agente s'impose et ce serait à lui de s'excuser!

— Ça ne fonctionnera pas, entre vous et moi, agente Lord.

— Je suis bien d'accord: ça fonctionne pas! Parce que le respect d'une équipe, ça semble vous échap…

Il durcit le ton, lui coupe la parole.

— Vous venez d'interrompre un interrogatoire entre un enquêteur et un témoin potentiel parce que vous jugez que je ne vous ai pas assez félicitée? Félicitations, agente Lord! Je vais envoyer un mot à votre supérieur pour lui souligner la perspicacité dont vous faites preuve au travail en m'indiquant le port d'attache d'un homardier. Ça vous va?

Il se détourne pour se diriger vers la camionnette de Forest. Dans son dos, elle persifle:

— Vous me mettez à l'écart parce que je suis une femme.

Il s'arrête et pivote vers elle, mais reste loin.

— Non, agente Lord. Je ne vous mets pas à l'écart. Je vous remets à votre place parce que vous n'effectuez pas votre travail correctement. Qu'est-ce que vous faites ici? Vous m'avez suivi pour m'engueuler. Or ce n'est pas moi, mais Angel Roberts que vous devriez être en train de chercher activement en ce moment. D'ailleurs, pourquoi vous avez arrêté la recherche? Parce que c'est une femme?

Abasourdie par la violence de la contre-attaque, Simone Lord vacille, fait un pas de côté, puis tourne les talons, marche à grandes enjambées vers son véhicule, s'y assoit, claque la porte, démarre et s'en va en faisant lever la poussière.

L'agente partie, Moralès reste interdit. Pourquoi lui a-t-il parlé aussi durement? Parce qu'elle a sorti son badge devant les pêcheurs hier? Parce qu'elle le chicane comme un gamin? C'est vrai qu'il s'est enfui par la porte arrière du poste de police après lui avoir demandé conseil, mais elle n'était pas la cause de ce départ précipité. Ç'aurait été facile de le lui expliquer, voire de s'excuser. Pourquoi ne l'a-t-il pas fait?

— Faites-vous-en pas : elle va revenir. C'est une agente des pêches. Y a jamais moyen de s'en débarrasser !

Forest est sorti de sa camionnette.

— Je sais pas ce qu'elle a de plus sexy : son corps, sa perspicacité ou sa tête de cochon. Vous en dites quoi ?

Moralès évite de répondre, il se contente d'un demi-sourire.

— Faut pas lui en vouloir. En sauvetage, j'ai travaillé avec des femmes. Elles étaient trop courageuses pour que les hommes les aiment. Simone, en plus, elle est devenue agente des pêches. Angel est toujours gentille avec elle, mais les gars doivent pas se gêner pour la mépriser.

Mal à l'aise, l'enquêteur change de sujet.

— Qu'est-ce qui a disparu à bord de *L'Échoueuse II*?

— Venez.

C'est la deuxième fois de sa vie que Moralès embarque sur un homardier. Il était monté à bord de celui de Cyrille, amarré à Caplan, alors que ce dernier avait fini sa saison et fait installer une table de pique-nique sur le pont. Le pêcheur emmenait ses amis boire une bière sur l'eau quand la mer était calme. Le bateau d'Angel Roberts est construit autrement : un espace intérieur abrite, dans la proue, une cuisinette, deux cabines et une petite salle de bain avec douche. Moralès comprend pourquoi Angel Roberts pouvait, à l'occasion, l'utiliser pour des équipées estivales.

— On n'a jamais dormi à bord, mais Angel voulait qu'on laisse des sacs de couchage, au cas où. C'est un peu farfelu, comme idée, parce qu'elle a toujours gardé des draps chauds dans la penderie…

Il ouvre un petit placard et montre à l'enquêteur les tablettes vides.

— Je les ai vus encore la semaine passée parce que j'ai aidé Angel à sortir des caisses de bouteilles d'eau.

— Il y en avait beaucoup?

— Je sais pas. Quatre ou cinq, peut-être. Des couvertes qui avaient appartenu à sa mère, je pense. En guenilles, qu'on disait dans le temps. Y a pus personne qui utilise ça, à c't'heure. J'imagine qu'elle s'en servait quand elle allait en mer pour s'abriller en regardant les étoiles. En tout cas, c'était là, avec les bouteilles d'eau pis les cirés.

Effectivement, une demi-caisse de bouteilles d'eau et trois cirés sont rangés dans la penderie. Forest montre le bas de l'armoire.

— Sa vieille trappe est pas là non plus.

Moralès s'approche.

— Quelle vieille trappe?

— Avant, on pêchait avec des casiers de bois. On appelait ça des «trappes». On a des quotas de cent vingt pièges. Angel avait tout le temps une trappe de trop à bord. Je sais pas pourquoi. On faisait des blagues avec ça parce que, même quand on en avait besoin, elle la prenait pas. Elle allait en acheter une autre ou faisait réparer celle qui était brisée. Ça fait que sa trappe de rechange, elle a jamais servi. Comme de la vaisselle du dimanche. Y a quatre ans, elle s'est tout équipée en casiers de broche. C'est plus léger, plus grand, pis on pogne plus de homards. Quand j'y ai demandé ce que je devais faire avec la vieille trappe de bois, elle m'a répondu: «Je la garde, elle nous porte chance!» Elle a dit ça pour faire une blague, mais la trappe est restée là.

— Elle ressemblait à quoi, cette trappe?

— À un casier de pêche au homard. Rectangulaire, gros de même à peu près, fait en lattes de bois. Angel l'avait peinte en rouge, je sais pas trop pourquoi. Les filets pour l'entonnoir pis le salon étaient installés, la brique de ciment aussi.

— La brique de ciment?

— Ouais. Pour que la cage reste au fond, il faut la lester avec une brique de ciment de cent livres. C'est pour ça que c'est dur, la pêche: faut manipuler des casiers lestés de béton dans lesquels tu peux avoir un paquet de homards. C'est lourd.

124

— Qu'est-ce qui manque d'autre ?

— J'ai rien vu d'autre. La vieille trappe pis les couvertures.

Les hommes retournent sur le pont. Soudain inspiré, Jacques Forest monte sur la proue et, avant qu'il puisse intervenir, Moralès le voit se pencher, ouvrir le puits d'ancre. L'oncle serre les lèvres, retient son souffle.

— Il manque la chaîne pis le câblot d'ancrage.

Ses yeux se noient, ses narines s'ouvrent largement dans une grande inspiration. Jacques Forest essaie de ne pas couler à pic, mais il imagine la scène se dérouler, en film tragique, sur l'écran brouillé de l'horizon : Angel enroulée dans les draps, le câble, la chaîne et la cage qui l'entraînent vers le fond.

— Je suis désolé.

L'aide-pêcheur referme le puits d'ancre pendant que le cellulaire de Moralès se remet à sonner. Le poste de police, encore. Il s'excuse une fois de plus, s'éloigne et répond pour s'éviter un nouvel assaut de Simone.

— T'as-tu des nouvelles de Corine ? T'es-tu à l'auberge ? C'est Lefebvre.

— Non, je suis au quai avec Jacques...

— Tu vas peut-être dire que je m'inquiète pour rien, mais je t'ai parlé tantôt du prédateur sexuel qui était à la prison de New Carlisle pis qui a été remis en liberté il y a trois semaines... Là, on fait des recherches pour le localiser, parce qu'il a le profil d'un récidiviste, mais on le trouve pas.

Moralès retourne vers la timonerie.

— C'est quoi, le lien avec Corine ?

— Ben, c'est ça : j'ai demandé au gars du parc de localiser tous ses bénévoles, mais il est pas arrivé à joindre ni Corine ni Kimo.

— T'as essayé leur cellulaire ?

— Oui. L'auberge aussi. Pas de réponse. Après ça, c'est peut-être un problème d'ondes cellulaires, mais...

— J'ai fini ici, je rentre à l'auberge.

— Je consulte jamais les voyantes, Moralès, mais Dotrice, à matin, elle a dit qu'il y avait un monstre nu en liberté, ça fait que...

125

— C'est bon. J'y vais.

L'enquêteur raccroche et saute sur le quai. L'aide-pêcheur referme le bateau en sortant.

— Qui d'autre possède la clé du homardier?

— Jean-Paul Babin et Angel. Elle nous laisse un double parce que ça arrive qu'on répare des affaires quand elle est pas là. Clément en a peut-être une.

Ils remontent, côte à côte, vers le stationnement.

— Il est toujours barré?

— Oui. Elle s'est déjà fait voler. L'association des pêcheurs a mis une affiche à côté du hangar à kayaks pour indiquer qu'y a une caméra, mais c'est juste pour faire peur au monde. Y en ont jamais installé.

— J'aimerais que vous gardiez cette clé avec vous jusqu'à la fin de l'enquête. Je vous appellerai si nous avons besoin de retourner à bord.

— Je suis pas pressé de la remettre, de toute façon.

Moralès le quitte, monte dans sa voiture et rejoint l'intersection principale du parc. Au lieu de longer la baie de Gaspé pour prendre par la Radoune, il vire à droite et choisit de passer par le parc pour rentrer. Le GPS indique un temps de route similaire, mais il se retrouve rapidement dans les montagnes, forcé à ralentir. Il comprend ce que Clément Cyr expliquait, la veille, en évoquant les dangers de cette route dans l'obscurité. Ici et là, des pancartes annoncent des passages possibles d'animaux sauvages et la nuit doit y être noire comme la pupille d'un ours.

Moralès ne croit pas aux diseuses de bonne aventure, mais soudain l'inquiétude le prend. Si c'était l'œuvre d'un détraqué sexuel? Tenter de mettre la main sur un psychopathe qui multiplie les proies est le travail qui l'écœure le plus et, paradoxalement, celui dans lequel il se sent le plus vif. Peut-être à cause de l'urgence, de la nécessité d'intervenir, du nombre de victimes qui peut croître chaque jour, chaque heure.

Son pouls s'accélère.

Il imagine la scène : Clément Cyr qui ramène sa femme à la maison, suivi par un détraqué qui a repéré le couple et qui soupçonne que le mari risque fort de retourner au bar pour le reste de la nuit. Il attend que le géant reparte, puis sonne, comme si ce dernier avait oublié ses clés. Ou il entre, tout simplement, parce que plein de Gaspésiens ne verrouillent pas leur porte. Il saisit Angel et l'oblige à se rendre au quai. Comment ? Il la fait chanter ? Il lui dit que son mari a eu un accident ? Il conduit la voiture ?

Les courbes s'accentuent, Moralès doit ralentir, alors que ça s'accélère dans sa tête, que la logique du crime surgit : le désaxé viole la jeune femme dans le parc, la tue, puis l'embarque sur le bateau de pêche, programme une route sur le GPS et détache le homardier du quai.

Il aurait dû prendre l'autre itinéraire, qui passe par la Radoune.

En même temps, non : le moteur était éteint. À moins que le prédateur soit monté avec elle. Il aurait nagé pour revenir au bord. Non. Dans ce cas-là, il aurait dû rester près de la côte et les chercheurs auraient déjà trouvé le corps.

Moralès s'en veut. Il aurait dû exiger que Lefebvre quitte le poste et aille à l'auberge. Il imagine déjà sa réponse : «Je ne suis pas un agent de terrain.» Maudit Lefebvre ! Depuis qu'il est en Gaspésie, Moralès ne rencontre que ça, des agents aux habitudes bizarres : Joannie qui garde sa matraque, Lefebvre qui refuse de quitter son bureau et Lord qui… qui quoi ? Qui s'immisce, voilà ! Qui s'entête à outrepasser son mandat, qui… demande à se faire respecter. Il a honte. Il se concentre sur la route.

L'idée lui vient : il va appeler Lefebvre et lui ordonner de se rendre à l'auberge pour forcer le mouvement. Il ralentit, saisit son cellulaire, compose, regarde l'écran : pas de signal, lève la tête, voit une courbe, freine, donne un coup de volant, retrouve la route *in extremis*, sacre. Accélère.

Il prend le couteau le plus long, essuie la lame minutieusement et le met de côté. Il saisit le porte-ustensiles, le sort et le pose avec fracas sur le comptoir.

Sébastien observe Renaud en silence. Il sent son cellulaire vibrer encore dans sa poche. Des textos, des coups de fil, des courriels de Maude qui n'en finissent pas de lui arriver, qui passent du questionnement aux accusations, des mots d'amour à la colère.

Il demande l'addition. Boissonneau se rend à la caisse, y poinçonne le repas de son client, imprime la facture et la lui tend. Il sifflote en rangeant les ustensiles, retire le couvert, l'assiette vide et le verre encore plein. Sébastien paye, enfile sa veste.

— J'm'en vas vous souhaiter un beau voyage à Gaspé, là!

Sébastien salue Renaud, sort, descend vers la mer, longe les chalets et arrive au café avoisinant le quai. Il repère le chemin de gravier et s'y dirige d'un pas raide, tourmenté par les messages de Maude, par les propos de Boissonneau. Il voudrait mettre de la musique, cherche ses écouteurs ; il les a oubliés sur le comptoir de la cuisine chez son père. Il prend une grande inspiration pour se calmer, mais constate, après avoir tourné sous la voie ferrée, qu'il a hâté le pas, qu'il accélère encore, mû par une colère sourde qui lui bout dans le cœur. Il ne s'endure pas. Il a besoin de fuir, de boire, de danser, de jogger, de perdre tout ce qu'il peut de repères, de souffle, de questions, de sueur. Le vin du dîner alourdit son pas. Il s'en fout. Son père lui a appris, jadis, que courir aide à ne pas perdre pied. Son père. Le vent traverse ses vêtements, s'engouffre dans ses cheveux trop longs.

Dans sa poche, son téléphone vibre toujours. Il se concentre sur sa course. Il sent ses pieds contre le sol, ses mollets durs, ses genoux. Son père, infidèle ? Il regrette de ne pas pouvoir écouter sa musique. Il accélère le rythme. On grandit avec la certitude que nos valeurs sont solides. Est-ce qu'on se trompe ? Ses cuisses, le mouvement des hanches, ses abdominaux qui se

contractent. Est-ce qu'on peut bâtir sa vie sur des mensonges?
Il aurait dû mettre ses écouteurs dans sa poche de manteau. Ses
poumons, son torse, sa sueur. Il entrevoit le cimetière. Il accélère encore. Il en a assez des questions qui lui tournent en tête.
Son souffle est brûlant. Il dépasse la maison ancestrale, la corde
de bois et le cimetière. Combien d'heures de course, combien
de kilomètres pour venir à bout du désarroi d'un homme? Il
continue dans le Quatrième Rang, emprunte un sentier dans
le bois. Ses jambes lui font mal, son quotidien lui fait mal. Il
ne trouve pas de bout à son essoufflement. Il fait une boucle,
revient sur ses pas, retrouve la route, ralentit enfin, marche
dans le cimetière pour se ressaisir, pour se rafraîchir, pour ne
pas entrer en sueur dans la chambre du pêcheur. Il regarde la
fenêtre qu'il doit franchir. Deux cargos. Il prend une grande
inspiration. Puis il se dirige vers la corde de bois.

La voiture de Kimo était stationnée devant l'auberge. Corine
et elle avaient mis de la musique et se faisaient à manger
quand Joaquin est entré, encore tendu par la crainte de leur
potentiel enlèvement. Elles l'ont salué, lui ont fait des sourires
aimables, mais distants. Moralès est monté dans sa chambre
pour rappeler Lefebvre.

— Oui, j'ai fini par joindre Corine, y a à peu près quinze
minutes. Les filles étaient en auto, finalement. Elles sont parties en oubliant de signaler qu'elles avaient fini d'arpenter leur
territoire et qu'elles rentraient. Après ça, j'ai eu des nouvelles
du prédateur: il habite chez son frère, dans le coin de Rimouski.
Il a trouvé du travail comme gardien de sécurité et il était de
garde, dans la nuit de samedi à dimanche. Rien d'inquiétant.

Moralès hésite entre le soulagement et l'exaspération:
Lefebvre l'a fait courir pour rien.

— On va se le dire: les voyantes, c'est pas fiable pour deux
cennes! Un « monstre nu »! Tu parles d'une folle!

— T'as reçu les mandats?

— Oui, ça vient de rentrer. Demain, ça sera mercredi. En évaluant les activités bancaires d'Angel des trois derniers jours, on devrait savoir à quoi s'en tenir. Je vais regarder du côté des assurances et faire bouger le notaire pour la recherche testamentaire.

— Des nouvelles de Simone Lord?

Lefebvre siffle entre ses dents.

— Je l'ai souvent vue de mauvais poil, mais rarement enragée de même! Je sais pas ce que t'as fait pour la transformer en taureau, mais le défi de l'après-midi, au poste, c'était de tenir dix secondes dans la salle de réunion avec elle.

— Quelqu'un a gagné?

— Thérèse Roch. Je suis pas surpris : cette femme est insaisissable!

— Et les recherches?

— Avec le mauvais temps d'aujourd'hui, j'ai cru comprendre que c'était pas facile. Mais t'inquiète pas : si Simone trouve quelque chose, on va le savoir!

Il monte le petit escabeau, soulève la fenêtre à guillotine d'un mouvement impatient. Cyrille Bernard se tourne lentement vers lui. Qu'est-ce qu'il vient faire ici? Il saute dans la chambre. Ça sent la marijuana. Sous les draps se dessine la silhouette maigre d'un homme qui respire difficilement.

— Monsieur Bernard? C'est mon père, Joaquin Moralès, qui m'envoie.

Il s'approche du lit. Il n'entend que le souffle pénible, sifflant du mourant, un «hiiii…» difficile. Il se sent maladroit. Le malade le regarde. Des yeux bleu clair, scrutateurs.

— Il a dit que je devais vous raconter ce que j'ai vu dans le télescope.

Une chaise de bois est placée, en guise de veilleuse, à côté du lit. Sébastien hésite, trop fébrile, à s'y asseoir. Finalement, il reste debout. Tel un adolescent indécis, il porte son poids sur l'une, puis sur l'autre jambe. Le vieil homme se redresse un peu.

— Hiiii... Dis-moi ça. Qu'est-ce que t'as vu, mon gars ?

Sébastien est mal à l'aise dans cette antichambre de la mort.

— Pas grand-chose. Deux cargos.

Cyrille Bernard le regarde avec ironie.

— C'est tout ?

— Ils avaient l'air de s'en aller vers le Nouveau-Brunswick.

— Hiiii...

— C'est ça.

Le pêcheur secoue la tête d'un air découragé.

— Hiiii... J'imagine que c'est ça, la jeunesse. T'as encore l'âge de compter les bons et les mauvais coups.

Puis il ferme les yeux. Soudain, la colère de Sébastien se vire contre lui.

— Y avait rien d'autre !

Le vieillard n'ouvre même pas un œil pour lui répondre.

— C'est ben sûr que tu vois rien ! Hiiii... Tu regardes la mer comme un comptable !

L'insulte le frappe au visage. Qu'est-ce qu'ils ont tous à lui faire la morale sur sa façon de voir les choses ? Il faudrait qu'il dise quoi ? Qu'il mente ? Sébastien prend la chaise, s'assoit dessus, s'approche du lit et se penche vers le malade pour lui parler d'une voix qui se contient mal, un murmure empli de colère.

— OK. J'ai vu une zone qui grouillait. L'eau frétillait. Les oiseaux plongeaient, ramenaient des poissons. J'ai aussi vu trois baleines.

Il n'y en a pas dans le coin et Cyrille le sait. Le pêcheur entrouvre les paupières, lui jette une œillade de côté.

— Hiiii... Qu'est-ce que tu me racontes, garçon ?

Sébastien hausse les épaules.

— Je sais pas quoi vous dire, ça fait que j'invente des choses pour vous faire plaisir !

— Pourquoi tu me dis pas juste ce que t'as vu ? Hiiii...

— Parce que tout ce que je vois, ces temps-ci, c'est pas très édifiant !

Cyrille se tourne vers le jeune homme en colère.

— Hiiii… Comment ça ?

— La semaine passée, ma mère s'est acheté un condo en cachette de mon père, à Longueuil. Hier, j'ai entendu mon boss, qui se pense ben compréhensif, me dire qu'il me flanquerait dehors si je rentrais pas à midi ! Pis y a aussi le serveur du bistro à Caplan qui a insinué que mon père a eu une aventure avec une certaine Cat…

— Hiiii… Ta blonde est enceinte pis elle te l'avait pas dit ?

Sébastien est à peine surpris de la question, il hoche la tête et continue, comme une toupie emportée dans son propre mouvement.

— Savez-vous ce que c'est, tout ça, monsieur Bernard ? C'est juste du frétillement d'eau sans baleines ni poissons dedans ! C'est moi qui tourne en l'air avec ma faim pis qui plonge dans la mer sans rien ramener ! C'est le leurre auquel j'accroche ma vie depuis des années ! C'est ça que j'ai vu, dans le télescope de l'horizon à matin !

Épuisé, Cyrille referme les yeux.

— Hiiii… T'as vu pas mal d'affaires pour une première fois.

Sébastien recule sa chaise, piqué, se lève.

— Vous êtes comme les autres, à me dire ce que je devrais voir ! On dirait tout le temps que ma vie m'échappe !

— Hiiii… Si t'avais pas envie de regarder la mer en face, pourquoi t'es venu m'en parler ?

— Parce que mon père me l'a demandé !

Le vieil homme rouvre les yeux, détaille Sébastien de haut en bas.

— T'as quel âge ?

— Trente ans.

— Hiiii… Trente ans pis tu fais une crise de même pour deux bateaux ? Hiiii… Trente ans pis t'obéis à ton père comme un enfant à qui on a refusé une permission ? Hiiii… Trente ans pis tu sais pas faire la différence entre une vague de travers pis un banc de poissons ?

— ...

— Hiiii... Si t'étais passé ici juste pour faire plaisir à ton père, t'aurais parlé de tes deux bateaux pis tu serais parti. Hiiii... Un vieil agonisant comme moi, ça retient pas un jeune homme. Hiiii...

D'un coup, Sébastien s'arrête. Il cesse de tourner en rond. Comme la toupie effrénée, il tangue et tombe de nouveau assis sur la petite chaise, au chevet de Cyrille Bernard. S'excuse. Le vieil homme hausse les épaules : c'est pas à deux doigts de la mort qu'il va commencer à tenir une feuille de fautes !

— Des fois, on dirait que je sais plus qui je suis.

— Hiiii... Tu ressembles à ton père : tu rêves du large, mais tu fixes la côte.

Sébastien respire un grand coup. Il s'approche délicatement du pêcheur qui l'examine toujours, avec ses yeux d'océan.

— Il faudrait que vous me disiez ce que vous voulez que j'observe.

— Hiiii... Arrête de demander aux autres ce que tu dois voir. Regarde, c'est tout.

— Je peux revenir demain...

— Mon gars, hiiii... ça fait longtemps que j'ai pus besoin qu'on me raconte la mer. Parce qu'elle est icitte.

Il montre son cœur d'un doigt sûr.

— En dedans. Hiiii... Les pêcheurs disent qu'en bateau on monte sur les vagues. Mais fie-toi sur moi, mon gars : hiiii... c'est la mer qui monte en nous. C'est comme le reste : on pense tout le temps que la peur, la jalousie, la rancœur, les menteries, ça vient des autres. Hiiii... Mais c'est en dedans. Comme une marée d'hiver.

Sébastien ne sait plus quoi dire. Puis il se souvient d'elle.

— Mon père veut que vous sachiez qu'il est à Rivière-au-Renard et qu'il enquête sur la disparition d'une femme. Angel Roberts.

Cyrille, qui avait refermé les yeux, les ouvre soudainement.

— La p'tite au homardier ?

— Oui.

Il retient son souffle, comme s'il endiguait une envie de pleurer.

— Hiiii... Y a des familles qui s'haïssent depuis tellement longtemps qu'on dirait que ça les soude. Hiiii... Ton père a pogné tout un panier de crabes.

Sébastien se lève et avance vers la fenêtre.

— Les souffrances qu'on se fait à soi-même, c'est pire que tout le reste. Hiiii... Ça prend ben de l'horizon pour calmer nos tourments ! Hiiii...

Cyrille se repositionne dans le lit, se replie lentement vers sa fatigue.

— Tu sais ce que ça veut dire «Gaspé»? Hiiii...

Sébastien se tourne vers lui, secoue la tête.

— «Le bout du monde.» Va rejoindre ton père, mon gars. Hiiii... Fie-toi sur un vieux pêcheur qui se meurt. Hiiii... Continue à regarder la mer pis je te le jure : à un moment donné, tu vas la voir.

Moralès a tourné en rond. Où s'installer pour faire son bilan de la journée ? Il n'osait pas redescendre à la salle à manger, de peur de déranger les filles, et prendre place seul dans le bar vide lui semblait d'autant plus déprimant qu'il avait faim. Il a pris ses affaires et s'est rendu au centre-ville de Gaspé. Lefebvre lui ayant suggéré le Brise-Bise, il s'est assis dans un coin du bar.

Le serveur s'approche. Un gaillard qui connaît sa clientèle par son prénom et affiche une allure de capitaine : manches de tatouages marins, boucle d'oreille, barbe et cheveux noirs bien taillés, beaucoup d'heures de gym dans les biceps.

— Menu du jour : poulet chasseur et tartelette aux poires. Je suggère une pinte de Pit Caribou rousse pour accompagner ça. Je peux aussi vous apporter la carte.

— Non, ça sera parfait comme ça.

L'ambiance est joyeuse, un blues léger vole dans l'air et un des écrans de télé diffuse un match de soccer. Moralès est heureux. Il jette un œil sur son cellulaire. Un courriel d'information d'un ancien collègue de Montréal, le lieutenant Doiron, s'y affiche. Il y répond, puis ouvre son dossier, attrape une feuille vierge et entame un rapport de la journée.

— C'est vous qui enquêtez sur la disparition de la pêcheuse ?

Le serveur dépose la pinte en étirant l'œil vers le dossier du policier. Moralès avale une gorgée de bière.

— Vous la connaissiez ?

— Non, mais son mari vient souvent ici.

Il tend la main au-dessus du bar.

— Moi, c'est Louis.

La sonnette de la cuisine retentit, le serveur repart. Moralès note de quelle manière il a découvert que *L'Échoueuse II* avait été déplacée, probablement par Jimmy Roberts et les frères Babin, il faudra en avoir le cœur net. La bière est bonne. Il entame le rapport de sa rencontre avec Forest. Les serveurs tournent en abeilles autour de la cuisine, montent des marches qui mènent à l'étage, reviennent, sourient, font des blagues aux clients. Il ne relate pas l'épisode tumultueux avec Simone Lord. Son poulet chasseur arrive.

— Pensez-vous que c'est une histoire de vengeance entre les pêcheurs ?

Moralès s'adosse contre son banc.

— Qu'est-ce qui nous ferait croire ça ?

— Les pêcheurs, ils sont ben corrects comme ça, à terre, mais sur l'eau, c'est pas des doux.

— Vous êtes déjà allé à la pêche ?

— Non, mais je les entends parler.

— Et qu'est-ce que vous avez entendu d'autre ?

Louis fait un sourire en coin, secoue négativement la tête, retourne à son service pendant que Moralès s'attaque au poulet. Il referme le dossier pour manger, passe du poulet à la tarte sans que le grand Louis s'ouvre la trappe. C'est uniquement au moment de payer, alors que Moralès est debout entre la colonne du bar et la porte close de la cuisine, que le serveur, la tête penchée vers l'écran de la caisse, se décide.

— Les gars aiment pas ça vous voir tourner autour de *L'Échoueuse II*.

— Quels gars ? Les Roberts ?

Louis hausse les épaules.

— Je suis pas du genre à me mettre dans le trouble, mais c'est un pays de pêcheurs, ici. Faites pas trop de vagues, avec votre enquête.

— Quelqu'un en particulier tient à ce bateau-là ?

Le serveur lui tend son reçu.

— Soyez prudent. C'est tout ce que je dis. Pour le reste, c'est ici comme ailleurs : on tient surtout à avoir la paix.

Mercredi 26 septembre

Son cellulaire sonne, il ne répond toujours pas. Il charge le stock dans l'auto. Des affaires pour lui, d'autres pour son père. Il essaie de prendre son temps, d'agir de façon détendue, mais il en est incapable. Ses mouvements sont raides et saccadés. Il s'est réveillé tôt, est allé jogger jusqu'à en avoir mal aux muscles. Il est passé devant la fenêtre de la chambre de Cyrille Bernard sans s'arrêter, qu'est-ce qu'ils auraient pu se dire ? Il s'est rendu loin sur un sentier, puis est revenu par le même chemin dans la pénombre d'une aube laiteuse, brouillonne, dont la blancheur s'opacifie du côté de la mer.

Hier soir, Joaquin et lui ont eu un bref échange téléphonique rempli de silence. On ne peut pas vraiment nommer ça une conversation. Son père lui a rappelé qu'il l'attendait dans un village près de Gaspé. Il lui a donné les coordonnées de l'auberge, ajoutant qu'ils y seraient les seuls clients. Sébastien était assis dehors. Le crachin pluvieux avait cessé, le ciel s'emplissait de nuages hauts, déchirés en lambeaux, qui laissaient entrevoir les étoiles. Il y a eu une pause au bout du fil. Sébastien a dit qu'il irait.

Il a décidé de régler ses comptes avec son père. C'est pour ça qu'il est venu. Il ferme la maison, monte dans sa voiture et s'engage sur la route 132 en direction est. Ce matin, il n'arrive pas à voir la mer. Une brume tenace a envahi la baie pendant la nuit, la falaise rouge est blafarde, l'horizon opaque et monochrome. Il a l'amertume plus dense que les nuages, par les temps qui courent. Ça l'empêche de voir clair.

Il traverse le village de Saint-Siméon, puis Bonaventure. Le brouillard camoufle la mer. Il a déjà vu des images en couleurs de la Gaspésie dans les publicités. En été, les marguerites, les lupins et les autres fleurs des champs doivent agrémenter le paysage. Aujourd'hui, tout est monochrome. De petites églises anglicanes surgissent çà et là, fantomatiques et apparemment abandonnées. L'architecture désorganisée, les échoppes fermées, les affiches défraîchies ou brisées rendent la route presque lugubre. Il croise des camions-remorques qui transportent de gigantesques pales d'éoliennes. Elles fléchissent quand les roues rencontrent des trous dans la chaussée. Le pavé est en si mauvais état qu'il ressemble à une mosaïque d'asphalte gâchée.

Le délabrement des villages frappe l'œil avec une certaine agressivité. Le ciel est complètement bouché. C'est d'un laconisme sans fin. Il a bien mis de la musique, mais le cœur n'y est pas. Il ne trouve plus ce qu'il faudra dire à son père. Il cherche à énoncer les blâmes à haute voix, à s'entraîner pour la rencontre. En vain.

Il traverse le village de Sainte-Thérèse-de-Gaspé. Le vent se lève peu à peu. Il s'arrête dans la première halte routière à l'entrée du territoire de Percé. Plusieurs escaliers de bois, larges et droits, descendent vers une petite plage bordée de falaises rouges. Une grève de cailloux roses et de sable beige. Les vagues y roulent, basses et lourdes. L'air est doux, l'automne étire la belle saison. Septembre fait une fleur à la Gaspésie. La mer se jette à ses pieds. Il continue sa route.

Il en a aperçu des dizaines de représentations dans des guides touristiques. Il en a vu tant de photos qu'il a fini par trouver ça quétaine. Mais malgré lui, au fur et à mesure qu'il avance vers la ville de Percé, il se surprend à espérer que le brouillard se dissipera suffisamment pour lui permettre de distinguer le rocher Percé.

Et le vent forcit.

Alors que la brume prend le large, la mer devient l'océan, le soleil apparaît et l'eau vire au bleu. Au sommet de la célèbre et bien nommée côte de la Surprise, soudain, l'horizon s'ouvre et il le voit. Le rocher Percé. Il est rose. Ou plutôt vert et rose.

Sébastien entre dans la ville désertée par le tourisme, cherche, hypnotisé par le roc à demi couché au-dessus de la mer, un endroit où s'arrêter. Il tourne sur la rue du Quai, se gare près du musée, sort de son véhicule. Il jette un œil vers l'île Bonaventure, dont la forme imite une gigantesque baleine échouée. Les vagues font rouler des pierres roses et vertes, qui rendent un bruit métallique. Il retourne à sa voiture.

De l'autre côté de Percé, la route monte et se faufile le long de la falaise. Il poursuit son chemin. Coin-du-Banc, Bridge-ville, Barachois. Pointe-Saint-Pierre, Saint-Georges-de-Malbaie, Prével, Bois-Brûlé, L'Anse-à-Brillant, Douglastown.

Quand il arrive à Gaspé, son cellulaire sonne. C'est un numéro gaspésien.

— Allô ?

— Bonjour. Je m'appelle Corine. Vous êtes bien le fils de Joaquin Moralès ?

— Oui.

— Il y a une battue dans le parc pour tenter de retrouver la fille qui a disparu et je veux y aller. Alors il y aura personne ici pour vous accueillir. Ça vous gêne si je vous donne le code d'entrée et que je vous laisse vous arranger tout seul ? Vous allez à l'étage et vous choisissez la chambre qui vous intéresse.

— C'est où, la battue ?

— Vous voulez venir ?

— C'est où ?

— J'ai donné rendez-vous à une copine pour qu'on aille jusqu'au belvédère du Cap-Bon-Ami, mais elle ne sera pas libre avant une heure. Je pensais aller faire un tour à Grande-Grave avant de monter. Vous êtes dans le coin ? Vous voulez qu'on s'y rejoigne ?

Sébastien sourit. Pourquoi pas ? Il s'achètera des bottes dans une boutique du coin et marchera avec les filles. Ça lui changera les idées. La confrontation avec son père peut bien attendre quelques heures.

— Bonjour, madame Roch ! Pourriez-vous m'ouvrir la porte, s'il vous plaît ?

Elle ne bronche pas.

— J'ai rendez-vous avec l'agent Lefebvre.

La réceptionniste tend à Moralès un papier plié sur lequel est écrit à la main « Sgt Poralès ». Il lève les yeux vers Thérèse Roch. Celle-ci continue de taper à l'ordinateur comme si de rien n'était. Intrigué, il lit le mot. Une écriture fine, couchée vers l'avant.

« Enquêteur Poralès,

J'ai des informations confidentielles à vous dévoiler. J'ai VU des choses extraordinaires la nuit où Angel Roberts a disparu. Contactez-moi.

Dotrice Percy »

Suit un numéro de téléphone à l'indicatif de la Gaspésie.

— Merci, madame Roch. Maintenant, pourriez-vous…

La porte extérieure s'ouvre en coup de vent sur Simone Lord.

— Salut, Thérèse ! Belle journée ?

La réceptionniste lui jette un coup d'œil, acquiesce et appuie sur l'interrupteur du loquet d'entrée. L'agente des pêches ouvre la porte. Elle l'a parfaitement ignoré, mais Moralès se dépêche et se glisse dans l'embrasure de la porte. Simone Lord a le dos droit. Elle porte un lainage d'automne avec un col rond. Elle ne dit rien, ne lui jette même pas un regard dédaigneux. Ils entrent dans la petite salle de réunion. Lefebvre n'y est pas. Elle se tourne pour sortir. Moralès l'attrape de plein fouet dans la poitrine et le mal est fait : il respire son odeur de terre et de vent. Elle le repousse, il se range, elle sort dans le corridor, file vers le bureau de Lefebvre, il la suit.

La porte est ouverte. Lefebvre leur fait signe.

— J'ai des réponses pour vous, Moralès !

Fier de son affaire, l'agent frappe son bureau de la main et fait tomber deux feuilles par inadvertance.

— Oups…

Il se penche, ramasse ses papiers, revient à la surface, laisse choir une des feuilles dans le bac de recyclage, la récupère, la regarde attentivement, la pose sur une pile, à sa gauche.

— Après ça…

Moralès se demande comment se placer pour réussir à fermer la porte derrière eux. D'une fois à l'autre, la pièce semble rapetisser tant les dossiers et objets s'accumulent, la transforment en antre. C'est Simone qui trouve la solution.

— J'apprécie ton environnement, Lefebvre, mais j'aimerais mieux qu'on aille dans la salle de réunion. Mon bilan sera rapide.

L'interpellé lève la tête, surpris.

— Ah, oui ?

Il fronce les sourcils, glisse un regard interrogateur en direction de Moralès.

— Si c'est ça que vous voulez…

Dans l'autre pièce, alors que les deux hommes s'assoient, Simone Lord, très droite, les mains dans le dos, relate les recherches des dernières heures.

— Nos effectifs ont balayé plusieurs fois la zone entre la baie de Gaspé et l'est de l'île Bonaventure, sans succès. Le brouillard nous a beaucoup nui. Le ciel s'éclaircit, mais le temps passe. Les zodiacs n'ont rien trouvé le long des côtes. Nous concentrons nos efforts pour localiser un point visuel blanc qui correspondrait à une robe de mariée, nous ne laissons rien au hasard.

Elle parle d'une voix monocorde, professionnelle, en regardant l'agent Lefebvre qui, mal à l'aise d'être pris pour l'interlocuteur principal, ne sait plus où poser les yeux. Son attention alterne entre Lord, la carte maritime toujours épinglée au babillard et l'enquêteur.

— Nous comptons poursuivre ce rythme de recherche encore deux jours. Les chances de retrouver Angel Roberts vivante diminuent d'heure en heure.

Elle se tait. Lefebvre prend le relais, il se force à avoir le dos droit et le ton officiel, comme si Simone avait imposé un décorum qu'il se sentait contraint d'adopter.

— En ce qui a trait au…

Elle l'interrompt.

— Les autres éléments de cette enquête ne concernant pas mon champ d'expertise, je vais vous laisser et retourner à mon poste.

Simone Lord sort de la pièce. Ahuri, l'agent Lefebvre dévisage Moralès.

— Il faudrait régler votre petite chicane, si on veut pouvoir travailler ensemble, tu penses pas?

Joaquin hésite entre l'orgueil et la honte. Il se trouve un peu idiot de l'avoir rembarrée, mais de là à s'excuser?

— T'es rendu où?

Lefebvre soupire.

— En ce qui concerne le testament…

Il fouille dans ses papiers un moment, ne trouve pas l'information qu'il cherche, abandonne et regarde Moralès.

— Le notaire dit que tout revient à son époux. Elle n'a utilisé aucune de ses cartes bancaires depuis jeudi dernier, soir où elle a dépensé l'équivalent de deux bouteilles de vin à la Société des alcools. Sa situation financière est excellente. Trop excellente, d'ailleurs. C'est à se demander comment elle est arrivée à payer son homardier aussi rapidement.

— Elle a des dettes?

— Non.

— Et son mari?

— Pas beaucoup. Clément avait vingt ans quand son père est mort. Il a hérité de sa pêche. Il est confortable, mais il a changé de crevettier il y a trois ans.

Moralès réfléchit un instant. Lefebvre en profite pour fouiller de nouveau dans ses papiers.

— As-tu ça, toi, un testament? Moi, j'ai jamais pensé à ça, mais le notaire m'a dit qu'il faudrait que j'y voie, étant donné que j'ai pas d'enfants.

Il sort une feuille de sa pile.

— Il m'a écrit son tarif. Penses-tu que c'est le même prix partout ou si ça se magasine?

Sébastien s'est stationné dans la cour du magasin général. Corine l'attendait.

— On a le temps de se promener en bord de mer avant que Kimo arrive. Elle donne un cours de yoga, elle devrait être ici dans une demi-heure. T'es déjà venu en Gaspésie?

— Jamais.

Le soleil fait exploser la mer de reflets fous et aveuglants.

— En 1970, le gouvernement a exproprié les trois mille personnes de la pointe pour créer le parc national, tu le savais?

Il secoue la tête. Corine avance en sautillant vers le magasin général fermé sur lequel une affiche repeinte à la mode de l'époque indique Wm HYMAN and Sons. Un lieu historique retapé.

— Pendant deux siècles, les Gaspésiens ont été traités comme des esclaves par les Robin, qui venaient de l'île de Jersey, et par les Hyman, qui venaient de la Russie. Des exploiteurs. Au lieu de payer les pêcheurs, ils leur donnaient des coupons de troc pour des marchandises. Ici, c'était leur magasin général. Ç'a l'air d'un bâtiment historique, mais ça fait pas longtemps que c'est fermé.

Au fur et à mesure que Corine raconte, elle entraîne Sébastien sur une route de gravier. Ils arrivent à un belvédère qui surplombe la falaise et est entouré de buissons. Çà et là, quelques épinettes se regroupent pour résister avec acharnement aux coups de vent. L'automne a fait rougir les buissons.

— L'été, on voit les bouées de pêche tout le long, ici.

En bas, Sébastien aperçoit une plage de cailloux, inaccessible, envahie de goélands moqueurs. L'eau est transparente, des rochers plus foncés font tache dans la lumière. Le fond de l'eau est d'un bleu si clair qu'il en est presque vert. La falaise, en strates de calcaire, trace une demi-lune intrépide au-dessus de la mer. Là où la vague s'est acharnée à la modeler, la courbe concave de la pierre est surmontée d'épinettes qui s'y sont implantées dans un moment d'inconscience. Leur audace rejoint celle des alpinistes qui se croient invincibles.

Entre ce bosquet d'épinettes noires, qui cache la pointe est du parc Forillon, et la plage Haldimand, au sud de la baie de Gaspé, l'océan prend le regard et l'avale. Sébastien quitte le belvédère et marche quelques pas à côté pour tenter de voir au-delà des épinettes.

— Va pas là ! Y a de l'herbe à puce ! Tu vas te gratter toute la semaine !

— Il y a un sentier qui mène au bout du parc Forillon ? C'est possible d'aller sur la pointe ?

— Oui, tu peux aller au Cap-Gaspé par le sentier qui mène au Bout-du-Monde. Mais aujourd'hui, on va au belvédère du Cap-Bon-Ami. C'est au sommet de la montagne. La vue est à couper le souffle. Tu le regretteras pas !

Elle jette un œil à sa montre.

— Kimo est à la veille d'arriver. Viens ! Si tu veux t'approcher de la mer, on va revenir au quai par le sentier !

Enthousiaste, Corine lui sourit avant de s'engager dans un chemin qui longe le haut de la falaise. Sébastien l'envie. Il envie sa légèreté, sa joie. C'est ça qu'il veut. Être bien. Elle gambade en avant de lui, joue à aller plus vite. Emportée dans son propre mouvement, elle s'enfuit en courant et, au détour de la première courbe, il la perd de vue. Il entend un moment le craquement des herbes hautes qui la frôlent, son rire joyeux, les semelles de ses souliers qui font crisser les cailloux, puis le silence revient, haché par le ressac des vagues contre la paroi rocheuse.

Il la laisse aller devant. Il prend son temps. Il n'entend plus le mouvement des herbes hautes sous les pas de Corine, ni son rire, ni le bruit brisé des branches. Il avance lentement vers la falaise qui luit d'embruns. Les cris des goélands, le chant des mésanges, le roulis des vagues.

Il sent plus qu'il n'entend son cellulaire vibrer dans son sac de randonnée. Il hésite. Retirer le sac, l'ouvrir, lire le texto ? Corine va l'attendre. Il poursuit sa route, longe un ancien séchoir, suit le trottoir qui borde le magasin. De l'autre côté d'un petit vallon, à mi-chemin entre l'établissement et le quai, il aperçoit une minuscule anse isolée.

La mer balaie la grève de cailloux ronds et polis. Le bruit des vagues n'est pas le même qu'à Percé. Ici, les galets créent une musique chatoyante, le bruissement d'un collier de perles qu'une main lasse abandonne en tas dans un écrin de velours bleu. Des outardes, accompagnées de leurs petits, profitent du mouvement mou de l'onde avant la migration. Sous ses pieds, les roches s'entrechoquent comme s'il marchait sur des pièces d'or. Sébastien réfléchit à l'ironie de la chose : si Corine a dit vrai, c'est de la pierraille de pauvres sur une plage de pêcheurs exploités.

Il pense à ce que les hommes se lèguent de pauvreté et de soumission. Il devra parler à son père. Prendre une décision. Rentrer en ville.

La mer remet de l'ordre dans les cailloux. Sébastien rejoint le sentier vers le quai. Le silence revient, uniquement frappé par les vagues qui poursuivent leur battement cardiaque contre la paroi rocheuse. Il contourne un bosquet dense. Des odeurs animales, des effluves terreux et salés à la fois lui parviennent. Ses bottes neuves sont solides contre la terre. Le stationnement est désert. À sa droite, il y a une aire de repos. Il s'y avance.

— Corine ?

Il frissonne. Elle n'est pas là. Elle doit être au quai. Son cellulaire s'agite encore. Il arrive enfin près du quai. Il est vide. Il jette un œil du côté des hangars, puis du bateau amarré au ponton. La mer l'aveugle. Il avance vers le ponton. C'est là qu'il la voit. Ou qu'il croit la voir, il n'en est pas certain. Il accélère le pas, inquiet. Oui, c'est elle. Assise, jambes croisées, sur le ponton, près d'un bateau. *L'Échoueuse II.*

— Corine ?

Elle ne répond pas. Il s'approche.

— Il s'est passé quelque chose ?

Elle se ressaisit, secoue la tête.

— Non. Je m'excuse.

Elle s'essuie les yeux, se lève.

— C'est le bateau d'Angel, la femme qui a disparu. C'est pour la retrouver qu'on fait la battue.

Derrière eux, une voiture descend la pente et entre dans le stationnement.

— C'est Kimo. Viens, je vais te la présenter.

Le véhicule tourne dans la cour de la maison bleue. Simple, mais coquette, la demeure d'Annie Arsenault est entourée d'arbres. Seul le côté sud est dégagé, celui qui offre une vue partielle sur la mer.

En stationnant sa voiture, Moralès aperçoit un grand potager, à l'arrière, qui chevauche le terrain d'Angel Roberts. Des assiettes d'aluminium, accrochées à des fils fixés à de longues branches de bois plantées dans la terre, virevoltent dans le vent d'ouest, font fuir les oiseaux. Une clôture en treillis le protège contre l'assaut des chevreuils et des lièvres. La partie ouest est recouverte par les feuilles jaunies des haricots grimpants. Du côté nord, les piquets en désordre ont été cordés debout, en palissade brouillonne, après que les plants de tomates se sont flétris et qu'on les a arrachés. Juste devant, des fleurs penchent lourdement leur corolle brunie vers le sol. À travers le treillis, les taches orange des citrouilles, le vert tendre des choux d'automne et l'ocre quasi roux de la terre retournée créent une œuvre pointilliste automnale. Derrière le potager en pente, le bac de bois contenant le compost et un petit cabanon sur le côté duquel des outils aratoires sont accrochés complètent l'espace.

Annie Arsenault ouvre la porte avant que Moralès ait le temps de cogner. Elle s'avance, ne se tourne pas, mais devine ce qu'il regarde.

— C'est un potager qu'on a fait ensemble, Angel et moi. La semaine passée, on a retourné une partie de la terre.

C'est une belle femme aux lèvres minces et aux yeux verts. Elle a le visage rougi d'avoir pleuré. Moralès l'a appelée ce midi pour lui donner rendez-vous.

Elle sourit et Moralès voit apparaître la femme en entier. Les lignes de son visage se sont modelées depuis longtemps autour de ce sourire gracieux qu'il devine naturel, mais qui peine à se montrer aujourd'hui. Ses cheveux courts et dépeignés retroussent en boucles désordonnées autour d'un bandeau de couleur. Elle porte un joli chandail jaune sous une veste marine.

— On est allées à l'école ensemble. Elle a décidé de devenir pêcheuse, et moi, je suis devenue prof. J'enseigne les mathématiques au cégep de Gaspé. Les gens disent ça, des fois, qu'on s'éloigne de nos amis, qu'on se perd en vieillissant. Nous autres, on s'est acheté des maisons côte à côte, on fait notre jardin et nos cannages ensemble ; l'hiver, quand je finis tard, elle garde mes gars, et l'été, ça m'arrive de l'aider avec sa pêche. Le temps nous a rendues sœurs.

Elle s'arrête, inspire fortement pour endiguer ses larmes. Moralès se tait. Ça fait longtemps qu'il a cessé de consoler les gens. Il lui dirait quoi, de toute façon ? Qu'il retrouvera Angel Roberts ? Qu'il lui ramènera son amie vivante ? Qu'elles sèmeront de nouveau des graines de poivrons en mars dans la serre, qu'elles planteront des tomates en mai et récolteront des carottes en juillet ?

— On va s'installer dehors, si vous voulez. Il fait beau.

Elle a préparé une infusion et posé une boîte de mouchoirs de papier sur la table basse. Moralès s'assoit pendant qu'elle verse la tisane. Ça sent le sapinage, l'aubépine et le thé des bois.

— Mon mari est parti avec nos trois gars. Ils font la battue. Moi, je...

Des larmes descendent, suivent sur ses joues des sillons creusés par les derniers jours. Elle arrache deux mouchoirs à la boîte.

— Je m'excuse.

Elle essuie ses larmes.

— Je suis pas capable d'y aller.

Les sanglots lui frappent l'intérieur de la poitrine.

— J'ai trop peur de trouver Angel, avec sa robe de mariée...

Moralès comprend. Elle craint de trouver son amie battue, violée, torturée. Elle a peur de l'effroi qu'elle lirait sur le visage de sa confidente, de la terre noire imbibant sa robe maculée; elle redoute de vivre ensuite avec ces images imprégnées dans ses rétines et de ne plus pouvoir s'accroupir dans le potager pour y recréer les gestes qui leur étaient chers à toutes deux.

Il la laisse reprendre pied.

— Vous la connaissiez depuis longtemps.

Ce n'est pas une question, mais elle acquiesce.

— Nos mères travaillaient ensemble, comme infirmières, à l'hôpital de Gaspé. La sienne a été emportée par le cancer il y a une dizaine d'années. C'était la fille d'un médecin très connu ici, il avait aussi fait de la politique. Une famille très impliquée dans la communauté.

— Et la famille du père, elle vient d'ici?

Annie Arsenault esquisse une moue de dépit.

— Oui. Le grand-père d'Angel travaillait au magasin Hyman, qui appartenait à une compagnie qui exploitait les pêcheurs. Il était pas aimé parce qu'il jouait les riches. Même quand le magasin a fermé, il a continué à faire semblant d'être riche. Quand il est mort, il a laissé rien que des dettes à ses enfants. Des dettes et de la honte.

Elle penche la tête.

— C'est triste quand on y pense. Mon père racontait que, quand il était jeune, le père d'Angel voulait devenir pêcheur, mais personne l'a engagé parce que son père avait été arrogant avec les pêcheurs du coin. Il a dû aller au Nouveau-Brunswick pour trouver du travail. Un jour, il est revenu. Il a rencontré la mère d'Angel et ils se sont mariés. C'est elle qui lui a financé son premier bateau. Mais les rancunes ont la tête dure : même avec un beau bateau, il a eu du mal à trouver des aides-pêcheurs parce que les gens d'ici voulaient pas travailler avec lui. Il y a des familles qui se passent des chicanes de génération en génération.

— C'est lui qui a financé les bateaux de ses enfants ?

— Je ne sais pas.

Annie Arsenault se mord l'intérieur de la joue, pensive, boit une gorgée de tisane.

— Celui d'Angel ?

Elle pose sa tasse, s'adosse à la chaise. Du coin de l'œil, elle peut entrevoir une partie du potager. Il a fallu qu'elles creusent, là, qu'elles ensevelissent une clôture de broche parce que les ratons laveurs foraient de véritables autoroutes sous le treillis pour aller manger les laitues.

— Ça m'étonnerait. Angel avait quinze ans quand elle a choisi ce métier-là. Les hommes disaient qu'elle serait pas capable. Même son père. Il a jamais voulu la prendre à bord. Il est assez macho, Leeroy. Comme tous les pêcheurs, peut-être. De toute façon, elle, c'était pas la morue ni les crevettes qui l'intéressaient, mais le homard. Elle rêvait de caboter le long de la côte.

Elle sourit légèrement en parlant de son amie, comme si le fait de se la remémorer suspendait le temps, repoussait l'heure à laquelle il faudra admettre sa disparition, se résigner à sa mort.

— Elle est allée étudier à Rimouski, à l'Institut maritime. Je me souviens pus trop des détails, parce que je faisais mon université à Québec à ce moment-là. Ce que je sais, c'est qu'Angel a eu son bateau juste à la mort de sa mère.

Lefebvre avait affirmé que le homardier d'Angel était payé. Un héritage, probablement.

— Quand Jean Morrissette a pris sa retraite, c'est elle qui l'a acheté. Elle avait vingt-deux ans. Il avait écrit, dans le contrat de vente, qu'il lui donnerait un coup de main, mais oubliez ça. Faut dire que sa femme était malade ; Morrissette a déménagé à Québec pour être plus près des services de santé. En plein hiver. Ça fait qu'Angel s'est ramassée toute seule au printemps.

Moralès prend une gorgée de l'infusion. Il n'aime pas son goût trop boisé, mais ne le laisse pas voir.

— La plupart des pêcheurs apprennent en travaillant sur les bateaux des autres, mais elle, personne a voulu l'engager. Pis personne voulait travailler pour elle. Angel, c'était rien qu'une femme, vous comprenez ?

— Est-ce que des pêcheurs ont tenté de saboter sa pêche ?

— C'est arrivé, oui.

— Comment ?

— Les trappes à homards sont reliées à un câble. Sur chaque ligne, il y en a une dizaine. Cette ligne-là est lestée de plomb, pour éviter d'arracher les moteurs des petits bateaux qui passent en surface. Tout ça, c'est au fond de l'eau. Ça fait qu'à chaque bout de la ligne, il y a une bouée qui flotte à la surface. Le pêcheur arrive, prend une des bouées et met la ligne sur un treuil. Il relève les trappes comme ça, en tirant dessus. Vous comprenez ?

Il acquiesce.

— La première année, y a quelqu'un qui coupait les lignes d'Angel. Elle arrivait dans sa zone, les bouées avaient disparu ! Les premières fois, il a fallu qu'elle engage des plongeurs pour retrouver les lignes et les cages. Après, elle s'est équipée pour plonger elle-même. Elle en a jamais parlé. À personne. Elle s'est débrouillée.

Moralès se tourne vers le potager pendant qu'Annie Arsenault marque une pause. Il l'admire, cette Angel de courage qui creusait la terre et les eaux.

— À un moment donné, ç'a arrêté. On n'a jamais su pourquoi, mais moi j'ai toujours pensé que son oncle Jacques était
allé dire deux mots à un autre pêcheur…

— Jacques Forest?

— Oui. Il était secouriste en mer aux États. Il est revenu
quand la mère d'Angel est morte. C'est peut-être elle qui l'a
appelé pour lui demander de veiller sur sa fille. Je sais pas. Il
s'est embarqué avec elle. C'est son homme le plus fiable, mais
lui non plus il avait jamais pêché, vous imaginez?

— Qui d'autre travaillait avec elle?

La jeune femme prend une gorgée de tisane, serre la
mâchoire comme si elle goûtait une endive amère.

— Elle a eu pas mal d'aides-pêcheurs, avec le temps. Des
jeunes pas fiables qui cherchaient un travail facile et qui
lâchaient vite; des Amérindiens de la réserve qui revenaient pas
l'année suivante; des gars qui avaient pas de place sur le bateau
de leur père. Depuis que son frère a vendu son pétonclier, elle
a récupéré un de ses aides-pêcheurs, Jean-Paul Babin.

— Son frère ne pêche pas avec elle?

— Non.

Le ton était froid.

— Ils s'entendent bien, ses frères et elle?

Annie verse une rasade de tisane dans sa tasse, ne commente
pas le fait que Moralès ait à peine touché à la sienne. Ce n'est
pas la boisson préférée de l'enquêteur, mais elle ne le remarque
pas.

— Bruce a longtemps travaillé sur des gros bateaux, dans le
Nord. Ça fait pas longtemps qu'il a racheté le permis de son
père. Cinq ans, peut-être. C'est un gars discret.

— Et Jimmy? Ils sont en chicane?

Elle hésite un moment.

— Les Roberts, on dirait qu'ils ont jamais eu le tour de
se faire aimer. C'est comme une tare héritée du grand-père.
Ils sont trop accros à l'argent. Ils se disputent entre eux et
avec les autres. Je sais pas tout parce que je suis allée étudier

pendant plusieurs années à Québec, ça fait que j'ai perdu le fil des chicanes, mais je sais qu'au mariage d'Angel les Roberts étaient pas contents.

— Pourquoi ?

— Leeroy a jamais aimé le père de Clément. Les Roberts étaient frustrés parce qu'ils disaient que, si Angel mourait, c'est Clément qui reprendrait sa pêche. Vous voyez le genre ? Eux autres, ils s'étaient renseignés et ils avaient appris que, tant qu'Angel serait célibataire et sans enfants, c'étaient les frères et le père qui hériteraient en cas de décès. Qui pense à s'informer sur des affaires de même ? Personne !

— Et elle, qu'est-ce qu'elle pensait de tout ça ?

— Tous les ans, à la date anniversaire de son mariage, elle remettait sa robe de mariée et s'invitait à souper chez son père.

— Elle les narguait.

— Non. Je pense qu'elle voulait montrer qu'elle était amoureuse, heureuse, et que c'était plus important que l'argent.

Il a toujours préféré les paupières colorées, les yeux en pointe, les lèvres brillantes ainsi que les chevelures retenues grâce à un savoir-faire féminin qu'on dénouait en un tour de main aux visages sans fard. Pour lui, le summum de la féminité, jusqu'à présent, résidait à moitié dans la beauté naturelle de la femme et à moitié dans l'art de se rendre belle, dans cette habileté minutieuse qui sait équilibrer bijoux, mascara et pinces à cheveux.

Sébastien pose un pied devant l'autre, dans un effort continu et conscient pour vaincre la montagne. Kimo ne porte que de minuscules boucles d'oreilles dorées et son visage, exempt de maquillage, est naturellement bruni par le soleil, rougi par l'émotion. Elle a un je-ne-sais-quoi de triste et d'honnête qui la rend séduisante. Elle s'est donné pour tâche de monter au pas de course, avec une colère qu'elle transpire et qui lui coule sur la peau. Ce n'est pas Sébastien qui va contredire cette technique de décompression.

Elle l'a salué rapidement et ils ont marché tous les trois en direction du Cap-Bon-Ami.

— Qu'est-ce que tu viens faire en Gaspésie, toi?

— Des expérimentations culinaires avec les produits locaux.

Elle hausse les épaules comme si elle n'y croyait pas. Corine intervient.

— Va falloir que je te fasse goûter des bières!

Kimo secoue la tête.

— Corine a un faible pour les brasseurs.

— C'est mieux qu'un faible pour les pêcheurs!

Immédiatement, l'aubergiste regrette sa blague, s'excuse.

— C'est sorti tout seul, Kimo...

Son amie accélère le pas, tourne en direction du belvédère. Mortifiée, Corine chuchote :

— Des fois, je devrais juste me taire.

Elle laisse passer Sébastien. Mal à l'aise, il suit Kimo pendant toute la première partie de l'ascension. Peu à peu, il se surprend à épier la jeune femme, ses muscles, ses jambes, ses cuisses, ses fesses surtout et le bas de son dos. Arrivé au premier palier, il s'arrête, jette un œil à cette nuque découverte sur laquelle la sueur perle.

Entre les amies, un silence malheureux plane. À brûle-pourpoint, Kimo le prend soudain à parti.

— T'es-tu le genre d'homme à être fidèle, toi?

Il s'étonne. C'est une question abrupte, mais rhétorique. Oui, il est du genre fidèle, mais elle est là et belle devant lui, qui a besoin d'une pause. Mieux vaut ne pas répondre.

— Parce que moi, j'ai un mauvais karma dans mes histoires d'amour. Je me fais tout le temps manipuler! Toi, t'es-tu le genre de gars qui se pense correct?

Surtout, ne pas répondre. Kimo est costaude et, sous le belvédère, la falaise est à pic. Sébastien opte pour une technique qui a souvent fait ses preuves : le changement de sujet.

— Moi, quand ça ne va pas, je danse. Vous savez danser la salsa ? Le belvédère est pas grand, mais on peut faire quelques pas.

Kimo le fusille du regard, se détourne et décampe au pas de course dans le sentier. Il se tourne vers Corine.

— C'est la première fois que je fais fuir une femme aussi vite !

Corine pouffe de rire et continue la montée.

— T'es lent, Moralès ! T'es lent !

Il reprend le sentier, sans oser dépasser Corine ni tenter de rejoindre Kimo. Ils s'arrêtent à une deuxième station. La vue est impressionnante. Il ne peut pas voir la montagne, mais l'horizon s'étend autour d'eux et offre assez d'espace pour respirer un peu.

— C'est ton cellulaire qui vibre ?

Il rougit. Depuis le belvédère, l'appareil a dû attraper les ondes d'une tour placée en hauteur.

— Si tu voulais pas répondre, t'aurais dû le laisser dans ton auto !

Kimo se détourne de nouveau et repart vers le sentier. Corine tente maladroitement d'excuser son amie.

— Elle a vécu une histoire difficile…

Elle esquisse un geste d'impuissance et file à sa suite.

Sébastien s'appuie contre la rambarde, retire son sac, sort son téléphone. Maude a appelé douze fois aujourd'hui. Il pense à tout ce qui faisait sa vie encore la semaine dernière, et ça lui rentre dans le ventre comme un coup de poing. Il considère le sentier. Pourquoi se presser ? Il voudrait se donner la possibilité de voir sa vie sous un autre angle. Et puis pourquoi se le cacher ? Il y a cette fille, Kimo, qui l'attire, peut-être parce qu'il sent en elle un désarroi proche du sien. Il pourrait s'en approcher, non pas pour tromper Maude, mais juste pour se sentir compris. Pour échanger. Sans arrière-pensées, pour se consoler. Il s'aperçoit qu'il se ment à lui-même. Il a envie de l'approcher pour fuir sa vie, pour en finir avec Maude. Il enfouit le cellulaire dans ses affaires, remet son sac sur son dos, reprend l'ascension. Plus tard, il prendra la mesure de tout ça. Pas maintenant.

Il arrive un long moment après les filles en haut de la montagne. Assises sur un banc de bois du belvédère, elles mangent des fruits et des noix. Il se tourne vers l'horizon. Anticosti vers le nord, Percé de ce côté, l'océan est partout. Il retire son sac, le pose sur le banc. Corine se lève et s'avance vers lui.

— Moi, je serais prête pour un premier cours de salsa.

Sébastien Moralès s'incline, prend sa main et attire la jeune femme dans ses bras. Elle rit pendant qu'il lui montre quelques pas, qu'il enchaîne avec une figure et la fait tourner dans l'espace restreint de la plateforme. Étourdie par le tournoiement et l'altitude, elle demande vite grâce et se rassoit.

Sébastien avance alors vers Kimo et lui tend la main gauche. Elle le fixe d'un air de défi, puis pose sa main droite contre sa paume. Elle se lève, rigide et fermée, consentante malgré elle, forcée de se dépasser pour ne pas paraître mauvaise joueuse. Il garde sa main dans la sienne, prend la main gauche de sa partenaire, la pose sur son épaule droite, s'approche.

Il entre dans son odeur humide et boisée avec délicatesse, lui fait exécuter un pas vers le côté, un autre vers l'arrière. Elle suit, braquée et endolorie. Fragile. Il danse au ralenti, parce qu'il sent, dans le corps de la jeune femme, la tension de la douleur. Momentanément, il oublie la sienne, se concentre sur Kimo, sur la façon de la faire reculer, avancer. Il essaie de la faire tourner et, au moment où elle virevolte, il voit soudain la mer s'ouvrir sur tout l'horizon, l'air frais lui emplit le corps. Brusquement, Kimo se fige, pas tout à fait face à lui, retenue comme à un fil par la main de son cavalier au-dessus de sa tête. Elle la lâche. Un instant, Sébastien pense qu'elle va éclater en sanglots, mais elle recule, l'abandonne.

— Tu devrais prendre ta collation avant de descendre.

Elle remet son sac à dos, se détourne et s'enfuit en direction du sentier.

— Vous croyez que Clément est fidèle ?

Annie Arsenault tourne la tête en direction du potager. Elle temporise, ça n'est jamais bon signe.

— Cet été, il s'est passé quelque chose d'étrange. Il y a une fille, Kimo. Kimo, c'est un surnom. C'est Kim Morin, de Cloridorme, je pense. Je suis pas certaine, mais il y a beaucoup de Morin dans ce coin-là. Elle est installée à Rivière-au-Renard depuis quelques années. Elle donne des cours de yoga en ville.

Elle s'arrête, attend que Moralès la pousse un peu.

— Il s'est passé quelque chose entre Clément et elle.

Elle lui jette un regard signifiant « c'est vous qui m'y incitez, alors je vais tout vous dire ».

— J'ai cru comprendre qu'elle avait fréquenté Bruce. C'est pas clair. Bref, elle se tenait sur le grand quai des chalutiers. Angel a jamais aimé les femmes qui traînent sur les quais. Traîner sur les quais, ça équivaut un peu à courtiser les pêcheurs. Un soir qu'on était ensemble, elle a fait des blagues idiotes au sujet du yoga, mais c'était clair qu'elle se moquait de Kimo. Clément était là. Il a pas dit un mot, mais il paraît que, le lendemain, il lui a fait visiter son bateau.

Elle parle de cette visite comme s'il s'agissait d'une haute trahison, puis verse ce qu'il reste de tisane dans sa tasse.

— Les hommes jasent. Mon chum dit que c'est juste des ragots, que Kimo a l'air d'une femme correcte. Il doit penser que je suis jalouse parce qu'elle a quoi ? Vingt-trois ans ? Et qu'elle est belle.

Moralès sourit. Annie Arsenault est une femme charmante dont le physique n'a rien à envier à l'autre. Sans parler du sourire.

— Mais il se trompe. Je suis pas jalouse, même que j'admire les femmes fortes. Quand Kimo a déménagé ici et qu'elle a ouvert son centre de yoga, j'ai trouvé ça fantastique. On la voyait s'entraîner pour ses triathlons, courir dans le parc, faire du vélo sur la 132, nager dans la baie de Gaspé. Elle m'épatait. Mais quand une femme tourne sur un quai commercial comme celui de Rivière-au-Renard et qu'elle s'invite à bord du bateau d'un homme marié, j'ai beaucoup de difficulté à croire que c'est pas une intrigante.

Elle boit une gorgée de tisane, se ressaisit.

— Je connais pas beaucoup de gens plus amoureux que Clément et Angel. Je peux pas croire que Clément aurait été infidèle à Angel.

— Et Angel? Elle a déjà eu un amant?

Annie Arsenault ramène un regard surpris vers Moralès.

— Non. Je le saurais.

— Dans la nuit de samedi à dimanche, avez-vous entendu des bruits chez votre voisine?

— Quel genre de bruits?

— Des voitures qui arrivent ou s'en vont.

— Clément et Angel sont pêcheurs, il partent souvent pendant la nuit. Ça fait longtemps qu'on se réveille plus pour ça.

— Vous croyez qu'elle pourrait s'être enfuie?

— Non.

— Qu'elle aurait pu… se donner la mort?

— C'est pas son genre.

— Ce serait quoi, son genre?

Annie Arsenault esquisse un sourire doux et désolé en se tournant vers la mer.

— Son genre, enquêteur Moralès, c'est de rester vivante.

Joaquin s'arrête à l'épicerie, puis roule vers l'auberge, se stationne dans la cour. Peut-être que Corine soupera avec lui. Avec eux. Il va la présenter à son fils. Son cellulaire vibre. Un message de son ami Doiron. Il répond d'un mot rapide. Il déteste penser aux problèmes de couple pendant une enquête. Après, il y verra. Après.

Il sort de la voiture, jette un œil sur la mer avant d'entrer dans l'auberge. Le ciel est bleu foncé. La vague est forte. Les crêtes sont dures, cinglantes. C'est ce qu'il dirait à Cyrille s'il était à Caplan. Il regarde vers le large. Où es-tu, capitaine de *L'Échoueuse II* ? L'horizon est compact quand la vague est raide.

Il prend son dossier et se dirige vers la porte. La voiture de son garçon est garée dans le stationnement. L'heure avance et Sébastien doit s'ennuyer.

Un rire de femme. C'est ce que Joaquin Moralès entend en entrant. Un rire clair, sonore, un peu trop aigu, comme quand une femme est séduite ou veut séduire. Quand elle prend son rire frais, enfantin, frivole. Un rire qui s'étire, s'éteint dans le souffle, puis recommence et monte en pointe.

Moralès se dirige vers la salle à manger. Elle est là, assise sur une banquette rouge. Elle lui apparaît d'abord de profil, la tête légèrement relevée vers l'arrière, sans prétention, vêtue d'un jeans et d'un chandail à manches longues. Des bouteilles de bière sur la table. Et Sébastien, en face d'elle.

Son gars se lève en le voyant arriver.

— Salut, p'pa ! Ta journée a été longue. On a acheté des bières de L'Anse-à-Beaufils. Tu connais-tu ça ?

Moralès bougonne, mal à l'aise de voir son garçon qui, dirait-on, courtise une autre femme que la sienne. La présence de son fils, tout à coup, ou sa musique, qu'il s'entête à traîner partout, l'embête. Mais oui, une bière, pourquoi pas.

— J'ai acheté de quoi préparer une pizza aux fruits de mer. Je t'attendais. Installe-toi, relaxe. Je m'en occupe.

Il se trouve idiot de bougonner comme ça. Ridicule. Corine s'est levée aussi.

— Bonsoir, Joaquin ! Vous allez bien ?

Son prénom lui semble s'être empli de glace dans la bouche de la jeune femme. Il la salue. Elle se tourne vers Sébastien.

— Je te fais goûter la rousse ?

— Avec plaisir.

Elle tutoie son fils, mais le vouvoie, lui. Il se sent vieux. Il voit Sébastien prendre la pâte qu'il a dû préparer plus tôt, taper dedans. Moralès retire sa veste, s'installe à une table, avec ses feuilles, pour inscrire les nouveaux éléments. Corine revient, ouvre les bouteilles.

— Tiens, p'pa.

Sébastien vient déposer devant son père un verre de bière, de sa rousse qu'il a partagée, et les deux jeunes s'éloignent, choisissent un coin retiré pour éviter de le déranger. Ils chuchotent.

Moralès rédige une chronologie des événements liés à *L'Échoueuse II*. Il cherche le papier sur lequel il a noté les informations relatives aux aides-pêcheurs, ajoute que Jacques Forest est l'oncle maternel d'Angel, puis inscrit quelques lignes sur les autres, ceux dont Annie Arsenault a parlé. Il sort une nouvelle feuille. Malgré lui, il entend les jeunes qui parlent, rient, échangent des banalités. Il faudrait qu'elle prenne sa douche avant le souper, qu'elle dit. « Mais non, t'es correcte. » Elle se lève, fait trois pas. Elle dit qu'il ne faut pas en vouloir à Kimo, pour la danse. C'est une chouette fille, qui vit une peine d'amour. « Je suis pas sûre que la douche peut attendre. » Elle rit.

Moralès repousse sa chaise, se dirige vers la pâte.

— On te dérange, p'pa ?

— Mais non. Je vais juste voir la pâte.

— Corine se demande si elle doit se laver avant le souper.

L'aubergiste sursaute.

— Dis pas ça à ton père ! C'est gênant !

Il tape dans la pâte, question de faire sortir l'air, la recouvre, retourne à sa place.

— P'pa ! T'as même pas goûté à ta bière !

Joaquin a oublié, c'est vrai. Il y goûte, là.

— Elle est bonne.

Il doit faire de l'ordre dans ses notes, maintenant. Qui aurait pu prendre les couvertures et le casier de bois ? Il a fait jurer à Jacques Forest de n'en parler à personne. Il écrit le nom d'Annie Arsenault sur la page blanche, la date de la rencontre. Il ajoute qu'Angel et elle sont allées à l'école ensemble, qu'elles ont planté un potager, construit un enclos autour, qu'Annie fait de la tisane. Qu'elle doit terminer la récolte seule. Quoi d'autre? Il prend une gorgée de bière. «Ils annoncent beau demain. On devrait monter jusqu'au belvédère du mont Saint-Alban. T'es déjà allé?» Non, c'est la première fois qu'il passe en Gaspésie. Il a des bottines de marche neuves, prêtes pour ça. «On pourrait inviter Kimo, si tu veux.» Joaquin tente de se concentrer. «Ah, et puis je file prendre une douche rapide.»

Corine quitte la salle à manger. Sébastien se lève, vient s'asseoir avec son père.

— Ça avance?

— Difficilement.

— On te dérange, hein?

— Non. Mais j'ai pas de bureau au poste de police.

Il boit une autre gorgée de bière. C'est vrai qu'elle est bonne.

— Alors on te dérange.

Il regarde son fils dans les yeux. Qu'est-ce qui se passe avec Maude? Il n'ose pas le demander, mais Sébastien se ferme sous la question muette. Pas maintenant. Il n'est pas prêt. Il a besoin de temps, de distance, d'alcool, peut-être, et de musique. Les deux hommes se jaugent. Joaquin non plus n'a pas envie de se raconter.

— Je pense que la pâte est prête. Je vais préparer la pizza.

Ils se lèvent.

— Râpe le fromage, je m'occupe du reste.

Joaquin prend la pâte, l'étire, l'étend, pendant que Sébastien sort les fruits de mer, les lave. Sans s'en rendre compte, son père l'écarte progressivement du comptoir. Soudain, ils entendent Corine descendre l'escalier en chantonnant. Sébastien laisse le plan de travail à son paternel, prend des couverts au moment où Corine entre.

— Ça y est: elle sent bon!

Elle rit de ce rire qui monte en vagues aiguës et s'affaisse lentement sur la plage. Joaquin enfourne la pizza.

— Corine, t'aurais pas une salle de conférences ou de réunion ici, par hasard?

160

— Pourquoi?

— Parce que mon père a besoin d'un bureau de travail.

Corine se tourne vers Joaquin.

— J'y avais pas pensé! Le poste de police a pas de place pour vous, hein?

— Pas vraiment.

— Il y a une pièce, complètement à l'autre bout. C'est un appartement de vacances que je loue l'été. Il est vide. Il est situé au-dessus du bar, vous voyez où? Sur la porte, c'est écrit «Le chalet». La clé est dans la serrure. Vous pouvez vous y installer, personne va vous déranger. Il y a une cuisinette avec une table, un petit frigo, une cafetière. Il y a deux chambres attenantes. Vous pouvez en prendre chacun une, si ça vous tente de loger ensemble.

— C'est parfait!

— Merci.

Gêné de partager la table des jeunes, Moralès mange rapidement, puis monte déménager ses affaires.

Une demi-heure plus tard, contre toute attente, il voit Sébastien entrer avec ses propres bagages, aller les déposer dans la chambre vide. Il s'imaginait que son gars aurait préféré rester plus longtemps avec Corine, choisir un autre appartement, pour garder plus d'intimité. Il range ses feuilles, son stylo.

En le voyant faire, Sébastien fouille dans un sac, en sort deux bières froides.

— La Gaspésie, c'est le pays de la microbrasserie!

Il file vers sa chambre, revient avec un haut-parleur portable, branche sa musique, prend deux verres dans l'armoire, ouvre les bouteilles.

— C'est quoi, cette musique?

— Control Machete. T'aimes ça?

Joaquin Moralès regarde son fils. Son aîné est ici, avec lui. Oui, il aime ça.

Jeudi 27 septembre

Ils ont veillé tard. Sébastien s'était mis en devoir de montrer à son père les mouvements de danse qui s'accordent avec la musique de Control Machete, mais Joaquin a secoué la tête : les gestes de son fils étaient trop saccadés. On danse pour séduire, c'est connu. Comme les oiseaux. Les oscillations du corps doivent être plus souples, *chiquito*.

— T'écoutes la musique, mais il faut la prendre ; tes mouvements partent des bras et des pieds, mais ils doivent venir du ventre, du centre du corps, et se répandre. Attends. Laisse-moi te montrer.

C'est ainsi qu'à cinquante-deux ans l'enquêteur Joaquin Moralès avait commencé à danser avec son fils, en pleine nuit, dans une cuisinette d'auberge. Il ignorait toujours ce que Sébastien fuyait ou venait chercher, mais n'était-il pas lui-même empli d'ombres tapies dans le silence ? De désirs et de fuites ? Ils ont monté le son de la musique. La chambre de Corine est loin, et l'auberge, vacante. Ils ont vidé des bouteilles de bière et leurs dernières forces. Quand ils ont éteint la lumière, ils ont contemplé un long moment la lune déjà décroissante qui éclairait l'estuaire du fleuve et posait sur l'eau des sequins d'argent. La lune menteuse, avait dit Cyrille. Moralès a frissonné en songeant que, depuis là-haut, elle éclairait peut-être la robe blanche d'Angel Roberts.

Enfin, les deux hommes sont allés se coucher, heureux d'être ensemble, père et fils, dans ce pays du bout du monde.

Ce matin, Sébastien a accompagné son père pour le jogging matinal. Quand Joaquin avait annoncé qu'il comptait se lever tôt pour retourner explorer un sentier du parc Forillon à la course, son fils lui avait répondu qu'il irait aussi.

Sébastien marche vers la cafetière, reprend du café. Ça fait une semaine qu'il se dit qu'il doit affronter son père, se libérer de ce qu'il a sur le cœur, mais qu'il en est incapable. C'est difficile de trouver le bon moment. Hier, en prenant la route, il s'était promis d'attaquer en arrivant. Il avait même fait un effort pour se rappeler ses arguments, mais ces derniers s'étaient dissous dans le brouillard, dans le paysage, dans la marche en forêt, dans la sueur qui détrempait le chandail de Kimo à la hauteur de ses reins.

Maintenant, ça serait peut-être le bon moment.

— P'pa?

Joaquin lève la tête. Il s'est mis au travail tout de suite après le petit-déjeuner.

— Je... heu... Faudrait que je te parle.

Joaquin pose son crayon, repousse le dossier. Il n'a jamais été bon dans les discussions père-fils, mais il va essayer. Parce que c'est son garçon et qu'il l'aime.

— Bien sûr. Assieds-toi.

Sébastien aurait préféré que son père refuse de lui accorder du temps. Il aurait pu se fâcher et ça l'aurait mis en verve. Il s'assoit, le regrette aussitôt: debout, il avait davantage de prestance et son regard en plongée lui concédait une certaine hauteur. Assis face à son père, il redevient un enfant. Comment lui expliquer qu'il a agi toute sa vie en homme soumis?

— C'est à propos de... heu... de Maude. Mais pas juste de Maude. Heu. D'elle et de...

La sonnerie du téléphone l'interrompt. L'appareil est posé à plat sur la table. Joaquin jette un œil à l'écran. L'appel vient du poste de police de Gaspé.

— Je peux laisser sonner.

Sébastien a suivi son regard.

— Non, non. Réponds, ça doit être important.

— T'es sûr?

— Oui, vas-y, p'pa!

L'enquêteur répond.

— C'est l'agente Lord.

La tonalité est grave.

— On a retrouvé Angel Roberts.

Moralès regarde Sébastien, qui a entendu l'information et le fixe, muet. En un instant, une foule d'images de cet amour père-fils dont ils ne parlent jamais se compilent avec tendresse. Les câlins de l'enfance, les encouragements dans les sports d'équipe, les rebuffades adolescentes, les colères dont on s'ignorait capables, les silences boudeurs, emplis d'écœurement, mais aussi de pardons infinis et douloureux, parce que c'est plus fort que soi d'aimer son enfant, son père. Toutes ces émotions qui traversent l'intimité d'une famille, qui la créent, remontent entre les deux hommes, parce qu'une femme est morte, qu'elle est la fille d'untel et l'épouse d'un autre, parce qu'elle laisse le monde en deuil et que son histoire sera désormais figée dans la mémoire.

— Où?

— Elle est apparemment ancrée au large de la baie de Gaspé.

— Ancrée?

— Son corps semble attaché à quelque chose au fond de l'eau.

Moralès sait ce qu'ancrer veut dire, mais la voix de Lord est sans ironie, alors il ne réplique rien.

— On s'en va la chercher. On vous attend au bateau de la garde côtière de Rivière-au-Renard.

— J'arrive.

Sébastien s'assoit dans l'auto sans demander de détails. Ils ne disent rien sur la route, rien non plus au quai. Il suit son père sur le bateau de la garde côtière, l'enquêteur se contentant de faire un signe de tête à Simone Lord pour lui indiquer qu'il en est ainsi.

164

— C'est l'avion de la garde côtière qui l'a repérée. Il nous a indiqué sa position, on y sera dans deux heures.

Ils montent dans la timonerie, avancent jusqu'à une grande carte en papier. Sébastien est resté dehors, sur le pont arrière, à regarder les marins larguer les amarres.

— C'est là.

L'agente pose son doigt sur la carte, loin au bout de la pointe gaspésienne, juste au large de l'entrée de la baie de Gaspé. Le bateau appareille. Simone déplace son doigt sur la carte.

— Son quai est ici. Il est probable qu'elle ait suivi cette trajectoire sur environ huit milles nautiques avant de se jeter à l'eau ici. Son bateau, entraîné par les courants, a été retrouvé ici.

Elle désigne un endroit beaucoup plus loin vers le sud.

— Nous cherchions dans le bon secteur, mais nous la pensions plus près des côtes. Ce matin, la mer est calme. C'est peut-être pour ça que l'avion l'a repérée. À moins que le corps ait été mis à l'eau récemment. Ou alors il était là tout le temps et il a remonté à la surface. On va la récupérer et aller la déposer au quai de Sandy Beach. L'agent Lefebvre a dit que le fourgon funéraire nous y attendrait.

Moralès est silencieux, happé par la tristesse de cette sortie en mer. Il glisse un coup d'œil en direction de Sébastien. Son fils est toujours à l'extérieur, brassé par le vent et les soubresauts du navire. Ses cheveux trop longs lui fouettent le visage. Il n'a rien dit. Il l'a juste accompagné, comme si c'était normal, alors qu'il y a des mois qu'ils ne se sont pas vus. Joaquin ne lui a jamais parlé du désarroi qui le hante devant ce type de mort. Sébastien se tourne, voit son père, hausse un sourcil inquisiteur. Joaquin lui sourit tristement. Il y aurait tellement à dire qu'il garde le silence et laisse l'heure se dérouler.

Sébastien reste dehors, malgré le froid. Quand le téléphone de son père a sonné, tout à l'heure, il s'est senti soulagé. Le navire longe la falaise du parc Forillon. Les fous de Bassan et les goélands tournent lentement, oiseaux lourds et criards, autour du bateau. Les petits pingouins et les phoques s'éloignent. Le bateau vire au bout de la pointe, bifurque vers le sud. Après vingt-cinq minutes en direction du large, il ralentit, fait des cercles de plus en plus concentriques.

L'agente Lord sort sur le pont, vêtue d'un habit de plongée et accompagnée d'un autre plongeur. Elle esquisse un geste de la tête, pointe le menton vers l'endroit.

— Elle est là.

Le capitaine bifurque légèrement en ralentissant le plus possible. Soudain, Moralès la voit. Se fige.

— *En la Madre…*

Sébastien s'étonne d'entendre son père parler en espagnol. Il se penche pour voir. La femme flotte entre deux eaux, un mètre et demi sous la surface, les bras ouverts, les paumes de ses mains tournées vers le ciel comme si elle tentait de prendre son envol. Sa chevelure enrobe la tête, danse dans l'onde telle une méduse. Sa robe blanche, dans la transparence sombre des eaux, se déploie autour d'elle, camoufle ses jambes, ses pieds. Elle ressemble à un ange s'élevant des profondeurs de la mer.

Moralès regarde Simone Lord. Secouée elle aussi par cette étrange apparition, elle expire un coup, se tourne vers le capitaine.

— On va plonger d'ici.

Il s'en fout. Lui et ses deux membres d'équipage trouvent ça ridicule. Ils l'ont fait savoir, en cours de route. Ils ont une nacelle. Ils l'ont dit à l'enquêteur. On peut couper la corde, gaffer le corps, le tirer vers la nacelle et rentrer ça de même. Ça va être dégueulasse, qu'ils ont ajouté. Mangé par les crabes. Ça va puer. Ils ont même fait des blagues, en se poussant: «T'en souviens-tu, la fois où…?» L'agente Lord leur a coupé la parole. Elle plongerait.

— Nous allons descendre avec des caméras pour prendre des photos et observer de quelle façon elle est ancrée. Ensuite, nous déciderons d'un mode de récupération.

Les hommes ont roulé des yeux et Moralès a froncé les sourcils. Il était hors de question de laisser les petits comiques

de la garde côtière faire des farces plates. Il a dû hausser le ton :
« Est-ce que ça dérange quelqu'un, ici ? » pour les faire taire.
Non, non, c'était pas ça. De toute façon, c'était leur enquête
à eux. Qu'ils s'arrangent. Simone Lord n'avait pas remercié
Moralès de l'avoir défendue ou, du moins, d'avoir abondé dans
son sens. Elle était simplement sortie revêtir l'habit de plongée.
Elle avait pris l'initiative, plus tôt, d'appeler un plongeur qu'elle
connaît. Un gars qui prend des photos pour la police.

Elle et le plongeur ajustent leurs combinaisons, leurs
masques, leurs bombonnes d'air comprimé et leurs gants. Ils se
laissent tomber à l'eau, à environ trois mètres d'Angel Roberts.

Moralès va sur le pont. L'homme d'équipage se penche
vers les plongeurs, leur donne le bout d'un câble métallique
muni d'un crochet et actionne un treuil pour donner du mou.
Les hommes voient les plongeurs descendre sous la surface,
tourner autour de la noyée, prendre des clichés, puis descendre encore. Ils allument une lumière, puis s'enfoncent
dans la mer. Bientôt, l'enquêteur les perd de vue, ne suit plus
que le faisceau lumineux qui pâlit en s'éloignant. Il attend.
Près de lui, son fils est immobile. L'homme d'équipage sent
deux secousses sur le câble métallique. Il actionne le treuil en
sens inverse.

Soudain, quelque chose dans l'eau attire le regard de l'enquêteur. La mariée a bougé. Elle remonte. Les plongeurs ont
dégagé ce qui retenait Angel Roberts au fond. Un des hommes
d'équipage fait descendre une nasse sur le côté du bateau. Le
second plongeur aligne le corps et lui fait signe de le remonter.
Lentement, la nacelle remonte. Quand le corps d'Angel arrive
près de la surface, Simone lui fait signe d'arrêter. Le corps est
stabilisé contre la coque. Les cheveux emmêlés de la morte lui
enveloppent le visage tel un filet.

Le second plongeur revient à la surface. Quelque chose est
accroché au câble métallique. Une boîte rouge. Ce n'est pas
tant une boîte qu'une trappe peinte en rouge. Un ancien casier
de bois pour pêcher le homard. Il est empli d'objets qui le

rendent lourd, d'une brique de ciment et de draps mouillés. Au moment où il sort de l'onde, un baquet d'eau s'en échappe. L'homme d'équipage attend quelques instants que la plus grande quantité d'eau en soit sortie, puis fait basculer le casier à bord. Il est relié à une chaîne. L'homme actionne le treuil à nouveau, fait remonter la chaîne qui est reliée à un large câblot. Pendant ce temps, Simone Lord se hisse sur l'échelle, suivie de l'autre plongeur. Moralès continue d'observer l'embarquement d'Angel Roberts. La nasse se replie vers le bateau et le corps est enfin à bord. L'agente Lord s'approche de l'enquêteur, lui parle sans le regarder, en aidant son collègue à se débarrasser de son équipement.

— La cage était accrochée à un tas d'arbres qui dérivent lentement vers le large. Si la mer avait été mauvaise, les arbres seraient partis au loin et on l'aurait jamais retrouvée.

Elle s'interrompt, froissée que son supérieur s'éloigne d'elle, puis constate qu'il avance vers le corps, qu'il s'accroupit sur le grillage métallique sous lequel ils ont remonté Angel Roberts, désormais emmaillotée dans la nacelle. Il a entendu Simone, mais n'a rien à répondre. Elle hausse les épaules, marmonne pour elle-même :

— Elle est à lui, maintenant.

Et elle quitte le pont.

Sébastien a observé la manœuvre. Il voit Joaquin, accroupi sur la grille, qui le sépare de la morte. Il pense à ce que cache son père derrière ses années d'enquêtes. Il se demande s'il ressemble à ces enquêteurs de romans qui sont hantés par les désordres du monde, les cris, les crimes, les yeux fixes des victimes, les blagues vulgaires des agents, la cruauté des assassins. Il songe à ce que son père a dû voir et tenter non pas de réparer, mais de comprendre, de résoudre et qui, au fond, ne résout rien. À tout ce dont il ne parle pas. Son père est un silence qui ne s'ouvre pas, qui s'entrebâille à peine.

Pourtant, il lui parle, à elle. Joaquin Moralès est penché au-dessus de la mariée. Il porte des gants, mais ne peut pas

168

la toucher. Elle est trop loin en dessous de lui. Il la regarde, simplement. Et lui dit quelque chose. Son nom, en déduit Sébastien. Il la salue par son nom.

— Angel Roberts.

Elle a presque l'âge de ses fils. Moralès lève la tête, surprend Sébastien qui l'observe. Il lui fait signe « Ça va ? » et Sébastien répond oui. Il ment. Moralès sait et sent que son gars ment, par orgueil ou pour que son père puisse continuer sa journée de travail. Et son gars sait que son père le sait. Une sorte de loyauté les unit, malgré tout, un pacte silencieux qu'ils renouvellent encore.

Le capitaine de la garde côtière a pris la direction d'un autre quai dont Moralès ignore l'emplacement, quelque part au fond de la baie de Gaspé. Il a freiné l'allure, voyant que l'enquêteur s'entêtait à rester sur le côté bâbord, au-dessus de la morte. Il a haussé les épaules. Il a entendu son patronyme, tantôt. Moralès. Ça doit être un Mexicain, encore, qui vient voler des jobs aux gens d'ici. Un Latino qui fait un culte genre fête des Morts sur le corps d'une fille de la Gaspésie. Un nécrophile, peut-être. En tout cas, c'est pas lui qui l'aurait engagé. Ni lui ni l'autre. La Simone, une fille qui faisait rien qu'à sa tête, à la garde côtière. Sont ben contents qu'elle soit partie jouer la petite police des pêches. Va sûrement lui arriver comme à l'autre, la pêcheuse. Pas une place pour les femmes, la mer. Non. Ni pour un Mexicain.

Moralès est toujours penché sur elle. Ce sera la seule fois où il pourra être en sa compagnie. Ensuite, elle partira aux mains du médecin légiste, des techniciens en autopsie, des thanatologues. Ils l'examineront, la découperont, la réduiront en cendres. Elle lui échappera de nouveau. Sous l'eau, elle semblait flotter. Maintenant, son vêtement lui colle à la peau comme une algue encombrante. Sous l'eau, elle aurait pu devenir du corail. On aurait fait des bijoux avec ses ossements. Mais elle a décidé de remonter vers la surface. Pourquoi ? Joaquin Moralès est ébranlé.

Elle porte toujours sa tenue de mariée. De minuscules boucles d'oreilles brillent, attachées à ses lobes. Il en voit une, du moins. Son alliance est glissée à son annulaire gauche. C'est tout. Pas de collier, de chaîne au cou. Sa robe blanche, faite de multiples étages de tissu, est déchirée, le lambeau manquant sera peut-être, il l'espère, celui trouvé par l'équipe technique à bord du homardier. Son corps est bleuté. Ses pieds sont nus, ses yeux ont été mangés par les puces de mer.

Le reste lui sera raconté par l'autopsie. Ce qu'elle a mangé, ce qu'elle a bu, l'heure à laquelle elle est morte. Moralès voudrait étirer la main et jurer : «Je trouverai le coupable, Angel, fille de Leeroy Roberts et femme de Clément Cyr.»

Il n'ose pas. Combien de promesses sont impossibles à tenir ?

Le navire approche du quai, Moralès se relève. Personne n'a touché à la cage d'objets. Les techniciens s'en occuperont. L'équipage se prépare à l'accostage.

C'est la pagaille sur le quai de Sandy Beach. Des agents ont fermé la barrière, bloquant ainsi l'accès aux voitures non autorisées, mais ils n'ont pas réussi à endiguer ni les piétons ni les journalistes. Le débarquement s'annonce difficile.

Moralès marche jusqu'à la poupe, s'avance vers Simone Lord.

— Corine m'a loué un appartement avec cuisinette du côté ouest de l'auberge. C'est là que je vais travailler.

Elle tient son équipement de plongée. Tournée vers le quai, elle lui porte à peine attention.

— Nous aurons une réunion dans une heure trente.

Elle hausse les épaules. Il sait qu'il pourrait lui en donner l'ordre. Elle le sait aussi. Ils n'ajoutent rien. Elle observe la manœuvre d'amarrage. Dès qu'elle le peut, elle saute sur le quai et s'en va.

Moralès cherche Lefebvre du regard. Il est invisible, mais il a envoyé les deux techniciens monosyllabiques, qui sont présents et efficaces. Ils montent à bord, attrapent le casier de bois, vérifient la chaîne, la corde, prennent des photos, coupent le câble reliant les jambes d'Angel Roberts à la chaîne, embarquent tout.

Puis ils reviennent vers la dépouille, accompagnés de deux thanatologues.

— On va avoir besoin de vous, enquêteur.

— Hmm.

Moralès les regarde. Ils font un signe de tête en direction du quai.

Clément Cyr a traversé non seulement la clôture de métal, mais aussi le ruban jaune que les policiers ont déroulé entre le quai et le fourgon du salon funéraire. Moralès observe les agents qui l'interceptent avec difficulté. Fort et enragé, le géant Cyr risque de les assommer. Il est en état de choc.

Moralès saute à terre. Il se tourne un instant vers son fils, qui descend du navire en observant la scène. Il s'aperçoit qu'il aurait voulu lui épargner ça. Il aurait voulu tout lui épargner : les égratignures sur les genoux, les éraflures dans les mains, les ecchymoses sur les jambes, les écorchures sur les jointures, les grippes et les coups de soleil, mais aussi les vraies douleurs, les peines d'amour, les nuits sans sommeil, les soucis de travail, les doutes, la tragédie hurlante du quotidien. Certains disent que souffrir aide un jeune à faire un homme de lui. Moralès a toujours trouvé ça idiot. Il regarde Clément Cyr ; souffrir ne lui sert à rien.

Les thanatologues chargent la dépouille d'Angel dans un sac mortuaire. Ce n'est pas la première fois qu'ils récupèrent un corps sur ce navire. En équilibre sur le bord, ils le font glisser vers eux, le placent sur une petite civière. La marée est basse, il est impossible, depuis le quai, de les voir travailler. Mais lorsqu'ils arrivent sur le quai, Clément, péniblement retenu par les policiers, les aperçoit et hurle qu'il veut voir sa femme, que c'est son droit. Soudain, il reconnaît l'enquêteur, se calme, comme s'il était sûr que cet homme-là le comprendrait.

— Moralès !

Ce dernier avance sans presse vers Clément Cyr. Il souhaite surtout gagner du temps, laisser les thanatologues déposer la civière dans leur fourgon qu'ils ont reculé le plus près possible de la passerelle.

— Je veux la voir.

L'enquêteur hésite. On peut difficilement refuser ça à un homme.

— Si c'était votre femme, Moralès ?

Il voudrait lui donner une consigne, lui dire de se calmer, de ne pas bousculer les gens, de ne pas toucher la morte, de ne pas…

— Venez.

Les thanatologues ont posé Angel sur la civière du fourgon. Voyant Cyr et l'enquêteur s'approcher, ils s'immobilisent. Moralès reconnaît un des frères Langevin. Il faut éviter à tout prix de lui parler, c'est un verbomoteur épuisant. Il se tourne vers l'autre.

— C'est possible d'ouvrir le sac ?

Le verbomoteur, de l'autre côté de la civière, commente la procédure.

— C'est contre le règlement, on peut pas faire ça, c'est trop dangereux qu'il y ait prolifération bactérienne. On a un code d'éthique qui nous interdit de…

L'autre thanatologue avance, mince et droit, vers Clément Cyr. Le pêcheur est beaucoup plus grand que lui, mais il le dévisage comme s'il s'agissait d'un enfant suppliant. Le verbomoteur se tourne vers son frère et continue.

— Tu le sais très bien que c'est pas hygiénique, c'est toi-même qui…

Son frère lui fait signe de se taire. Il s'adresse au veuf.

— D'habitude, je dis aux gens que c'est important de voir leurs proches après la mort, parce que ça facilite le deuil.

Le visage du géant se déforme sous la douleur. Il comprend, avant même que Langevin le lui dise, la suite.

— Mais là, ça vous aidera pas.

172

Des larmes lourdes coulent sur le visage de Cyr.

— Je peux le faire. Ouvrir le sac et vous la montrer. Mais je vous le conseille pas. Je peux aussi l'amener dans mon laboratoire, essayer de la mettre présentable et vous appeler.

— Quand ?

— Après l'autopsie.

— C'est trop loin.

Le thanatologue hoche la tête. Il s'y attendait.

— Je vais vous dire ce que vous allez voir, d'accord ?

L'autre acquiesce en silence.

— Elle n'a plus d'yeux ni de lèvres.

Il regarde par terre, pour s'échapper ou se forger mentalement l'image brisée de sa femme.

— Son corps est gonflé par l'eau, sa peau est bleue.

Il penche la tête comme s'il allait vomir.

— Elle a toujours sa robe de mariée.

Il se tourne en direction du linceul. Il veut la voir.

— Je vais vous montrer juste ses cheveux, d'accord ?

Le géant fait signe que oui.

Langevin entrouvre le sac. Moralès comprend qu'il avait préparé le coup, la fermeture éclair s'ouvre directement sur une poignée de la chevelure mouillée. Des cheveux trempés et désordonnés, c'est tout ce que Clément Cyr aperçoit avant de s'effondrer à genoux, en sanglots. Secoué de spasmes violents, il reste là, à murmurer des mots d'amour confus. Sa femme.

Une agente liée aux services sociaux s'approche de lui, se penche et lui parle à l'oreille avant de faire signe à l'équipe médicale de s'avancer. Clément accepte, se relève, les suit doucement, monte dans l'ambulance comme un pantin désorienté et part avec eux.

Plus loin, deux hommes scrutent la scène. Leeroy Roberts et son fils Bruce. Les thanatologues ont fermé le sac, glissé la civière dans le fourgon et sont partis avec Angel Roberts pour l'emmener à la morgue. Moralès repère les Roberts qui traversent la foule des curieux, rembarquent dans leur camionnette et quittent l'endroit.

Les morts laissent tout derrière eux. Surtout les vivants. Moralès se tourne vers son fils, Sébastien. Il a les mâchoires serrées. La souffrance a créé une vibration, une onde de choc qui est partie d'Angel et s'est répandue sur la terre. Le mari presque fou, le frère qui semble avoir reçu un coup au visage, le père qui a courbé la tête. Le soleil illumine le quai sans pitié, quasi violemment.

Moralès s'approche de Sébastien.

— T'aurais peut-être pas dû venir.

— Ça va.

Le cellulaire du père sonne. C'est Lefebvre.

— Te voilà enquêteur sur une mort suspecte, sergent Moralès.

— Sors de ton bureau, Lefebvre. Viens me chercher au quai de Sandy Beach et apporte tout le dossier en double.

Sébastien tourne en rond dans sa chambre. Il n'a pas envie de descendre à la cuisine, de voir Corine, de répondre à ses questions, de jaser.

Il ramasse son cellulaire que, dans l'empressement du matin, il n'avait pas pris avec lui. Une liste de textos et d'appels manqués apparaît. Maude. Il étouffe. En voyant le mari de la morte, tantôt, Sébastien s'est demandé ce que c'était que l'amour. Il abandonne le téléphone sur le lit, prend son coupe-vent et sort. Il salue son père et Lefebvre, qui prennent place dans la cuisinette, puis il descend, file dehors, aspiré par le large.

Il marche un long moment vers l'est, prend la rue du Quai. Il veut réfléchir, faire décanter ce qui lui tourne en tête, mais il n'arrive ni à saisir ni à nommer ce qui l'habite. Il ne pense qu'à son père qui se penche sur la morte et à ses mots : *En la Madre*.

Il contourne le bâtiment de la garde côtière. Au quai sont amarrés cinq bateaux : celui de la garde côtière, que les hommes nettoient, trois chalutiers et, plus loin, contre le grand quai, un crevettier. Il poursuit sa marche en direction de ce dernier.

Quand son frère et lui étaient jeunes, leur mère avait l'habitude de dire, lorsque leur père sortait une idée farfelue, que c'était le sang mexicain qui lui bouillait dans la tête. Ils en riaient ensemble. Est-ce que leur père riait? Sébastien ne s'en souvient pas.

À sa droite, dans un terrain vague, s'alignent des dizaines de bateaux, quelques immenses crevettiers, mais surtout des engins fixes, des homardiers et des voiliers en cale sèche pour l'hiver. À côté de la plupart des bateaux de pêche, une camionnette indiquant qu'il y a des hommes au travail.

Est-il possible qu'il se trompe au sujet de son père? Que ce ne soit pas l'homme lâche et soumis qu'il est venu affronter?

Il contourne le bassin de mise à l'eau, la poissonnerie, avance sur la voie pavée du grand quai. Vers le nord, il y a un épais muret de ciment derrière lequel un solide brise-lames de tétrapodes de béton endigue l'énergie des vagues. Des voitures sont stationnées çà et là sur le grand quai.

Debout sur le muret de la digue, une douzaine de personnes lancent leurs lignes à l'eau. Sébastien tourne et retourne l'histoire de son père et la sienne, les tromperies qui les entachent jusqu'à ce qu'elles s'entremêlent en un kaléidoscope de couleurs et de formes superposées, nauséeuses.

Les gens le saluent de la tête, poursuivent leur pêche en silence. Les fils accrochent le soleil dans l'arc rond que décrivent les appâts dans l'air, les leurres plongent à l'eau dans des bruits tièdes d'après-midi.

Les pêcheurs rembobinent sans presse, sur un rythme cadencé, ralentissent, donnent des coups de grâce, recommencent. Ça ne mord pas. Les mouvements des pêcheurs prennent le temps et, dans une rondeur mécanique, se suspendent à l'attente. Sébastien s'immobilise pour les observer.

Lefebvre est surpris. La salle à manger de l'appartement de Moralès a été transformée en bureau d'investigation criminelle. Sur la grande table, le sergent a étendu et ordonné une foule de papiers liés à l'enquête : chronologie de la journée précédant la disparition, de la nuit, des recherches ; noms des gens, regroupés par familles et par équipages, avec les noms des bateaux ; descriptifs des lieux et des distances entre divers points terrestres et maritimes. Une carte de la Gaspésie, collée au mur, est annotée à la main. Une liste de questions est à demi dissimulée sous un autre document.

Il regarde son supérieur, admiratif : voilà un vrai enquêteur ! Pendant ce temps, celui-ci range les documents et libère deux places, une pour lui, l'autre pour Simone Lord, qui n'est pas encore arrivée. Moralès sort trois cannettes de boisson gazeuse au gingembre du réfrigérateur, puis s'assoit. Lefebvre ne l'a vu prendre aucune note, au point qu'il le croyait un peu désordonné, brouillon, voire amateur. Mais voilà. C'est ici que ça se passe. Il s'assoit à son tour, dans l'angle de la table.

Moralès lui tend un grand bloc-notes et un stylo, que Lefebvre, peu habitué à sortir du poste, saisit avec joie ; il a laissé les siens au bureau.

— Je veux qu'on fasse la liste des gens qu'Angel a côtoyés samedi dernier.

Moralès n'attend pas Simone. Il ignore même si elle viendra. Il doit avouer que, ce matin, il l'a admirée. Quand il a vu comment le capitaine du navire de la garde côtière la traitait, il en a déduit qu'elle doit travailler avec un sacré lot de machos et que ça explique peut-être sa véhémence. Puis elle s'était jetée à la mer. Moralès s'est imaginé ce qu'elle avait dû éprouver : la froideur de l'eau contre son survêtement de plongée, le contraste visuel des couleurs, entre la robe blanche et l'obscurité de l'onde, le cloisonnement suffocant dans l'habit de plongée, la vague et la proximité de la mort, le spectacle même de cette morte, qui pourrait presque être sa fille. Il ignore si Simone a des enfants. Il ne connaît rien d'elle. Cyrille Bernard lui a reproché, déjà, d'être obsédé par la mort, de ne pas s'intéresser assez à la vie.

— Quatre jours avant leur dixième anniversaire de mariage, Angel Roberts et Clément Cyr vont souper chez Leeroy Roberts, le père d'Angel.

La porte s'ouvre discrètement. Simone entre et s'assoit de l'autre côté de la table, en face de Joaquin. Il se sent étrangement soulagé de son arrivée, comme s'il avait retenu son souffle en l'attendant. Elle sort de son sac une planchette à pince, libère une feuille, prend un crayon.

Lefebvre la salue et se tourne vers Moralès.

— Juste avant, ils sont passés prendre l'apéro chez la mère de Clément.

Moralès fronce les sourcils.

— Je ne savais pas.

Simone émet un petit rire sarcastique, Moralès se crispe. Il comprend très bien ce que ce rire signifie : qu'il ignore tout d'Angel Roberts. Qu'a-t-il appris d'elle ? Qu'elle aimait le camping avec son mari, qu'elle cultivait un potager avec sa meilleure amie, qu'elle travaillait dans l'aube avec son oncle ? Peu de choses. Ce que l'agente Lord ne sait pas, c'est que l'enquêteur s'intéresse surtout au rôle qu'Angel Roberts jouait aux yeux des autres. Qui a pu s'inventer une histoire dans laquelle la pêcheuse était destinée à mourir, et pourquoi ?

L'agent Lefebvre ouvre sa cannette de boisson gazeuse.

— Ils sont allés là en fin d'après-midi. La mère de Clément s'appelle Gaétane Cloutier. Elle habite dans le bout de Penouille avec son conjoint, Fernand Cyr.

— Son conjoint, c'est le père de Clément ?

Simone secoue la tête : elle n'en revient pas de l'ignorance de son supérieur.

— Non. C'est son oncle. Le père de Clément est mort il y a quatorze ans et Gaétane Cloutier s'est mise en couple avec le frère du père. Fernand Cyr.

Lefebvre se lève et va fouiller dans l'armoire de la cuisinette.

— Il est mort comment?

Il revient avec trois verres, mais omet de les tendre à ses collègues. Il se contente de les poser en rang à côté de sa cannette pendant que Simone répond.

— Accident de pêche. Son bateau a chaviré dans le secteur de L'Anse-au-Griffon. Il s'est noyé.

— Son nom?

— Firmin Cyr.

Lefebvre se met à rire.

— Firmin. Firmin et Fernand, ils avaient de l'humour, les parents Cyr!

Moralès déchire une page de son bloc-notes sur laquelle il trace la généalogie des Cyr. Lefebvre se met en devoir de l'imiter, déchire une page, puis hésite, se dit qu'il fera une photocopie des écrits de son sergent, plie sa feuille et la met de côté.

— Clément Cyr a des frères, des sœurs?

— Pas que je sache.

— Donc le couple va prendre l'apéro chez la mère et le beau-père de Clément Cyr en fin d'après-midi. Puis Angel et Clément se rendent chez Leeroy Roberts pour souper.

— Les deux familles s'entendent pas très bien.

— Pourquoi?

— Des vieilles chicanes.

— Rien de plus précis?

L'agente Lord dessine de façon compulsive, la pointe de son crayon bleu ne lâchant pas la feuille.

— Simone?

Sa voix s'est enrayée. Il se racle la gorge pendant qu'elle lève un sourcil en sa direction.

— Agente Lord, vous êtes au courant d'une mésentente particulière entre ces familles?

Elle reste concentrée sur son dessin.

— Moi, je ne suis qu'une garde-pêche…

— Justement. Est-ce que la mésentente a un lien avec la pêche?

— Quand le moratoire sur la morue est arrivé, il y a eu beaucoup de chicanes de zones de pêche. Ça fait quinze ans de ça.

Moralès voudrait la questionner sur ledit moratoire, mais son attitude est tellement récalcitrante qu'il s'y refuse. Il trouvera bien l'information par lui-même.

— Vers dix-huit heures, ils arrivent chez les Roberts. Bruce, le fils aîné qui est propriétaire du crevettier, est là. Jimmy, le cadet, est présent lui aussi. Il avait un pétonclier, mais il l'a vendu. Il travaille maintenant à l'usine de transformation de Rivière-au-Renard. Pourquoi il l'a vendu ? Des dettes ?

Simone Lord secoue encore la tête. Elle arrache la feuille sur laquelle elle a consigné les faits. Elle possède une étrange calligraphie qui s'apparente à des dessins épars.

— La pêche au homard allait très mal dans le coin. Les scientifiques ont expliqué aux propriétaires de homardiers que la disparition des homards était due aux pétoncliers qui hersent le fond des mers. Ils font de la déforestation maritime et détruisent l'écosystème des homards. Les propriétaires de homardiers se sont associés, ils ont acheté et détruit les permis des pétoncliers. Depuis ce temps-là, la pêche au homard est remontée en flèche.

— Donc Jimmy Roberts a vendu son permis à sa sœur ?

Simone entreprend de plier sa feuille tout en parlant.

— Pas juste à sa sœur, au groupe de pêcheurs de homards auquel elle appartenait.

— Est-ce que les anciens propriétaires de pétoncliers sont devenus amers ?

— Pas à ma connaissance. Ils ont été bien payés.

Lefebvre a déchiré une autre feuille, il prend des notes à gauche et à droite, dans un ordre tout à lui.

— À la fin de la soirée, le couple se retrouve ici. J'ai la liste des gens qui étaient présents à la soirée. Je vous la ferai parvenir. Ensuite, Clément Cyr ramène sa femme à la maison autour de vingt-trois heures trente. Il revient au bar vers une heure du matin. Quand il rentre chez lui, vers dix heures, la voiture de sa femme n'est plus dans la cour. On connaît le reste de la journée.

L'agente Lord tourne et retourne sans cesse la feuille qu'elle plie et replie. Sa façon à elle d'être présente sans se soumettre.

— Il y a trois moments possibles pour la mort. Entre minuit et une heure trente, alors que Clément Cyr était avec sa femme. Entre une heure trente et dix heures du matin, alors qu'Angel Roberts était soit seule, soit avec son ou ses meurtriers. Après dix heures, si le bateau est une mise en scène et qu'Angel Roberts a été mise à l'eau au cours des trois derniers jours. Est-ce que la battue a permis de trouver des indices ?

Lefebvre, qui a terminé sa boisson, se lève. Il a la bougeotte.

— Rien. Mais le rapport d'autopsie devrait nous aider à clarifier le jour et l'heure de la mort.

— En attendant, quelles sont les possibilités ?

— On peut exclure l'accident.

— Oui. On exclut l'accident.

— On se le cachera pas : ça ressemble à un suicide.

Lefebvre revient avec un sachet de noix qu'il a trouvé sur le comptoir.

— Pendant la nuit, Angel Roberts se rend à son bateau, largue les amarres, navigue sur une quinzaine de kilomètres, éteint le moteur. Elle remplit un casier de draps, le traîne jusqu'à l'arrière. Elle s'attache au casier, le jette à la mer et se laisse entraîner vers le fond.

Lefebvre a la bouche pleine de noix. Simone précise que c'est possible.

— Le nœud est en avant. Elle peut s'être attachée elle-même.

— Les techniciens ont dit qu'elle avait un bras plié dans le dos. Elle s'est attachée et s'est mis une main dans le dos ?

L'agente Lord suspend un instant ses gribouillages. Lefebvre se rassoit.

— Peut-être que quelque chose lui piquait dans le dos. Elle s'est grattée…

Moralès regarde ses notes, secoue la tête.

— Ça marche pas. Pourquoi elle aurait fait ça? Pendant la nuit, elle se rend à son bateau, largue les amarres et se dit: «Tiens, ça fait dix ans que je suis mariée, la saison de pêche est finie, je me suicide»? Pourquoi s'attacher à une cage? Elle était rendue loin de la côte. Elle avait juste à se jeter à l'eau, elle était certaine de mourir.

— Parce qu'elle a eu peur que son corps revienne sur la berge?

— Elle aurait pu s'attacher à l'ancre. Elle a gardé sa robe de mariée. Pourquoi?

— Ça pourrait être un rituel?

— Un *trip* ésotérique?

Lefebvre se dirige vers une étagère remplie de jeux de société dans le coin de la pièce.

— Les femmes sont comme ça, des fois.

L'agente des pêches lui décoche une œillade meurtrière, mais choisit de ne pas intervenir.

— Elle prend le large. Elle regarde la mer, la lune…

— Après ça, elle était peut-être un peu soûle.

— Elle décide de «se marier avec la mer»? Ça se peut?

— Je sais pas.

— Un rituel de mariage avec la mer la nuit de l'équinoxe? C'est quelque chose que vous avez déjà vu?

— Non, mais ça veut pas dire que ça n'existe pas.

Moralès regarde Simone, toujours silencieuse et penchée sur sa feuille. Il a la vague impression que son silence, peut-être toute son attitude depuis le début, cache quelque chose.

— Je ne connais rien aux femmes de mer. Aidez-moi, agente Lord.

— Vous voulez que je vous aide?

Elle garde le visage tourné vers sa feuille.

— Des femmes capitaines de bateau de pêche, il y en a combien? Deux ou trois dans toute la Gaspésie? Pourquoi elles font ça? Pourquoi consacrer sa vie à un métier si difficile?

Elle hausse les épaules, cette fois sans mépris. Que peut-elle en dire? Elle n'a pas de réponse pour elle-même.

— Obsédées par la mer?

Moralès se tourne vers Érik Lefebvre, qui dépose une boîte de *Monopoly* à côté du sachet de plastique, des trois verres vides, de la cannette de boisson gazeuse, des feuilles éparses, du bloc-notes et du stylo.

— J'aimerais que tu fasses des recherches sur les sectes dans le coin.

— OK.

— Va jaser avec Dotrice.

— Elle va vouloir te rencontrer.

— Tu t'en occupes.

Moralès se lève, va vers la carte épinglée sur un mur. Lefebvre se dirige vers une décoration, un inukshuk posé sur une tablette en hauteur.

— Pourquoi elle a choisi cet endroit? Il est significatif pour les pêcheurs?

Simone Lord répond à contrecœur.

— Pas à ma connaissance.

— Pour elle?

— C'est vraiment par hasard qu'on l'a trouvée. La cage était ancrée à une sorte d'îlot d'arbres morts qui flottaient entre deux eaux. La chaîne est longue, mais c'est peut-être pour faire du poids. Ç'aurait été plus simple de laisser l'ancre.

— Pourquoi Angel Roberts aurait voulu mettre fin à ses jours? On va refaire le tour. Est-ce qu'elle avait une psy? Des raisons d'être déprimée? Une dépendance à quelque chose? Est-ce que d'autres personnes dans sa famille se sont suicidées?

Il se tourne vers Érik Lefebvre. Ce dernier a pris l'inukshuk dans ses mains; les pierres sont collées.

— Rappelle son médecin demain. Insiste.

— OK.

Ils reviennent tous les deux s'installer à la table. Simone Lord est en plein pliage. Érik Lefebvre s'assoit sans quitter l'inukshuk des yeux.

— Tu comprends ça, Moralès? Il faut mettre les pierres en équilibre, pas les coller!

Le silence tombe dans le logement. On manque tellement de réponses pour les vivants, il ne faut pas en demander trop aux morts. C'est Moralès qui reprend la parole.

— Et si c'est un meurtre? Elle se rend au quai. Comment? Avec sa voiture?

— Après ça, elle avait peut-être un rendez-vous?

— À une heure du matin?

— Un amant ou quelqu'un qu'elle connaît.

Se peut-il qu'Angel ait fait semblant d'être malade pour aller rencontrer son meurtrier?

— Ils embarquent à bord du homardier. Pourquoi?

— Je ne sais pas. Mais ils embarquent et prennent le large.

— Après? Elle se laisse attacher les jambes et glisser à l'eau?

— On l'a droguée, peut-être.

— Qui l'aurait droguée? La belle-mère à l'apéro? Sa famille au souper? Quelqu'un au bar? Son mari?

Moralès déteste cet instant sale où les proches deviennent des suspects.

— On aura les résultats des analyses de sang demain ou après-demain.

— Arrivée au quai, elle embarque avec son assassin. Ils larguent les amarres et naviguent un moment, puis, comme elle est droguée, elle s'endort. Son meurtrier lui attache les jambes, la largue à l'eau et laisse le bateau dériver. Mais il revient comment à terre?

— Il doit être deux ou trois heures du matin. Le bateau est à quinze kilomètres du bord, l'eau est à quatre degrés Celsius. Il ne peut pas nager sur une distance aussi grande.

— Il apporte une chaloupe? Un kayak? Un zodiac? Ça serait bizarre. Elle se serait méfiée.

— Ou un deuxième bateau vient le chercher.

Simone craque un sourire ironique.

— Vous avez quelque chose à ajouter, agente Lord?

— C'est juste des suppositions! Rien de concluant!

Moralès s'appuie sur le dossier de sa chaise et la regarde bien en face.

— Toutes les morts suspectes constituent la fin d'une histoire, agente Lord. Mon rôle, c'est de trouver le début. Ça commence toujours de la même façon: quelqu'un s'invente une histoire, une histoire de vengeance, d'argent, d'amour, de gang, d'orgueil blessé, et y croit tellement qu'il peut tuer pour se donner raison.

Exaspérée, Simone range son crayon, empoigne sa planchette. Lefebvre repose l'inukshuk sur le bloc-notes, soupire.

— Moi, je pense que je retiendrais la thèse du suicide.

Lefebvre est parti avec les papiers pour en faire des photocopies. Les mains vides, Moralès voit soudain la porte de l'appartement qui s'ouvre devant lui. Sébastien entre, l'air embarrassé. Joaquin regarde son fils, ému par sa présence. La journée entière lui remonte au bord des lèvres, mais surtout cette image précise de Sébastien qui l'observe, qui fait semblant que tout va bien alors que Joaquin est penché sur le corps de la mariée.

Il n'a jamais su parler à ses gars, et là, dans cette cuisinette d'auberge, il le regrette. Occupé à reconstruire les histoires des autres, il a toujours manqué de mots pour la sienne. La leur. Sébastien a fait douze heures de route pour venir le rejoindre. Ça fait quatre jours qu'il est arrivé et Joaquin ne sait toujours pas ce qui a motivé ce voyage. Il faudrait lui parler, Cyrille a raison, avant qu'il soit trop tard. Joaquin se racle la gorge.

— Est-ce que tu…

Il baisse les yeux. Du côté où était assis Lefebvre, une cannette vide, un bloc-notes, des feuilles éparses, un stylo, trois verres propres, un jeu de *Monopoly* et, au centre, comme une énigme, l'inukshuk collé. Est-ce que tu vas bien? Qu'est-ce qui se passe avec Maude ? Les questions sont toutes à portée de main. Est-ce que t'es en peine d'amour ? C'est ta job ? Qu'est-ce qui te fait mal ? Du côté de Simone Lord, un oiseau de papier, un origami, orné de gracieux dessins tracés au stylo bleu. Qu'est-ce qu'elle sait qu'elle ne dit pas ? Il relève la tête.

— As-tu faim ?

Son fils hoche la tête.

— Oui. Je meurs de faim.

Ils entrent au Brise-Bise, s'assoient au bar, dos à la fenêtre qui donne sur le bassin du sud-ouest, en face des pompes à bières qui présentent les produits régionaux. En s'en venant, les hommes n'ont pas ouvert la bouche. Ils ont écouté de la musique. Le barman s'approche. C'est le grand type aux cheveux courts et à la barbe longue de l'autre jour. Louis. Derrière lui, le plongeur traîne, en attente du prochain bac de vaisselle sale.

— On va prendre chacun un verre de rousse.

C'est Joaquin qui l'a décidé. S'ils ne boivent rien, ils seront incapables de manger. Louis sert leur bière, leur tend les menus, puis va s'appuyer les reins contre le bar, à côté du plongeur. Les Moralès entendent des bribes de leur conversation. Il paraît qu'ils ont trouvé la femme disparue. Que le mari, tu sais, Clément, qui vient souvent les soirs de spectacle, le grand pêcheur de crevettes ? Oui, oui, je vois de qui tu parles. Eh ben, c'était sa femme. Je savais pas qu'il était marié.

Sébastien Moralès lève la main en direction du serveur. Ce dernier s'approche et dégaine lentement son calepin et son crayon.

— Votre enquête se déroule bien ?

Il se la joue journaliste. Une serveuse descend l'escalier du coin avec un bac de vaisselle sale que le plongeur attrape. Il disparaît en cuisine.

— On va prendre le poisson du jour.

S'il est déçu de ne rien leur soutirer sur l'enquête, le grand Louis n'en laisse rien paraître.

— Vous pouvez allumer la télé ?

— Oui, mais on peut pas mettre le son.

Il saisit la télécommande, allume l'écran, qui diffuse un match de soccer.

Joaquin lève la tête vers la partie, prend son verre, boit une gorgée de bière, le pose. Il doit parler à son fils…

— C'est malheureusement ça, la normalité : la souffrance qui se mêle à l'ordinaire.

Il se tait, presque essoufflé. Voilà, il a dit quelque chose. Quand l'inexplicable te serre la gorge, il faut s'accrocher aux pointages des équipes sportives, aux variations du prix de l'essence, aux prévisions de la météo, aux corvées hebdomadaires et aux banalités quotidiennes pour ne pas sombrer. Sébastien hoche la tête et Joaquin se sent momentanément soulagé.

Le serveur pose les assiettes de poisson devant eux. Un groupe bruyant entre dans le bistro. Il attrape des menus, file à leur rencontre. Les hommes Moralès mangent leur repas, regardent le match sans le voir, repoussent leurs assiettes. Le serveur ramasse les couverts. Joaquin commande une autre bière pour son gars, un café pour lui. Il devra se remettre au travail en arrivant.

Soudain, les yeux levés vers l'écran, Sébastien lance une question qui jaillit avec le naturel d'un commentaire sportif.

— Est-ce que tu t'ennuies de maman ?

Joaquin a le souffle coupé. Est-ce qu'il s'ennuie de sa femme ? Il revoit cette poignée de cheveux emmêlés devant laquelle le géant amoureux, anéanti, est tombé à genoux. Lefebvre a affirmé que, quand la beauté se dispersait, c'était signe que l'amour était tari. Il ressasse malgré lui ces images qui l'ont troublé dans les derniers jours : une chevelure dispersée, la courbe d'un talon, un visage modelé autour d'un sourire, la pointe souterraine d'une vertèbre.

Le serveur dépose les boissons devant eux.

Ce matin, quand il a vu Angel Roberts dans l'eau, les bras ouverts vers le ciel, ses cheveux et sa robe ondoyant autour d'elle, il a senti son cœur battre dans sa poitrine. Il est resté un long moment, accroupi au-dessus d'elle, à se demander pourquoi son cœur battait ainsi. Cyrille Bernard a affirmé, déjà, qu'il était le genre d'homme à être aspiré par le large, le genre qui veut mettre l'infini dans sa main. Assis devant la baie vitrée de son salon, Moralès y avait songé, sans comprendre ce que ça pouvait signifier. Ce soir, devant l'écran muet, il entrevoit enfin ce que le vieux pêcheur voulait dire.

On répond quoi à son gars de trente ans ? Il hésite. Trop longtemps. Il prend une grande inspiration, s'aperçoit qu'il est frappé de mutisme. Encore. Il opte pour une gorgée de café.

— Aujourd'hui, je suis allé sur le quai de Rivière-au-Renard.

Il sursaute presque en entendant Sébastien qui a repris la parole.

— Y avait des pêcheurs. Je les ai regardés longtemps. Tout l'après-midi. Je pense que je vais m'y mettre. À la pêche.

Louis apporte l'addition dans un étui rembourré. Joaquin met la main dessus, termine son café.

— C'est une bonne idée, la pêche.

Les hommes se lèvent. Joaquin voudrait serrer son gars dans ses bras, le réconforter, l'aider à donner un sens à ce qu'il pressent de grave dans la tête de son enfant. Il aimerait répondre à ses questions, lui parler d'un agenouillement terminé, de la beauté qui s'est dispersée dans le large, de l'infini qu'il veut encore prendre dans ses mains, mais tout ce qu'il fait, c'est saisir l'addition, déposer sa carte de crédit dans l'étui et payer le repas.

Vendredi 28 septembre

Moralès s'est couché tard. Il a tenté, en vain, de joindre Cyrille Bernard. Puis il a rédigé son rapport de la journée sur la table de la cuisinette, rangé les objets empilés par son agent. Il a hésité en prenant l'origami laissé par Simone Lord. Il l'a tenu un long moment dans sa main pendant que Sébastien contemplait l'horizon trouble de la mer qu'éclairait faiblement une lune coincée dans les nuages.

Alors que son fils est encore couché, l'enquêteur décide, ce matin, d'aller rencontrer Jimmy Roberts. Il se rend au bassin de la marina, se stationne dans la cour de l'usine de transformation des produits de la mer, située à l'angle du grand quai et du terrain d'hivernement.

Des hommes s'affairent à mettre *L'Ange-Irène* en cale sèche. L'un d'eux conduit un gigantesque treuil sur roues semblable à une araignée géante qu'il positionne au-dessus de la cale de halage rectangulaire ouverte en direction du bassin.

Moralès sort de sa voiture et s'approche, mais reste près de l'usine, à l'abri du vent. Deux curieux, plantés sur le bord, commentent la manœuvre.

— Y vont glisser les sangles en dessous pour le lever.

— Ouais ben, ça risque de forcer comme au printemps.

Ils saluent Moralès.

— C'est bien le crevettier de Bruce Roberts ?

Ils hochent la tête.

— Avant, tout le monde ici pêchait la morue, mais depuis le moratoire, y a fallu se mettre à la crevette.

188

— Quel moratoire?

Les hommes regardent Moralès bizarrement.

— Faut venir de loin pour poser des questions pareilles!

— Ouais ben, c'est la preuve que, ces affaires-là, ça intéresse personne en ville. Tout le monde veut manger du poisson frais pis des crevettes, mais personne veut défendre les pêcheurs.

L'Ange-Irène avance doucement vers la cale de halage. Les badauds laissent tomber l'explication. Deux hommes maintiennent une sangle en place pour la faire glisser sous la proue, avant, une fois le moteur éteint, d'aller en glisser une seconde sous la poupe.

— C'est toi qui enquêtes sur la mort de la petite à Leeroy?

Moralès acquiesce.

— Y s'est passé quoi?

L'enquêteur leur retourne leur silence bourru. Les autres interprètent ça à leur manière.

— Ouais ben, c'est pas la première à se suicider par ici.

— T'en souviens-tu de Jean Bournival?

— Ouais ben, c'était pas pareil.

— Ben oui, c'était pareil!

Il se tourne vers Moralès.

— Bournival, y était monté en haut de son bateau, ici, dans le bassin de la marina, pis y a crié à Dieu de lui envoyer du poisson! Y l'engueulait! Qu'est-ce que tu penses qu'y est arrivé? La foudre y a tombé dessus! Juste en face de nous autres!

— Ouais ben, c'est ça que je disais: c'est pas un suicide!

— Comment t'appelles ça, d'abord? Y avait même pas d'orage!

— Ben oui, y avait de l'orage! C'était nuageux pis venteux, c'est juste que la pluie était pas arrivée! C'est même pour ça qu'y est monté sur son bateau: le vent était en train d'arracher son antenne!

— Pareil, y aurait pas dû invoquer Dieu!

— C'était une blague!

— On fait pas de blagues avec ça.

— Ouais ben, on le sait, à c't'heure.

La porte à l'arrière de l'usine s'ouvre et des employés en sortent. Moralès aperçoit Guy Babin et Jimmy Roberts qui, découvrant la présence de l'enquêteur, accélèrent le pas dans la direction opposée. Il les rejoint presque au pas de course.

— Jimmy Roberts, j'aimerais vous…

— On n'a pas le temps, la pause dure juste quinze minutes.

C'est Babin qui a répondu.

— Je peux vous convoquer au poste pour un interrogatoire. Le village au complet va être au courant. Ou on peut avoir une discussion informelle ici, l'air de rien.

— Écoute-moi ben, la police…

Jimmy Roberts arrête Babin d'un geste.

— C'est bon, Ti-Guy. Je m'en occupe.

À regret, Babin s'éloigne avec un regard noir vers Moralès. Ce dernier emboîte le pas au cadet d'Angel, qui sort son paquet de cigarettes. Il en prend une, l'allume en traversant la route pavée qui mène au quai.

— Qu'est-ce que vous voulez savoir?

— J'ai appris que vous aviez eu un pétonclier. J'aimerais comprendre pourquoi vous l'avez vendu.

L'autre ralentit, arque un sourcil. Il s'attendait probablement à des questions sur le déplacement du homardier, sur ses liens avec Angel, voire sur ses allées et venues.

— Les homardiers se sont mis ensemble pour racheter les permis des pétoncliers pis les détruire. Les biologistes leur avaient dit que c'était de notre faute si y avait pus beaucoup de homards en Gaspésie. Ils nous offraient des bons prix. J'ai vendu, comme tous les autres.

Les deux hommes se sont arrêtés de l'autre côté de la route, là où le brise-lames du grand quai s'imbrique à la terre ferme. Un enrochement protège la route contre la fureur des grandes marées d'automne. Le jusant a laissé une large bande de varech à découvert. Des vagues molles en lèchent le bord boueux.

— Et après?

Jimmy Roberts exhale la fumée avec mépris.

— Quoi, après ?

La brise pousse vers eux des odeurs de soufre et de sel. Des goélands arrivent en criant, se posent sur les rochers vaseux, le bec dans le vent.

— Qu'est-ce que vous avez fait avec cet argent ?

Il tire une bouffée de sa cigarette.

— J'ai remboursé mon bateau.

Il expire longuement.

— Pis j'ai divorcé. Ça coûte cher, un divorce, quand t'as des jeunes enfants.

Les goélands montent leur bec au ciel et poussent des ricanements aigus en faisant des mouvements de tête désordonnés.

— Pis je suis rentré à l'usine de poissons. Moins de responsabilités. Le salaire est correct.

Jimmy Roberts tente de tirer une dernière bouffée de sa cigarette, s'aperçoit qu'elle est rendue au filtre, la laisse tomber par terre, l'écrase sous la pointe de son pied.

— Est-ce que vous vous entendiez bien avec votre sœur ?

— Oui, pourquoi ?

— Parce que Jean-Paul Babin est allé travailler pour elle, mais pas vous.

Un camion réfrigéré passe près d'eux. Les oiseaux, offensés par le bruit, s'envolent en hurlant, tournent en l'air. Les goélands reviennent peu à peu, acariâtres, reprendre leur place sur les roches et les monticules de varech.

— Ma sœur Angel m'a offert de travailler pour elle, y a deux ans, mais j'ai dit non. Elle venait, avec les gars de homard, de déchirer mon permis. J'ai mauvais caractère pis c'était son bateau : j'étais pas pour aller lui faire de la misère à bord.

Les autres employés commencent à rentrer au travail. Jimmy Roberts fait quelques pas vers l'usine. Moralès l'accompagne. Les goélands semblent endormis quand les hommes quittent le bord de l'enrochement et traversent la voie pavée en direction du stationnement.

— Monsieur Roberts, allez-vous, vous ou vos amis Babin, tenter de racheter le bateau et le permis de votre sœur?

Jimmy Roberts ralentit à peine.

— Je vais être en retard.

Du coin de l'œil, il aperçoit quelque chose, se tourne légèrement vers la gauche, puis accélère en direction de l'usine.

— J'ai pas envie qu'ils me coupent une heure sur ma paye.

Moralès regarde par-dessus son épaule pour voir ce qui fait fuir Jimmy Roberts. La camionnette du père arrive sur le terrain d'hivernement, se gare. Quand il se retourne, il constate que la porte de l'usine se referme derrière le cadet des Roberts. Il revient vers le puits de halage.

— Pareil, la pêche, c'est un métier trop dur pour une femme. C'est dur pour un homme, ça fait qu'imagine!

Les deux badauds sont toujours plantés là, à observer la manœuvre. Au moment où Leeroy Roberts fait débarquer deux gros chiens de son véhicule, ils se mettent en mouvement dans sa direction, ôtent leur casquette, lui serrent la main à tour de rôle. Ils sont trop loin pour que Moralès entende l'échange, mais il comprend qu'ils doivent lui offrir leurs condoléances.

Les chiens courent vers le bassin, s'arrêtent près de Joaquin, qui se penche pour les flatter. Leeroy Roberts prend congé des badauds et s'avance.

— Angel était allergique. Fallait que je les sorte quand elle venait à la maison, même si elle prenait des pilules contre les allergies. La dernière fois, ses pilules faisaient pas effet.

Moralès lui offre ses condoléances. Il serre les lèvres, Leeroy, parce qu'il n'y a rien à ajouter. Les formules de sympathie ne vont pas lui redonner sa fille. Il se tourne vers le treuil de halage qui remonte lentement *L'Ange-Irène* hors de l'eau. Ça ne le console pas, de voir un beau bateau comme ça, mais ça le rend fier. Parce que Bruce, il fait des belles pêches. Des pêches qui rapportent.

— Ils vont l'amener juste là, sur la *sleep*. Ils mettent *L'Ange-Irène* proche du bord parce que le crevettier de mon gars, c'est le plus gros. Il est un peu trop lourd pour le *lift*, ça le fait forcer. Ça fait qu'ils veulent pas le placer loin.

En effet, un bip d'urgence résonne dans l'air.

— C'est pour ça qu'ils sortent celui-là en dernier: si jamais le *lift* venait à manquer, la réparation retarderait pas la mise en cale sèche des autres bateaux.

Le crevettier est maintenant suspendu dans le vide. Leeroy Roberts regrette que l'enquêteur ne connaisse pas les gros engins mobiles; il verrait que c'est toute une machine! Le treuil de halage se met doucement en branle.

— Vous embarquez souvent avec votre fils?

— Jamais. Deux capitaines à bord, c'est pas faits pour s'entendre. Pis Bruce est meilleur que moi. Il est allé à l'université en biologie marine pis à l'école maritime; il connaît les technologies, les ordinateurs, les sonars, les détecteurs de prise électroniques après les chaluts. Vous êtes monté à bord, l'autre jour. Vous avez dû voir l'équipement. Moi, je suis dépassé.

Le treuil de halage, chargé du lourd chalutier, avance péniblement.

— À c't'heure, pour pêcher, ça prend des études. Dans le temps, c'était le contraire. C'était le métier de ceux qui voulaient pas aller en classe: « T'es pas bon à l'école? On va te vendre un bateau pas cher pis tu vas devenir pêcheur! » Pas pour rien que les pêcheurs étaient pauvres: ils avaient pas d'éducation!

Une camionnette sport arrive, se stationne en retrait. Deux hommes en sortent, échangent un salut discret avec Leeroy. Le treuil de halage continue d'avancer lentement, accompagné de son avertisseur sonore, vers sa destination.

— Moi, j'ai tout le temps pensé que la mer, c'était une richesse, mais qu'il fallait savoir la prendre.

Moralès se garde de lui poser des questions. Il craint de le rendre méfiant, alors que l'autre est en bonne voie de confidences.

— J'ai appris en travaillant comme aide-pêcheur au Nouveau-Brunswick pis dans le Maine. Après, je suis revenu, je me suis marié pis j'ai acheté mon premier bateau. C'était un ancien bateau de bois. J'avais choisi de pêcher la morue. C'était payant, mais c'était dur. Dans ce temps-là, on remontait les filets à bras, sur le côté du bateau.

Le treuil de halage est arrivé à destination. Les hommes de la camionnette s'approchent de chaque côté de la poupe et s'affairent à empiler des coins de bois contre la coque. Emporté dans un élan de nostalgie, le père des Roberts ouvre son portefeuille, en tire une image en noir et blanc, fripée, qu'il tend à Moralès. C'est une photo d'un bateau ancien sur lequel se tient Leeroy, jeune et fier, regardant l'objectif, les bras croisés sur la poitrine.

— Sauf que, dans le Maine, j'avais vu des bateaux qui remontaient les filets par l'arrière au lieu du côté. C'était plus logique, mais il fallait que la coque soit faite autrement, pour que les filets remontent pas dans l'hélice du moteur. En plus, ils les remontaient avec un treuil! Ça fait que, tant qu'à acheter un bateau, j'en ai acheté un équipé d'un treuil en arrière. C'était pas donné, mais ç'a valu le coût.

Les chiens ont fait le tour des trous d'eau et sont revenus s'asseoir près de leur maître. Celui-ci reprend sa photo des mains de Moralès, la regarde.

— Ç'a été un mal pour un bien quand ce bateau-là a passé au feu.

— Qui a mis le feu à votre bateau?

— C'était un accident. On était en mer, moi, mon gars pis mes deux aides-pêcheurs. Pas ben loin, mais y avait tout un brouillard qui empêchait de voir. En revenant, on a dû accrocher une roche à fleur d'eau. L'essieu a crochi, mais on s'en est pas aperçus. On arrangeait le poisson sur le pont. Le moteur s'est mis à forcer sans qu'on s'en rende compte pis le feu a pris. Quand on est allés pour l'éteindre, c'était déjà trop tard: toute la poupe brûlait. On a appelé la garde côtière, on a mis le radeau de détresse à l'eau pis on a embarqué dedans. Au début, on voulait rester proches du feu pour que les secours nous retrouvent facilement. Ç'a pris du temps avant d'être secourus, à cause du brouillard. Y avait pas de vent, l'air se remplissait d'odeurs de poissons cuits.

Les deux hommes arrivés plus tôt passent à l'avant de *L'Ange-Irène* et empilent des coins de bois pour soutenir la proue.

— Après, ça s'est gâté. Mon bateau de bois était rempli de fusées de détresse. Faut en acheter des nouvelles chaque année, c'est la loi. Moi, je jetais jamais les anciennes. Ça fait que j'en avais une grosse boîte. Quand les flammes ont touché à la boîte, je vous dis qu'on l'a su! Les feux se sont mis à péter. Ça sortait de tous les côtés! Mes aides-pêcheurs ont eu peur qu'une étincelle touche au radeau de secours. Il était en caoutchouc, on aurait coulé. Ça fait qu'un des gars a pris la petite rame qu'y avait à bord pis il s'est mis à ramer de toutes ses forces pour qu'on s'éloigne du bateau de pêche. Mais c'était un radeau rond, avec un toit pis une petite porte d'un seul bord. Pis on avait juste une rame. Qu'est-ce que vous pensez que ç'a fait? On s'est mis à tourner sur nous-mêmes comme une toupie!

Les coins installés, l'homme qui manœuvre la grue commence à relâcher la tension sur les courroies qui soutiennent le crevettier.

— La garde côtière a fini par nous trouver, mais mon bateau de bois a coulé. Après, j'ai manqué le reste de la saison. C'était dur parce que le moratoire sur la pêche à la morue est arrivé juste pendant ces années-là. Vous avez dû en entendre parler?

Moralès hésite à répondre non.

— Du jour au lendemain, le gouvernement a fermé la pêche à la morue. Finie. Comme mon bateau venait de brûler, je m'en suis fait bâtir un autre, adapté pour la crevette, avec un treuil à l'arrière.

L'avertisseur sonore s'est tu. Les hommes détachent les courroies, qui tombent par terre.

— Il y a des mauvaises langues qui ont dit que j'avais fait exprès pour faire brûler mon bateau de bois. C'est pas vrai.

J'aurais jamais risqué ma vie, celles de mon gars pis de mes aides-pêcheurs. Mais quand les hasards adonnent comme ça, t'as tout le temps des jaloux pour inventer des menteries.

Leeroy s'en souvient avec amertume. Il s'est toujours considéré comme un pêcheur de morue.

— Quand le moratoire a été imposé, on n'a pas eu le choix. On a eu beau se battre contre les biologistes et les gars du gouvernement, rien à faire : tous les pêcheurs de morue ont été forcés de se convertir à la crevette.

Quand il a amarré son nouveau bateau au grand quai pour la première fois, les autres sont venus cracher dessus et l'ont traité de voleur de crevettes. Sa réussite, Leeroy, il l'aura gagnée à la dure.

Le treuil de halage se dégage lentement du chalutier. Les hommes ramassent les courroies.

— C'est facile de critiquer ceux qui réussissent, mais j'ai beaucoup travaillé. Beaucoup. Pis mon gars Bruce aussi. C'est pas pour rien qu'il est capable d'avoir un bateau pareil !

Les deux hommes attachent à leur camionnette un escalier de fer sur roues qu'ils remorquent près du crevettier pendant que le treuil de halage, libéré de son lest, passe près d'eux, retourne se stationner au-dessus du puits.

— J'ai croisé votre fils Jimmy, avant que vous arriviez…

Leeroy l'arrête d'un geste. Il s'attendait à ce que son cadet lui casse du sucre sur le dos, mais il embarquera pas dans ses jérémiades. Lui, il a tout fait pour aider ses enfants à devenir des gens fiers et travaillants ; il a toujours détesté les sangsues.

— Jimmy se plaint tout le temps. Il a mis une fille enceinte à dix-sept ans, il l'a mariée l'année d'après pis il voulait être propriétaire de sa pêche à dix-huit ans ! Sa mère pis moi, on lui avait dit qu'il était trop jeune, mais y a rien voulu entendre ! Vous devez le savoir, vous, que les jeunes font jamais rien qu'à leur tête ! Après, quand ça va mal, ils viennent nous le reprocher ! Jimmy a eu une période difficile, il a vendu sa pêche. Après, c'est à chacun d'assumer les conséquences de ses choix.

Leeroy Roberts a relevé le menton et croisé ses bras sur sa poitrine, redevenant l'homme fier de la photo.

— C'est vous qui avez demandé à votre gars d'amener *L'Échoueuse II* au quai de Grande-Grave l'autre nuit?

— Oui. Il a une valeur, ce bateau-là. On peut pas le laisser n'importe où. Il faut l'hiverniser. Jimmy va s'en occuper.

Leeroy secoue la tête d'un air dégoûté.

— J'avais dit à Angel de choisir un autre métier, que la pêche, c'était pas fait pour une femme. Elle a pas voulu m'écouter. Elle avait toute une tête de cochon! J'aurais jamais cru qu'elle pouvait se suicider. Mais qu'est-ce qu'on sait de nos enfants?

Leeroy Roberts se détourne, s'éloigne d'un pas fatigué, ouvre la portière arrière de sa camionnette. Les chiens y montent, se blottissent sagement sur la couverture qui couvre la banquette. Il referme la portière. Sur la *sleep*, des dizaines de bateaux attendent les soins de l'automne. Leurs flancs sont sillonnés de coulisses de rouille. Il faudra les repeindre, encore, les protéger contre les morsures du sel, contre la mer qu'ils s'entêtent, coques minuscules dans l'immensité trouble, à habiter.

Le pêcheur revient en direction de l'enquêteur d'un pas lourd.

— Monsieur Roberts, samedi dernier, votre fille Angel et son mari sont allés souper chez vous. Qui a préparé le repas?

— J'ai fait venir du traiteur. C'est Corine qui fait ça, avec la petite Morin.

Il a répondu mécaniquement.

— Vous parlez de Kim Morin, qui enseigne le yoga?

— Oui.

Il lève le regard et Moralès voit pour la première fois le chagrin qui le hante.

— Depuis hier, je me sens comme ça. Comme la fois où mon bateau de bois a coulé. Je tourne avec ma petite rame pis les feux de détresse veulent me sortir du corps.

Il salue l'enquêteur d'un signe de tête, puis s'éloigne en direction de l'escalier de fer, maintenant amarré à la coque du crevettier. Installé sur ses coins de bois, *L'Ange-Irène*, en cale sèche pour l'hiver, ruisselle d'eau de mer.

Corine a relevé ses cheveux en toque et s'apprête à faire l'inventaire de ses congélateurs quand il entre dans la cuisine.

— Tu retournes-tu enquêter avec ton père?

Elle tient un bloc-notes avec des fiches, un stylo et un marqueur.

— Non. C'est pas tellement ma place. Hier, je suis allé sur le quai pis j'ai vu des gens pêcher. Je pense que j'aimerais ça essayer ça.

Elle ouvre des yeux surpris.

— T'as jamais pêché?

— Une fois ou deux, quand j'étais enfant. Mais ç'a pas l'air compliqué. On tient la canne de côté, on lance le fil, on rembobine.

Sébastien fait le geste de tourner une petite manivelle avec la main. Elle sourit, peu impressionnée.

— Et tu mets quel leurre?

— Un leurre?

— Au bout de ton fil, tu mets quoi?

Il lève les yeux au ciel, comme si elle posait une question trop facile.

— Un hameçon!

— Un hameçon?

— Un hameçon pis un ver de terre!

Elle rit franchement.

— Tu connais rien!

— Pourquoi tu dis ça?

— Personne pêche avec des vers en mer! Tu penses attraper quoi? De la truite de rivière?

À vrai dire, il n'a pas tellement réfléchi à la possibilité de prendre du poisson. La veille, il a regardé les pêcheurs lancer la ligne, la rembobiner, et ce geste seul, chorégraphique, lui a paru complet en soi. Comme ces disciplines asiatiques qui consistent à répéter sans fin le même mouvement, en l'intégrant dans son corps afin de libérer l'esprit. Un taï-chi de bord de mer, pour démêler les fils noués de ses idées. Le vieux Cyrille lui a affirmé qu'il ne savait pas regarder la mer. Peut-être que tout ça avait un lien avec le fait d'apprendre à y voir clair. Les questions de leurres et de prises lui semblent secondaires.

— Je sais pas. J'ai vu mon père pêcher l'autre jour, à Caplan, mais il a juste pogné un tronc d'arbre.

— T'as une canne ?

— Je vais aller en acheter une pas chère au village…

Corine secoue la tête, désespérée. Elle pose son bloc-notes et ses crayons.

— Viens. J'en loue, l'été, aux touristes.

L'aubergiste entraîne le fils de Moralès à l'extérieur, en direction d'une remise située près d'un enrochement au bout du terrain. L'air sent le varech, la brise leur donne le frisson. Elle ouvre la porte. À l'intérieur, tout un équipement de camp de vacances est rangé avec soin : planches à voile, kayaks, canots, chaudières et pelles pour la plage, cannes à pêche.

Elle s'avance vers le mur de droite. Les cannes sont debout, insérées dans des compartiments de bois, comme s'il s'agissait d'une collection. À côté, sur un établi, sont posés deux coffres, un grand et un petit, emplis d'hameçons, de flottes, de mouches, de leurres plus ou moins colorés, certains articulés, d'autres, apparemment visqueux, maintenus dans des sachets, à l'unité ou en paquet.

Corine tire du grand coffre ouvert une longue cuillère argentée, avec un point rouge figurant un œil à un bout et un hameçon formé de trois crocs soudés à l'autre bout.

— Ton leurre.

Elle passe derrière Sébastien, avance vers la rangée de cannes. Il y en a une dizaine. Elle en choisit une très simple, classique, d'environ deux mètres, avec un moulinet argenté dont elle relève l'arceau. Libérant ainsi le fil, elle en tire le bout, auquel un émerillon est installé. Elle y attache l'hameçon. Puis elle remet l'arceau en place, fait mordre un croc au manche en liège, tend le fil. Elle prend la canne, la sort de son casier, la tend à Sébastien.

— Ça te tente-tu d'essayer la pêche au maquereau?

Elle l'entraîne au bout du terrain. Une petite jetée, construite parallèle au terrain, leur permet d'avancer sur la mer.

— Libère l'hameçon.

Il s'exécute.

— Maintenant, tu prends la canne dans ta main droite… Descends la ligne un peu, c'est trop haut. Tiens-la à droite. Attends…

Elle se place face à lui, très près, pour lui donner des consignes. Sébastien est surpris par cette proximité physique. Corine semble ne pas la remarquer.

— Mets ta main droite plus haut sur la canne et tiens le fil avec ton index contre le manche. Maintenant, relève l'arceau avec ta main gauche.

Elle touche sa main en lui indiquant comment faire, puis s'éloigne.

— Là, tu vas donner un élan et relâcher le fil en lançant…

Il s'exécute.

— Voilà! Donne un demi-tour de moulinet, ça va ramener l'arceau en place.

Il mouline. Elle regarde le fil, puis le nouveau pêcheur et sourit.

— Ben voilà! T'as juste à rembobiner! Pas trop vite! Prends ton rythme. C'est ça. De temps en temps, tu peux donner un coup sur le côté, comme si le leurre tentait de s'enfuir. Ça excite le poisson, il paraît.

Il la regarde. Elle est plutôt jolie.

— Je te prête la canne. Je vais aussi te prêter le petit coffre à pêche, avec une paire de pinces pour ôter le croc du poisson, pis deux ou trois affaires de même. Sur les quais, t'auras pas de misère. Si t'as des questions, tu demanderas. Les autres pêcheurs vont t'aider. Faut aussi mettre une chaudière dans ton auto, si tu veux pas que ton tapis sente le poisson pendant dix ans.

Il ramène le fil, accroche le croc au liège du manche. Ils retournent dans la remise. Elle prend quelques objets dans le gros coffre, les insère dans un étui léger qu'elle ferme et qu'elle lui tend.

— Tiens ! T'es prêt pour ta première pêche au maquereau !

En la remerciant, il s'aperçoit qu'il ne sait même pas à quoi ressemble un maquereau. C'est pas grave. Sébastien monte dans sa voiture. En tournant le coin de la rue du Quai, il croise la voiture de son père, le salue de la main. Il roule jusqu'au milieu du grand quai, se stationne du côté du brise-lames. Aucun pêcheur en vue. Il s'installe quand même.

En entrant dans le poste de police, Moralès remarque, surpris, que la secrétaire carcérale se lève.

— Bonjour, enquêteur Poralès. J'ai un message pour vous. Mme Dotrice Percy est passée. C'est une femme sérieuse. Elle pourrait donner un fier coup de main dans plusieurs enquêtes. Par exemple, la nuit où Angel Roberts est disparue, Mme Percy a été témoin d'un événement important et elle aimerait vous rencontrer parce que personne ne la prend au sérieux ici. Je vous ai noté son numéro sur ce bout de papier, au cas où vous l'auriez perdu.

— Nous irons la voir cet après-midi. Merci, madame Roch.

Moralès prend le papier, troublé que la réceptionniste lui ait adressé la parole. Elle ne lui a pas vraiment parlé, qu'il se dit. Elle a débité son laïus, puis est retournée s'asseoir. Sans qu'il ait à le lui demander, elle déverrouille la porte.

Il traverse le poste de police, se rend jusqu'au bureau de Lefebvre. Deuxième surprise du jour au poste : Lefebvre lui refile, sans avoir besoin d'effectuer une fouille archéologique, une copie du dossier, incluant photos et rapport de la garde côtière. Moralès lui tend le papier que le cerbère de l'accueil lui a donné.

— Dotrice Percy a rappelé ce matin.

— Je sais, je viens de lui parler. Elle préférerait que ce soit toi qui y ailles. Je pense qu'elle va être déçue de ne pas parler à l'enquêteur en chef...

— Impossible, je suis pris. Bien essayé, mais tu es mon meilleur agent de terrain, Lefebvre.

— Je suis passé à la clinique, ce matin. J'ai rencontré le médecin d'Angel Roberts. Elle allait bien : pas de dépression, pas de consultation connue chez un psy, pas de cancer caché qui l'aurait jetée vers une mort précipitée. Après ça, pas de consommation de drogue légale ou illégale connue. Pas dépressive, mais dépassée, comme tout le monde. Comme toi et moi.

— Son médecin a dit ça ?

— C'est ce que ça voulait dire.

— C'est tout ?

— Elle dormait mal.

— T'as eu le temps de vérifier la situation économique de Cyr ?

Lefebvre hoche la tête.

— Plutôt bonne. Il a payé son crevettier avec sa part de l'héritage de son père. Il voudrait s'acheter un bateau-usine pour congeler ses crevettes à bord. Simone dit que ça coûte cher et qu'on manque d'expertise ici dans ce type de bateaux. C'est risqué, mais il a de l'argent.

— Elle est où, l'agente Lord ?

— Au bureau de Pêches et Océans. Tu t'ennuies d'elle ?

Le cellulaire de Lefebvre vibre. Il le sort et lit le texto.

— Le médecin légiste sera prêt à nous faire un rapport préliminaire d'autopsie demain, vers onze heures. Un appel à partir d'ici, ça te convient ?

— J'y serai.

Lefebvre répond au texto, range son cellulaire. Les deux hommes marchent vers la sortie.

— Arrête à l'auberge, en revenant, qu'on fasse le point.

— OK.

Ils arrivent près de la porte.

— T'as un médecin de famille, toi ? Moi, non. Tantôt, quand j'ai rencontré celui d'Angel Roberts, je lui ai demandé de me faire passer des tests.

— Tu peux pas faire ça, Lefebvre, t'es en service !

— Je le sais, mais tant qu'à être sur le terrain…

En franchissant la sortie, Lefebvre lisse sa petite moustache, salue Thérèse Roch.

— C'est un échange de bons procédés entre un médecin et un agent de police. On sait jamais quand l'un peut avoir besoin de l'autre. En plus, son père soignait ma mère ! T'imagines ? Ça fait trois générations qu'ils font le même métier, dans sa famille ! Ils doivent se donner des stéthoscopes à Noël.

— Il t'a répondu quoi ?

— Sa secrétaire m'a donné un rendez-vous. Il faudra que j'y retourne pour des tests sanguins. Vérifier mon cœur et ma prostate. La totale. C'est un médecin qui prend ça au sérieux, ça paraît.

Debout sur le muret de ciment du quai de Rivière-au-Renard, Sébastien pose l'index sur le fil, relève l'arceau du moulinet, lance. Dans un éclair doré, la cuillère traverse l'air puis plonge à une vingtaine de mètres de lui. Il mouline d'abord un tour, pour ramener l'arceau en place, puis entame un moulinage plus lent, rythmé de coups secs d'un côté puis de l'autre.

Les gestes manquent de fluidité, la canne est secouée à chaque tour et il tient sa ligne trop haute. Hier, les pêcheurs tenaient la leur parallèlement à l'eau. Il recommence la manœuvre. Deux, trois, quatre, bientôt quinze fois. Il stabilise peu à peu la force du lancer, le rythme du rembobinage, l'angle de sa ligne.

La vague ramène son leurre contre le brise-lames. Il doit mouliner plus rapidement sur les derniers mètres.

Moralès attrape un sandwich aux crevettes et se dirige vers le quai de Grande-Grave. Il mange dans l'abri touristique, puis, contournant le quai où les pêcheurs à la ligne taquinent le maquereau, il marche vers *L'Échoueuse II*. Lorsqu'il arrive sur le ponton à la hauteur du homardier, quelque chose capte son attention. L'enquêteur tente de saisir quoi. Rien d'évident. Des objets ont changé de place depuis qu'il est venu avec Jacques Forest. Des seaux, peut-être, des bouées. Il sort son cellulaire, prend des photos du bateau. Demain, il viendra vérifier si les objets sont aux mêmes endroits. Il retourne vers sa voiture. Quelques pêcheurs lèvent la tête, le suivent discrètement du coin de l'œil.

Clément se gare en même temps que Moralès. Les hommes sortent de leur véhicule, mais le géant ne l'invite pas à entrer. Son visage est affaissé, ravagé par une douleur sombre qu'il contient difficilement.

— Vous appelez jamais avant de débarquer ?

— Je vous ai vu passer, j'ai décidé d'arrêter. J'ai quelques questions à vous poser. Ça vous embête ?

L'autre croise les bras sur son torse large.

— Allez-y.

— Vous êtes occupé ? Vous arrivez d'où ?

— Du salon funéraire des frères Langevin. Ils ont des succursales dans toute la Gaspésie. Les gars sont corrects, mais le plus vieux parle trop. Il était vendeur d'autos avant. C'est tout ?

Moralès laisse passer un moment de silence. Ce n'est pas la première fois qu'il n'est pas le bienvenu.

— On peut entrer et s'asseoir ? Je ne vous retiendrai pas longtemps.

— La maison est en bordel.

— C'est compréhensible.

Il fait signe au géant d'avancer vers la porte, comme si c'était lui qui l'invitait. Clément Cyr soupire, laisse tomber ses bras, monte les marches du balcon, ouvre la porte. Angel est déjà là, dans l'ombre.

Moralès suit le pêcheur jusque dans la cuisine. La pièce est lourdement en désordre, la vaisselle sale traîne, des vêtements, des souliers, des papiers gisent çà et là. Cyr ne voit rien, sinon son épouse au regard dur. Il se laisse tomber sur une chaise près de la table. Il peine à ranger sa douleur, le reste, il ne le voit même pas. L'enquêteur s'assoit à son tour dans cette cuisine hantée.

— Comment allait votre femme, dernièrement ?

— Vous m'avez déjà posé la question. Elle était fatiguée, c'est normal en fin de saison. Elle avait du mal à dormir. Elle prenait des pilules, de la mélatonine, je pense. Une affaire en vente libre.

— Vous avez encore le pot ?

— Sûrement.

Il se lève et se dirige vers la salle de bain, au fond, à gauche. Moralès l'entend ouvrir une porte, deux, les refermer. Les tiroirs. Puis le veuf revient.

— Je le trouve pas.

— C'est pas grave. Il était peut-être vide.

L'autre se rassoit. Angel ne bouge pas.

— Vous saviez que les Roberts ont amené le homardier à Grande-Grave ?

— Il va falloir l'hiverniser. Jimmy va s'en occuper.

Moralès s'étonne de la façon dont Clément Cyr abandonne le bateau de sa femme aux mains de son beau-frère, mais Simone Lord lui a dit, déjà, que les pêcheurs géraient la mer à leur manière. Il change de sujet, pour déstabiliser le pêcheur.

— Est-ce que votre femme avait des allergies alimentaires ?

L'autre ne réagit qu'à peine.

— Non.

— Est-ce que d'autres personnes, qui étaient présentes au souper de samedi, ont eu les mêmes symptômes de nausée et d'étourdissement qu'Angel a ressentis ce soir-là ?

Il secoue la tête.

— Non, mais elle était allergique aux chiens. Elle avait pris des pilules contre les allergies parce que mon beau-père en a deux.

— C'était la première fois qu'elle prenait ces médicaments ?

— Non, mais elle s'est plainte pendant le souper que les pilules faisaient pas effet. À un moment donné, elle a avalé un comprimé de plus. Avec de l'alcool.

— Elle buvait beaucoup ?

— Non.

— Samedi dernier, elle a bu plus que d'habitude ?

— Je m'en rappelle pas.

Le géant est fermé, presque agressif. Moralès se demande ce qu'il cache. Il choisit de poser des questions moins compromettantes avant de revenir à la charge.

— Savez-vous si votre femme avait des croyances ésotériques ?

Cette fois, l'homme lève un œil véritablement interrogateur. Il semble dérouté.

— Elle s'adonnait à des méditations, des rituels particuliers ?

— Ça me dit rien.

Profitant du trouble du pêcheur, Moralès attaque plus sérieusement.

— Monsieur Cyr, êtes-vous un homme fidèle ?

Les lèvres de Clément se serrent, ses narines se dilatent comme celles d'un taureau, de grosses veines apparaissent dans son cou. Il fait clairement un effort pour maîtriser sa colère soudaine.

— Qu'est-ce que vous sous-entendez? Je suis juste ça, un homme loyal! Comprenez-vous ça? Demandez à tous ceux que vous voulez: les Cyr, on est honnêtes. C'est pas pour rien que tous les villageois ont fait le saut quand on m'a vu avec la fille à Roberts!

— Qu'est-ce qui se passe avec votre beau-père?

Clément Cyr se ressaisit.

— Rien.

— Vous laissez entendre…

— C'est fini, les chicanes. On a réglé ça.

Moralès sent que l'autre s'est calmé, qu'il a repris le dessus sur sa colère, et il le regrette. Il aimerait le déstabiliser de nouveau, mais devine que ce sera plus difficile. Il tente un autre assaut.

— J'aimerais savoir si vous connaissez Kim Morin.

— Oui, elle enseigne le yoga à Gaspé.

— Quelle est votre relation avec elle?

Clément Cyr soupire, exaspéré.

— C'est pas une méchante fille, mais elle est embarrassante. Elle est fascinée par la mer. Ça fait qu'elle traîne au quai. Elle tourne autour des bateaux. Une fois, j'ai voulu être poli pis je l'ai invitée à bord. Après, elle arrêtait pas de revenir, comme si on était des grands amis.

— C'est le cas?

— Non. Je suis pêcheur. Je travaille avec des gars. J'ai pas ça, moi, des amies de filles.

— Vous avez revu Kimo dans les derniers jours?

— Je l'ai croisée en ville. Elle veut me consoler ou je sais pas quoi, mais ça me dérange.

— Pourquoi?

— Parce qu'y a rien qui me console.

— Monsieur Cyr, étiez-vous fidèle à votre épouse?

Exaspéré, le géant Cyr fait un geste de la main, comme s'il balayait quelque chose qui lui obstruait la vue.

— Je peux pas être coupable de tout!

Moralès se demande à qui il s'adresse.

— Qu'est-ce que vous voulez dire?

Cyr n'en peut plus du regard ironique d'Angel, des ombres qui planent dans cette maison en bordel.

— Ça suffit. Partez, maintenant.

Clément Cyr, épuisé, baisse les yeux sur ses mains impuissantes à contrer l'insensé. Joaquin Moralès comprend que le veuf est obsédé par la mort de sa femme. Le contraire serait étonnant. Il devra s'assurer que les services sociaux s'en occupent. Il se lève, mais le géant ne bouge pas.

— J'ai couché tout seul à l'auberge, si c'est ça que vous voulez savoir. Je fais un peu le *party*, comme mon père, mais je suis un homme droit.

Moralès hoche la tête, se tourne et sort. Avant de monter dans sa voiture, il avance vers le garage, jette un œil par la fenêtre : des bouées, des filets, des imperméables, des pneus d'hiver, un habit de plongeur trop petit pour Cyr, des vélos, des chaises de camping. Aucune embarcation. Il fait le tour. Derrière le garage sont cordés les casiers de métal pour la pêche au homard. De l'autre côté, Annie Arsenault, agenouillée dans le potager, plante de l'ail. Elle lève les yeux, salue Moralès d'un mouvement de tête et revient à ses bulbes.

L'enquêteur retourne à sa voiture. Il ouvre la portière, lève les yeux vers la maison. Par la fenêtre de la cuisine, le géant l'observe avec un regard hostile.

Une sonnerie différente de celle de Maude attire son attention. Sébastien sort le cellulaire de sa poche, regarde l'écran. C'est un numéro gaspésien. Il répond.

— Ah! Ben j'm'en vas vous dire que c'est Renaud Boissonneau ici présent.

— Attendez un instant, je vous reviens.

Intrigué par l'appel, Sébastien rembobine son fil, descend du muret et dépose sa canne.

— Je vous écoute, Renaud.

— Vous êtes bien à Gaspé avec votre père?

— À Rivière-au-Renard. On loge tous les deux à l'auberge Le Noroît, mais je suis seul en ce moment. Qu'est-ce que je peux faire pour vous?

— Je vous appelle, j'm'en vas vous dire, pour savoir ce qui se passe, avec l'enquête.

— Pardon? Quelle enquête?

Complètement absorbé par son effort de pêche, Sébastien s'aperçoit qu'il a momentanément oublié toute cette histoire.

— L'enquête sur la petite pêcheuse qui a été retrouvée morte à Gaspé! Ça se parle jusqu'ici à la radio. C'est votre père qui l'a repêchée?

— C'est la garde côtière, mais il était sur le bateau, pourquoi?

— Pis on dit-tu que c'est un meurtre ou un accident?

Sébastien se gratte la tête. Renaud Boissonneau l'appelle pour mettre son nez dans l'enquête.

— J'm'en vas vous dire que c'est sûr que je pourrais attendre de lire le journal, mais y a rien de mieux qu'une première source en matière d'informations.

Il reste un moment abasourdi par l'effronterie du serveur, puis il lui vient une idée.

— Monsieur Boissonneau, dites-moi: est-ce que c'est vrai que mon père a des aventures avec des Gaspésiennes ou si c'est un potin que vous avez inventé?

Un silence embarrassé passe.

— Jésus, Marie, Joseph! J'm'en vas vous dire que j'ai jamais dit ni même pensé une pauvreté d'histoire pareille! Non, monsieur! Votre père, il est sensible aux femmes comme un enquêteur mexicain, j'imagine, pas plus ni moins! Pis c'est ben comprenable, quand on a le sang chaud! Mais inquiétez-vous pas: il est fidèle autant que votre mère le veut!

Une vague de malaise lui monte à la gorge. Sébastien ignore si ses parents se sont parlé, si son père est au courant que sa mère a déménagé dans un condo à Longueuil. Il n'a pas très envie d'y songer, d'autant plus que ça ne mord pas, que Maude lui tourne en tête comme un carrousel nauséeux et que le mouvement chorégraphique qui lui semblait si zen, il ne l'exécute qu'avec une évidente maladresse de pantin ridicule.

— Mais j'm'en vas vous dire que la dernière fois que je l'ai vue, c'était surtout elle qui se cherchait des raisons pour pas venir! Les hommes comme vous et votre père, vous êtes ben capables de danser avec d'autres femmes sans coucher avec!

Sébastien ne peut lui donner tort.

— Pis j'm'en vas vous dire rien qu'une affaire que, moi aussi, ces enquêtes-là, ça me brise le cœur! Comme ça, pour la pêcheuse, on dit un accident ou un meurtre?

— Je sais pas, monsieur Boissonneau.

— C'est pas pour moi que je veux savoir, c'est juste pour la curiosité des clients...

— Je sais pas. Pour vrai. Mon père enquête, et moi, je suis à la pêche.

Un moment de silence déçu au bout du fil.

— C'est pas grave, si vous voulez pas répondre, on sera pas pires ennemis qu'avant.

Renaud Boissonneau rend les armes.

— Ça fait que vous pêchez quoi, là?

— Je m'essaie au maquereau.

— Vous avez pris du maquereau? Le chef dit que c'est pas facile de faire cuire un poisson pesant de même. Avez-vous trouvé une bonne recette?

— Écoutez: si jamais j'en trouve une, je vous rappelle, d'accord?

— C'est ben parfait! Pis dites-moi donc, avant de raccrocher: c'est-y vrai qu'ils font cuire le fou de Bassan à Percé ou si c'est rien qu'une farce plate, ça?

Il entend une tonne de rires qui explosent autour de Boissonneau. Il éteint son cellulaire.

— T'es le fils de l'enquêteur. Je t'ai vu sur le quai, hier.

Sébastien lève la tête. Une camionnette s'est immobilisée près de lui. Sur la banquette arrière, des bouées, des câbles, des imperméables, des cannes à pêche.

— T'as pas choisi le bon *spot*, pour la pêche. L'enquête de ton père va sûrement pas se régler à soir. Demain, viens me trouver de bonne heure au quai de Grande-Grave. C'est là que ça mord.

La camionnette repart et Sébastien la voit disparaître derrière l'usine de transformation de poissons.

Joaquin Moralès arrive à l'auberge. La voiture de Sébastien n'y est pas. Il entre, dépose ses sacs d'épicerie dans la cuisine, traverse la salle à manger, monte l'escalier. Il a sous le bras le dossier que Lefebvre lui a refilé ce midi et un carnet de notes qu'il a prises dans sa voiture à la suite des rencontres d'aujourd'hui. Il regarde l'heure, en avançant dans le corridor en direction de sa chambre. Il n'aura pas le temps de tout mettre sur papier avant le souper : l'amertume de Jimmy Roberts, la nostalgie du père et la culpabilité latente de Clément Cyr. Soudain, il s'immobilise. Il a entendu un bruit en provenance de son logement. Il dépose le dossier par terre, retire son revolver de son étui, vérifie qu'il est chargé. Il est à trois pas de la porte. Il avance, prête l'oreille. Quelqu'un fouille son appartement. Toute une partie du dossier est restée sur la table. Il saisit la poignée, la tourne lentement. Elle n'est pas verrouillée. Il entrouvre la porte. Un instant, c'est le silence, puis il entend de l'eau couler, une sorte de clapotis.

Il jette un œil à l'intérieur de la pièce.

Un bandeau couvrant sa tête, l'intrus est penché sur sa table et s'active avec minutie. Moralès le reconnaît immédiatement.

Il remet son arme dans son étui, ramasse rapidement son dossier, puis ouvre la porte en grand. La jeune femme sursaute et recule de trois pas.

— Allô, Joaquin! Vous m'avez fait peur! J'étais en train de donner un coup de ménage dans votre cuisine. Vous avez passé une bonne journée? Votre enquête avance bien?

Elle a remonté ses cheveux dans un foulard de couleur, la sueur perle sur sa gorge. Une chaudière d'eau savonneuse à ses pieds, elle tient une guenille mouillée. L'aspirateur est rangé près de la porte.

— Je vous remercie, Corine, mais je préférerais que vous laissiez faire le ménage dans cet appartement pendant la durée de l'enquête.

Elle sourit, d'un air faussement officiel.

— C'est très confidentiel, tout ça!

Il s'avance, dépose avec sérieux son dossier sur la table. Comme elle ne bouge pas, il revient vers la porte, saisit l'aspirateur et le flanque dans le corridor. Il tient la porte ouverte jusqu'à ce que, comprenant qu'il la met dehors, Corine sorte enfin.

— Merci.

Elle crispe un sourire figé et file. Une seconde plus tard, Moralès se maudit: il est vraiment cavalier et maladroit avec les femmes depuis quelques jours! Il rouvre la porte, se précipite à sa suite.

— Corine?

Elle s'arrête, se retourne.

— Je pense vous avoir brusquée. J'en suis désolé.

Elle esquisse un petit mouvement de tête, ne répond pas.

— Vous avez des plans pour souper?

Elle hésite.

— C'est l'enquêteur qui le demande?

Il hausse les épaules, navré. Elle réfléchit un instant.

— On se retrouve à la cuisine?

Moralès acquiesce. Il revient dans son logement, ôte sa veste, l'accroche. C'était idiot de sa part de faire tout ce cirque de sergent aux aguets pour une jeune femme qui fait un peu de ménage ! Il se sent ridicule. Dire qu'il a failli tirer sur une aubergiste qui rangeait leur bordel, à lui et à son gars… Désormais, il va garder l'essentiel du dossier avec lui. Ça va régler le problème.

Joaquin descend à la cuisine. Il a tenté d'appeler Cyrille, personne n'a répondu. Corine n'est pas encore là, il sort les ingrédients pour sa recette au moment où Érik Lefebvre se stationne dans la cour de l'auberge, s'amène.

— Au rapport, patron !

Moralès sourit.

— T'as soupé, agent Lefebvre ?

— C'est une invitation ?

— Si t'aimes le chili.

— Non seulement j'aime le chili, mais je mérite certainement une bière.

Il file chercher des bières dans le bar puis revient.

— Je comprends que la voyante Dotrice Percy t'a donné chaud ?

Lefebvre ouvre les bouteilles et boit une large gorgée avant d'aller s'écraser sur une chaise au coin du comptoir de service.

— Y a des gens qui vivent dans des réalités parallèles, Moralès. Tu croirais pas ça.

— Fais vite, Corine et Sébastien vont arriver bientôt.

— Ça me fait de la peine de t'épargner les détails du décor de sa pièce de méditation. Tu manques de quoi.

Après une deuxième gorgée, il poursuit.

— Pour répondre à tes questions, il existe bel et bien des cultes lunaires, qui sont plus intenses lors des nuits d'équinoxe. Des cultes de Mésopotamie, des cultes de Chine, de…

— De Gaspé ? Y a eu un culte ici samedi dernier ou non ?

Lefebvre est déçu de se faire bousculer à ce point.

— Dotrice a fait une nuit de méditation à L'Anse-aux-Amérindiens, sur le site d'observation des baleines.

Moralès lui jette un coup d'œil.

— C'est tout?

— Oui et non. Elle dit que la lune lui a montré des choooses, mais qu'elle n'en parlera qu'à l'enquêteur en chef.

— Tu lui as dit que j'étais trop occupé?

Sébastien arrive de la pêche, se gare dans la cour.

— J'ai joué le grand numéro, rien à faire. J'ai attendu presque une heure avant qu'elle daigne me recevoir et elle m'a mis dehors en me jetant un sort.

— Elle a autre chose à raconter que son histoire de monstre nu?

Sébastien entre, salue les hommes au moment où Corine débarque elle aussi dans la salle à manger.

— Je peux pas répondre à cette question, enquêteur-chef, il y a des civils parmi nous.

Il se tourne vers l'aubergiste.

— Salut, Corine! Tu peux mettre deux bières sur mon *bill*?

Corine a revêtu une jolie robe d'automne. Sébastien se tourne vers elle.

— T'as fini ton inventaire?

— Oui...

Elle évite de mentionner qu'elle a fait du ménage dans leur appartement, change de sujet.

— T'as les mains vides. Ça mordait pas?

— Non. Rien pantoute. Demain matin, je vais aller au quai de Grande-Grave, dans le parc. Il paraît que c'est là que ça mord.

— Bonne idée! J'ai faim!

Moralès sourit.

— Je m'y mets. T'as le temps pour ton autre bière, Lefebvre.

Samedi 29 septembre

— Salut, Moralès. C'est ton agent préféré. Clément Cyr est au poste. Il dit qu'il doit absolument te parler.

Joaquin regarde sa montre. À peine huit heures. Son gars et lui rentrent de jogger.

— T'es où, Érik?

— En direction du bureau.

— Installe-le dans une salle d'interrogatoire, je m'en viens. Assure-toi d'enregistrer…

— C'est pas ma première fois, patron.

Vingt-cinq minutes plus tard, Moralès entre avec une aisance inhabituelle dans le poste de police. Thérèse Roch ne travaille pas ce samedi-là. Une jeune et dynamique préposée à l'accueil la remplace et lui ouvre la porte. À l'intérieur, une agente qu'il a croisée quelques fois au cours des derniers jours vient au-devant de lui et le guide vers la salle d'interrogatoire.

Là, il découvre Clément Cyr, assis sur une chaise trop petite pour lui, la main droite frottant nerveusement sa cuisse. Il se lève, avance d'un pas vers Moralès.

— Je m'excuse, je sais que c'est samedi, mais il faut absolument que je vous parle.

Moralès le salue, ferme la porte et les hommes s'assoient. De l'autre côté du miroir sans tain, Érik Lefebvre est déjà en place. Cyr ne porte attention à rien, laisse Moralès lui lire ses droits, décline son identité la tête courbée. Il a passé la nuit à errer entre la salle à manger et la chambre à coucher, entre sa culpabilité et l'amertume de sa femme.

— Je vous écoute.

Clément Cyr regarde fixement la table. On dirait qu'il ne sait pas par où commencer. Les mots sortent un à un.

— Je me sens coupable, j'arrive pus à vivre avec ça.

Il l'a chuchoté.

— J'ai tué ma femme.

L'enquêteur fronce les sourcils. Clément Cyr s'est absenté pendant un peu plus d'une heure quinze de la fête. Il ne comprend pas comment ce dernier aurait pu assassiner son épouse, l'embarquer à bord de *L'Échoueuse II*, la larguer à la mer, puis quitter le bateau, nager sur plusieurs kilomètres, rentrer se changer chez lui et revenir à l'auberge en si peu de temps. Et pourquoi aurait-il laissé le bateau à la dérive ? S'il avait voulu se débarrasser de sa femme, il l'aurait jetée par-dessus bord et serait revenu à quai avec le homardier.

— Pouvez-vous m'expliquer comment ça s'est passé ?

Clément Cyr a les yeux fous de fatigue, il peine à se concentrer. Ses mains sont moites et tremblent un peu.

— On va y aller en ordre chronologique. Décrivez-moi ce qui s'est passé quand vous êtes arrivés chez vous.

Le pêcheur hoche la tête, fixe toujours la table, sans la voir. Son regard la traverse. La route de la Radoune apparaît devant les phares qui ouvrent des ovales de lumière entre les lignes jaune et blanche qui bordent les voies, les fossés.

— Angel disait qu'elle était étourdie.

Dépeignée légèrement, elle est blême dans sa belle robe blanche qui lui fait toujours bien, malgré les années.

— En arrivant à la maison, elle a bu de l'eau. Elle s'est assise dans la cuisine. Elle avait mal au cœur. J'ai cru qu'elle avait trop pris de vin. J'ai attendu un peu, pas longtemps, pis j'y ai dit que je voulais retourner en ville.

Elle le regarde avec un air de doute. « Pour vrai ? Tu retournes veiller au bar ? C'est notre dixième anniversaire de mariage, je suis malade et tu t'en vas ? »

— C'était ma fin de saison à moi aussi pis je voulais fêter ça avec les autres. Pis c'est coutume aux capitaines de payer la tournée aux aides-pêcheurs. Je veux pas passer pour un radin.

Angel se lève, titube dans sa belle robe, la tête molle et le regard rempli de déception. Elle se rend dans la salle de bain. Il la suit, mais elle s'enferme, dédaigneuse, verrouille la porte. Il lui parle, tente de faire valoir son point de vue.

— Un adulte qui a mal au cœur, il vomit, il se couche pis ça va passer. Je lui ai dit qu'elle était capable de prendre soin d'elle. Moi, quand je vomis, personne me tient la main.

De l'autre côté de la cloison, elle ne répond pas. Il entend des bruits : elle fouille dans l'armoire, prend un comprimé, peut-être un antivomitif, il se dit que ça va l'aider à dormir. Elle se verse un verre d'eau. Il continue de parler, mais elle garde son silence fermé.

— Mais Angel s'est mise à bouder.

Elle sort enfin de la salle de bain, le contourne comme si elle cherchait à les faire sentir minables, lui et ses envies d'aller boire un coup. Et ça fonctionne. Il a honte, mais il a le droit de sortir et il ira à la fête. Sauf qu'il voudrait la bénédiction de sa femme, il souhaiterait qu'elle lui dise : «Vas-y, pas de souci! Va t'amuser! Je vais me coucher et dormir, de toute façon.» Parce qu'elle l'aime et qu'elle veut qu'il soit heureux, elle le lui dit tout le temps. Parce qu'ils s'aiment, non?

— Ça fait que je me suis changé, parce que j'étais pas pour aller veiller avec les gars en habit.

Mais elle ne le fait pas. Elle ne lui dit pas qu'elle est d'accord ni qu'elle l'aime ni qu'elle va se coucher et dormir et «passe une belle fin de soirée, mon amour». Elle boude. Alors ça le froisse, le blesse, l'humilie. Il ôte ses vêtements avec colère. Il lui dit que c'est terminé, qu'il n'a plus envie de porter ce faux habit de noces année après année ni de jouer cette mascarade stupide à chaque anniversaire de mariage. Est-ce que leurs amis font ça? Non.

— On a eu une chicane. Une chicane de couple. J'imagine que vous en avez déjà eu.

Malgré sa nausée, elle se fâche parce qu'il l'a couverte de mots qui blessent et elle réplique durement, avec cette veine qui lui bat la tempe quand elle est en colère. Il ne se laisse pas faire. Elle a toujours le dernier mot et il refuse qu'elle lui monte sur le dos encore une fois. Parce que c'est toujours comme ça, non? Elle affirme que non. Que leur couple est égalitaire. Il assène que c'est faux. Qu'elle est mesquine. Égoïste. Enfant gâtée.

— Pis je suis parti.

Il roule en colère, donne des coups de volant, exagère sur la vitesse. C'est un homme libre. Il aime Angel, mais elle n'a pas le droit de le contrôler. Il ne peut pas dire qu'il a passé les dix dernières années de sa vie à lui obéir, ce serait faux, mais ils font plus souvent ce qu'elle veut que l'inverse. Ça, il en est certain. Elle décide beaucoup. D'habitude, ça fait son affaire, à Clément, mais pas tout le temps.

— Je suis retourné à l'auberge.

Clément Cyr regarde de nouveau Moralès, honteux.

— Je suis pas fier de moi, enquêteur, OK? Mais j'haïs ça, me faire sermonner comme un enfant qui a pas le droit de sortir!

— Qu'est-ce qui s'est passé?

— Quand je suis revenu à l'auberge, j'ai pris un coup. Solide.

Moralès fronce les sourcils, perplexe.

— Pis j'ai éteint mon cellulaire. Je voulais pas qu'elle gâche ma soirée en appelant un paquet de fois. Je me disais que, si je répondais pas, elle serait peut-être fâchée, mais elle s'endormirait pis qu'on réglerait ça le lendemain. Elle le sait que, pour moi, payer la tournée à mes gars, c'est sacré. C'est pas tous les capitaines qui le font, mais mon père le faisait, pis moi, j'ai continué. Je suis ben loyal à ces affaires-là.

Il frotte ses mains moites l'une contre l'autre.

— Mais je me suis mis chaud pis j'ai dormi à l'auberge. Ma femme allait pas bien pis je suis parti. J'aurais pas dû, vous comprenez? Pendant que je me mettais chaud avec les gars, Angel, elle…

Le géant arrête de parler.

218

Moralès comprend. Clément Cyr s'imagine les scènes qu'il se joue en boucle, en films continus et parallèles, dans sa mémoire de souffrance. Le pêcheur fait la fête, trinque avec ses amis, rit en se remémorant des histoires de pêche, se soûle si fort qu'il vacille et qu'on doit le mener dans une chambre de l'auberge, la plus proche, si possible, car il est lourd, on le couche là, tout habillé, pour qu'il cuve son vin jusqu'au lendemain. On rigole. Pendant ce temps, Angel, sa femme, est malade. Elle est habillée dans sa robe de noces, car elle a fêté ses dix ans de mariage avec l'homme qu'elle aime, mais il est parti. Elle est fatiguée de sa saison, confuse, peut-être dépressive. Elle se sent seule, amère. Alors elle décide qu'elle en a assez. De la pêche, de son mari, de la beuverie ridicule qu'il a choisie cette nuit. Elle se sent humiliée parce que les autres, au bar, ils doivent bien voir que son mari a préféré la délaisser, elle, la capitaine dont ils se moquent en cachette, pour les rejoindre, eux.

Cette jeune femme qui a bâti toute sa vie dans la fierté, qui a forcé sa famille à accepter ses choix, qui a appris seule, avec un oncle qui n'y connaissait rien et des aides-pêcheurs peu fiables, à pêcher le homard, à plonger pour retrouver les casiers, à vendre ses prises ; elle qui s'est entêtée à faire ce métier pour vivre dans le soleil levant, elle en a soudain assez. Sans même changer de vêtements, parce qu'elle s'en fout, parce qu'elle aime cette robe ou parce qu'elle veut que son mari se sente coupable, elle sort de la maison en titubant, monte dans sa voiture, conduit jusqu'au quai. Là, elle saute à bord de son fidèle homardier, largue les amarres, met le moteur en marche, s'enfuit en mer et décide d'en finir, en pleine nuit d'équinoxe, avec son couple et sa vie. Elle laissera le bateau dériver dans l'océan qu'elle habite. Parce que c'est son bateau à elle, à elle seule, et qu'elle aime mieux l'abandonner dans le golfe que de le retourner aux hommes.

Moralès regarde Clément Cyr. Habituellement, ce sont les parents des enfants disparus qui font de telles confessions. Ils sont hantés par la douleur, par le choc du deuil et, constatant qu'ils ont été impuissants à sauver leur progéniture du drame, ils s'inventent une culpabilité : « Je pensais qu'il était chez son ami », « Je suis arrivé cinq minutes en retard », « Je la laissais marcher seule jusqu'à l'école ». Autant de phrases banales, de tournures qui, conjuguées au présent, appartiennent au quotidien de toutes les familles, mais qui, au passé dans un bureau d'enquêteur, prennent des allures de procès personnels, de fautes impardonnables, de consciences inutilement bousillées.

Devant lui, le pêcheur le supplie presque de le trouver coupable. Mais comment un homme peut-il savoir que sa femme est en train de disparaître ? Moralès jette un coup d'œil du côté du miroir sans tain. Il se doute que Lefebvre arrive à la même conclusion que lui.

— Quand je me suis réveillé, je l'ai tout de suite appelée, mais son téléphone était fermé. Elle répondait pas non plus à celui de la maison. J'ai pensé qu'elle boudait encore, parce que j'avais éteint mon cellulaire, vous comprenez ? Je suis arrivé chez nous vers dix heures. C'est là que j'ai trouvé son papier. Comme elle avait dessiné deux becs à la fin, j'ai pensé qu'elle s'était calmée, que tout était correct. Mais c'était un mot d'adieu pis je l'ai même pas compris…

Son regard erre dans la pièce, comme s'il la recréait dans tous les coins, comme s'il recréait même les espaces qu'elle habitait. Elle est là, debout devant le comptoir, penchée au-dessus d'un tiroir entrouvert, assise sur le fauteuil près de la fenêtre. Elle coupe des légumes, boit une bière, rit aux éclats. La pièce rapetisse à mesure qu'Angel Roberts l'occupe avec ses gestes, ses blagues, ses intonations, et Moralès le sent : le vide de cette femme qu'il n'a pas connue prend toute la place.

— Angel est morte à cause de moi.

Moralès secoue la tête. Non. Mais il n'ajoute rien. Il va laisser les services sociaux faire leur travail.

— Si c'était pas de mon nouveau docteur, je pense que je me mettrais à fumer.

De l'autre côté de son bureau, l'agent Lefebvre est ébranlé. Il s'affale dans sa chaise.

— Je déteste ça.

Moralès pousse une boîte, ferme la porte, range deux volumineux dossiers, se libère un vieux fauteuil.

— Quoi donc ?

— Faire du terrain !

Malgré lui, Moralès sourit.

— Ça t'est déjà arrivé de sortir ton arme, Lefebvre ?

— Mon arme ?

Il regarde à gauche et à droite, pour vérifier que les murs n'ont pas été garnis d'oreilles en son absence, puis se penche vers Moralès.

— Elle est déchargée.

— T'es sérieux ?

— Je tire mal.

— C'est pas une raison.

— Oui, c'en est une. Si je dégaine une arme déchargée, je risque pas de tirer sur un innocent. Après ça, mon arme a un pouvoir de persuasion et un pouvoir de destruction. Je me fie à la persuasion.

Il se recule sur sa chaise.

— Je pense que c'est l'heure d'appeler le médecin légiste pour les résultats de l'autopsie.

Lefebvre regarde sa montre.

— T'as raison !

Il met son téléphone de bureau en mode haut-parleur, compose un numéro. Un médecin aussi dynamique qu'un mur d'hôpital fraîchement repeint engage la conversation avec Lefebvre, qui lui demande les résultats de l'autopsie d'Angel Roberts.

— En examen externe, on apprend plein de choses. Il n'y a pas de marques de violence, à part une légère contusion à la base de la nuque. Rien pour tomber ni s'évanouir. Ni terre ou chair sous les ongles.

— Ça ne nous apprend pas grand-chose.

— Si vous le dites. La noyade est la cause officielle du décès. Les poumons sont pleins d'eau salée.

— Vous sauriez évaluer l'heure du décès ?

— Oui.

— Et ce serait à quelle heure ?

— Difficile à dire.

— Mais vous sauriez le faire ?

— Vous savez à quelle heure elle a mangé ?

Moralès réfléchit une seconde avant de répondre.

— Entre dix-huit et dix-neuf heures.

— Elle est morte une dizaine d'heures plus tard.

— Vers quatre heures trente du matin ?

— Si vous le dites.

— Vous avez les analyses sanguines ?

— Pas encore.

— On les aura quand ?

Le légiste marque une pause.

— Demain, c'est dimanche. Je vais demander si le laboratoire peut vous donner ça cet après-midi. J'imagine que je peux vous faire parvenir ça par messagerie électronique ?

— Si vous le dites.

Lefebvre raccroche, siffle entre ses dents.

— Quatre heures trente du matin ! Ça va nous faire un paquet de beau monde sans alibi !

Moralès le fixe sans le voir.

— La fête chez Corine s'est terminée à quelle heure ?

Lefebvre hausse les épaules.

— Tard, j'imagine. On a rendez-vous avec l'équipe technique à treize heures. On va manger ?

Sébastien arrive à Grande-Grave. Il a fait de l'insomnie une partie de la nuit. Il n'a pas encore parlé à son père, mais ce n'est pas de la fuite, qu'il se dit. C'est qu'il a besoin de temps.

Et puis, la pêche le calme, l'aide à prendre le recul nécessaire à ce type de situation. Il sort de la voiture. La camionnette de l'autre pêcheur est abandonnée dans un coin, entre un hangar de location de kayaks fermé pour la saison et la forêt qui envahit le bas de la falaise.

Le ciel s'est mis à la pluie, l'horizon a tiré son rideau de grisaille. Le pêcheur qui l'a interpellé la veille est au bout du quai, seul, avec sa chaudière, son coffre à pêche et sa canne. Il porte un habit de pluie vert. Il lance la ligne d'un coup sec, franc.

Le bateau de la mariée est amarré au ponton. Sébastien frissonne. Il songe à Maude, essaie de se sortir de cette mélancolie nauséeuse qui l'étouffe. C'est samedi, il aimerait trouver un endroit où danser ce soir. Il se demande s'il pourrait inviter Kimo. Il sort son cellulaire, envoie un message à Corine.

Soudain, il voit la ligne du pêcheur se tendre : ça mord ! Il se fige. Il hésite entre prendre son équipement et aller le rejoindre pour assister à la sortie de l'eau du poisson qui… Trop tard. Le pêcheur a mouliné rapidement, le poisson était bien ferré, mais, en se débattant, il a attiré des phoques et, dès qu'il a été hors de l'eau, l'un d'eux a sauté, l'a avalé, a cassé la ligne au passage et est retombé, lourdement satisfait, dans la mer.

Fasciné par ce ballet marin, Sébastien Moralès saisit en vitesse sa canne et file vers le pêcheur solitaire.

Moralès et Lefebvre descendent un escalier à l'arrière du bâtiment et se retrouvent dans le laboratoire de technique judiciaire. Petit, mais bien équipé, l'endroit est impeccable. Les deux techniciens avec lesquels Moralès a discuté le jour où les hommes de la famille Roberts ont ramené *L'Échoueuse II* sont debout près d'un comptoir en inox sur lequel gisent le câble sectionné qui était attaché aux jambes d'Angel Roberts, la chaîne d'ancrage, le casier à homards rouge vif et les couvertures qu'ils en ont sorties.

Lefebvre laisse Moralès prendre les devants. Il serait volontiers resté dans son bureau.

— On commence avec quoi ?

— Hmm. Le câble.

— Attaché en avant, assez serré, à la hauteur des mollets avec ce qu'on appelle un nœud de chaise.

— Un nœud de chaise ?

— Très utilisé par les marins.

Le plus jeune tire une chaise à roulettes, s'y assoit, glisse sous ses jambes un câble similaire à celui qui est posé sur la table en inox.

— Elle aurait pu le faire elle-même ?

— Hmm.

Il tend les jambes, tire sur les deux extrémités de la corde et effectue, sans aucun problème, ledit nœud avec une certaine dextérité. Lefebvre le félicite, son collègue le gratifie d'un sourire de fierté. Moralès se penche sur le nœud.

— Il faut être marin pour faire ça ?

— Ou alpiniste. Chose sûre, il faut être à l'aise avec ce type de nœud quand on est nerveux, qu'on s'apprête à tuer, qu'il fait noir, qu'on est à bord d'un bateau et qu'il y a de la houle.

— Hmm.

— Surtout que c'est pas un nœud coulissant.

— Ce qui veut dire ?

— Qu'il coulisse pas.

— Hmm.

Moralès ne comprend pas.

— Quand on n'est pas habile, on peut faire l'œillet trop grand. Les jambes de la victime auraient glissé en dehors du nœud.

— OK. Il faut connaître le nœud.

— Hmm.

— Elle peut l'avoir fait elle-même ?

Le jeune technicien hoche la tête.

— Elle l'a sûrement fait elle-même. Ce nœud a un sens. La victime était assise sur le pont du homardier, dans le coin bâbord, adossée au poste de pilotage. Un meurtrier aurait logiquement été en face d'elle. Le nœud aurait donc été fait dans l'autre sens.

Le technicien retourne le câble en direction de Moralès. En effet, la figure effectuée par celui-ci est inversée. Soit Angel a noué la corde elle-même avant de se mettre une main dans le dos, soit quelqu'un a sciemment fait le nœud dans ce sens pour simuler un suicide. L'enquêteur revient vers le comptoir. Les techniciens ont suivi son mouvement.

— La chaîne d'ancrage. Rien à signaler. Elle était probablement déjà reliée au câblot par cet émerillon. Le câblot et la chaîne ont été retirés du puits d'ancre. Le casier à homards n'a jamais servi avant cette nuit-là. C'est la même peinture que celle qu'on a relevée sur le bateau. À l'intérieur, les cordes pour la trappe ont été coupées au couteau pour permettre d'insérer les trois couvertures. Des anciennes catalognes tissées au métier.

— Hmm.

— Nous nous sommes demandé pourquoi la victime avait remplacé l'ancre par le casier à homards.

— L'ancre était trop lourde?

— Nous y avons pensé, mais le casier est lesté d'une brique en ciment et il est encombrant à porter.

— Je pense que le casier possède une valeur sentimentale.

Le jeune technicien se tourne vers son aîné.

— Peut-être. Maintenant, il y avait une petite corde attachée au-dessus du casier. Nous avons prélevé, l'autre jour, l'autre bout de cette corde sur le homardier.

Il lui indique les deux bouts de ladite corde.

— Elle a été cassée à force d'étirement.

— Que voulez-vous dire?

Les deux techniciens se regardent, l'air entendu.

— Nous pensons que le casier a été suspendu à la poupe du bateau, au-dessus de l'eau, à l'aide de cette petite corde. Il y est resté jusqu'à ce que la mer détrempe les couvertures. Une fois mouillé, le tissu devient plus lourd…

— Et la petite corde casse.

— Hmm.

— On retournerait au bateau pour vérifier notre théorie. Il nous faut la hauteur du franc-bord par rapport à la longueur de la corde et…

— On peut y aller maintenant.

— OK. En ce qui a trait à la robe, on n'a repéré aucune marque de déchirure, sauf ce lambeau à l'arrière, qui a coincé dans la tête de boulon.

En parlant, les deux techniciens ont ramassé leur équipement.

— On y va?

Lefebvre regarde sa montre.

— Écoute, Moralès, je te laisser aller. Je m'occupe du rapport de laboratoire et on se retrouve en fin de journée.

Moralès prend une photo de la cage et des couvertures, avec son cellulaire. Puis il appelle Jacques Forest pour lui emprunter la clé du homardier et sort à la suite des techniciens.

Joaquin s'étonne de découvrir la voiture de son fils garée seule près du quai de Grande-Grave. Puis il aperçoit une camionnette immobilisée près du hangar de location de kayaks.

La pluie a cessé, mais le ciel n'est pas invitant.

Il arrête son véhicule, en sort, se dirige vers les hommes qui sont concentrés sur les phoques qui font des cabrioles autour du quai.

— Quand ça frétille comme ça, c'est habituellement un banc de maquereaux.

Soudain, une ligne tire, puis une autre. Les pêcheurs moulinent à toute allure.

— Regarde ben ça, mon gars: y a un banc de maquereaux qui rentre! Tu vas voir: c'est un poisson dense pis nerveux, il donne des coups sur la ligne. Faudrait que je t'emmène faire un tour de canot dans la baie. Quand on navigue dans un banc pareil, les poissons donnent des coups contre la fibre de verre, c'est ben impressionnant.

«Mon gars.» En arrivant à leur hauteur, Moralès envie l'homme qui partage un tel moment avec son fils. La pêche est miraculeuse. Les poissons portent des rayures bleu argenté que l'apparition inattendue du soleil dans cette journée pluvieuse rend éblouissantes, même à travers l'eau. Ils s'accrochent aux lignes avec des éclats vifs. Joaquin se dit que c'est de la lumière que les pêcheurs sortent de la mer.

— Salut, p'pa! Tu viens à la pêche?

Jacques Forest le salue à son tour.

— Je peux pas. J'ai l'équipe technique avec moi, on doit aller à bord de *L'Échoueuse II*.

Forest hoche la tête pendant que Sébastien tente, avec une paire de pinces, de défaire son premier maquereau; devant l'abondance, les phoques lui ont abandonné une prise.

Moralès s'approche de Forest et lui tend son cellulaire. Ce dernier, un moment encombré par la ligne qu'il tient d'une main et la clé de *L'Échoueuse II* que lui refile l'autre, pose sa canne.

— C'est bien le casier et les couvertures qui étaient à bord?

L'aide-pêcheur s'approche de l'appareil, regarde attentivement la photo que l'enquêteur lui montre.

— Oui.

Avant que l'oncle formule une question, la ligne se met à tirer à toute allure. Il s'élance pour la reprendre. Moralès rejoint les techniciens qui l'attendent sur le ponton. Il allume de nouveau son cellulaire, regarde les photos qu'il a prises la veille. Le technicien le plus jeune le devance.

— On peut affirmer, sans hésitation, que le bateau a servi depuis qu'on l'a étudié, l'autre jour.

— Hmm.

— Le frère de la victime l'a ramené de Rivière-au-Renard à ici, avec un de ses amis…

— Je veux dire qu'il a servi pour la pêche.

Moralès compare le bateau aux photos qu'il a prises. Le technicien a raison.

— Comment pouvez-vous en être si sûrs au premier coup d'œil?

— Tout avait été nettoyé à l'eau claire, probablement parce que la saison de pêche était finie. Maintenant, il y a des traces de sel partout.

— Hmm. Des fibres.

— Des élastiques, pour les pinces à homards.

— Hmm. Faudrait vérifier le nombre d'heures du moteur.

Moralès les regarde à tour de rôle.

— Vous pouvez me faire un relevé d'empreintes et tout nettoyer ensuite?

Il leur refile la clé, puis attend que les hommes fassent le tour. Les techniciens, sans un mot, prennent chacun une direction différente. Le jeune file vers la poupe, le plus vieux se sert de la clé et pénètre à l'intérieur du homardier.

Sur l'autre quai, la pêche va bon train. Sébastien est enthousiaste. Moralès lui envie ce samedi de congé, malgré le temps crachoteux.

— On a des empreintes dans le poste de pilotage. Quand on reviendra au laboratoire, on regardera les correspondances et on vous fera signe.

Moralès entre, monte sur le siège pivotant. À quoi pensait Angel Roberts quand elle s'assoyait là? La barre à roue, des leviers, des boutons, deux écrans, trois radios VHF, un compas, rien qui témoigne d'elle. L'écran de gauche est vissé sur une tablette, le clavier et la souris de l'ordinateur sont rangés en dessous, mais ont été poussés au fond.

Le technicien revient vers lui pour exhiber sa découverte: un rouleau de petite corde.

— C'est avec ça que le casier à homards a été attaché.

Ils sortent rejoindre le plus jeune, qui prend des mesures à la poupe.

— La victime est placée ici, par terre, le dos appuyé à la timonerie. Le câblot est noué à ses jambes. Il est relié à la chaîne de
l'ancre et il a été mis en paquet, sur le hayon ouvert. La chaîne
est empilée à côté. Il y a beaucoup de marques de frottement.

— Hmm.

— Le bout de la chaîne est attaché au casier à homards,
bourré de couvertures. Le casier, lui, est suspendu à l'extérieur
du bateau, par la petite corde que nous avons trouvée dans la
timonerie, à cet arceau de métal.

Il s'accroupit et indique du doigt l'arceau en question, sur
lequel la clenche du hayon vient s'agripper lorsqu'il est fermé.

— Hmm.

— Dès que la houle frappe la poupe, ça mouille les couvertures. Ça prend quoi ? Une quinzaine de minutes ? Davantage ?
Ça dépend de la force des vagues. La corde qui retient le casier
au bateau se brise sous le poids des couvertures humides. Le
casier sombre à la mer, entraîne la chaîne, le câblot et Angel
Roberts, qui est couchée là. Utiliser cette méthode donne le
temps à votre mariée d'aller s'asseoir là, de s'attacher les jambes
et de réciter une dernière prière avant de quitter ce monde
rempli de pêcheurs.

Les techniciens se regardent, puis se tapent dans les mains,
comme des joueurs de baseball qui sortent d'une manche
victorieuse.

— Pourquoi ?

Les hommes ramassent leur matériel.

— Les questions spirituelles ne sont pas de notre ressort,
enquêteur.

— Hmm.

Les hommes se dirigent vers leur véhicule.

— On arrête acheter des beignes ?

— Hmm.

Ils montent dans leur camionnette et s'en vont.

Moralès regarde sa montre, hésite. Il voudrait conserver la clé
du bateau, mais il n'a pas envie de fournir d'explication. Saluant

de loin son gars et Forest, il s'en va rapidement vers sa voiture, comme si quelque chose pressait et qu'il oubliait de remettre la clé, avant de démarrer en trombe et de sortir du stationnement.

Annie Arsenault lève les yeux vers Moralès. Elle sourit. Encore. Malgré elle, dirait-on, habituée peut-être à recevoir les coups durs et à rester debout. Elle a beaucoup pleuré, mais semble moins secouée que la dernière fois. Elle sort sur le perron, referme la porte derrière elle, s'excuse.

— Mon mari et les garçons sont dans la maison. Vous voulez qu'on aille sur la galerie ?

Moralès reste debout dans les marches, s'appuie contre la rampe.

— J'ai juste une question.

— Je vous écoute.

— Qui braconne avec *L'Échoueuse II* ?

Son sourire se fige.

— Son oncle Jacques ?

Elle secoue la tête.

— Non. En tout cas, je pense pas.

— Jimmy ? Avec les Babin ?

Elle soupire.

— Ces gars-là sont pas des doux.

— Ils l'ont menacée ?

Annie Arsenault inspire, s'emplit d'une force qui lui vient des souvenirs, dirait-on, qui s'enracine dans la fierté d'être l'amie d'une femme courageuse.

— Non. Mais Angel savait qu'ils braconnaient avec son homardier.

Moralès fronce les sourcils.

— Elle les a vus faire ?

— Oui. Elle les a espionnés.

— Elle fermait les yeux ?

Si une chose est claire pour tous les pêcheurs, c'est que le braconnage coûte cher. Ils peuvent y perdre non seulement leur permis, mais aussi l'ensemble du matériel ayant servi à braconner : les casiers, le bateau, même la voiture utilisée pour apporter le matériel au quai.

— Au début, oui. Elle disait pas un mot parce que son frère a une vie difficile. Mais elle lui a demandé de ramasser ses cages dernièrement.

— Quand ?

— Il y a environ dix jours.

— Pourquoi ?

— Quelqu'un a menacé de la dénoncer.

— Qui ?

Elle pince les lèvres, détourne la tête.

— Ils procèdent comment ?

— Ils utilisent le bateau pendant la nuit. Ils se mettent au travail dans un laps de temps assez précis : de deux à trois heures après la pleine mer, quand le courant est au plus fort et qu'ils sont certains que les autres pêcheurs seront pas sur l'eau. Leurs bouées touchent pas la surface, même à marée basse ; ils les repèrent avec des points GPS.

— Ils vont où ?

Elle se mord l'intérieur des joues. Elle regrette d'avoir parlé.

— Écoutez : c'est compliqué, ces affaires-là...

— Pourquoi vous ne m'en avez pas parlé l'autre jour ?

Elle hausse les épaules.

— J'ai un mari, des enfants...

Elle n'en dit pas plus, mais c'est clair : elle a peur qu'ils finissent au milieu de la baie.

— D'accord. Je vous remercie. Ne vous inquiétez pas : ça va rester confidentiel.

— Je sais qu'il nous arrivera rien, mais...

Elle est courageuse, mais pas naïve.

Lefebvre est déjà là, assis dans la salle à manger, le nez dans un dossier, quand Moralès franchit la porte de l'auberge. Devant lui, il y a une assiette à dessert et un pilon à pommes de terre. Il jette un œil au nouveau venu, poursuit sa lecture.

— Angel Roberts avait des sédatifs et de l'alcool dans l'estomac. Un paquet. Mais elle est morte noyée. Je t'ai fait une photocopie du rapport d'autopsie.

Moralès s'assoit et ouvre le dossier que Lefebvre lui a reproduit pendant que ce dernier, mû par le ressort de sa manie, se lève, avance vers le comptoir, prend un sucrier qu'il observe avec attention.

— On se met au travail, agent Lefebvre?

— Je ne fais que ça, sergent Moralès.

Il revient, pose le sucrier sur la table, près du dossier, d'un crayon que Moralès n'avait pas vu, de l'assiette à dessert et du pilon à pommes de terre, se rassoit.

— Je te fais un bilan: l'apéro chez ses beaux-parents, le souper chez Leeroy Roberts, la soirée à l'auberge. Angel ne va pas bien parce qu'elle a trop bu, son mari la ramène à la maison. Là, ils se chicanent et Clément Cyr retourne à la fête. Entre-temps, Angel monte dans sa voiture, s'en va au quai de Grande-Grave, saute sur son bateau, largue les amarres et quitte le quai. Après ça, rendue au large, elle prend les sédatifs, attache un câble autour de ses jambes et place un casier avec des couvertures dedans au-dessus de l'eau, installation qui lui laissera le temps de s'endormir pour mourir sans paniquer.

— Qu'est-ce qui te fait croire que ça s'est passé comme ça?

— Pas de signes de violence et elle a laissé un mot doux à son mari avant de partir, pour éviter qu'il s'inquiète.

Les hommes se regardent.

— Le mot n'est pas clair.

— Les lettres de suicide, c'est rarement de la grande poésie.

Lefebvre se lève, se rend près du comptoir de la caisse enregistreuse.

— On ferme le dossier?

Moralès secoue la tête.

— Pas encore.

L'agent se penche, se redresse. Il a pris l'agenda des réservations. Il revient vers la table, le pose près du sucrier, de sa copie du rapport, du crayon de bois, de l'assiette à dessert et du pilon à pommes de terre.

— Pourquoi?

Moralès se tait. S'il parle du braconnage à Lefebvre, ce dernier va s'empresser de divulguer l'information à Simone Lord. Or elle est probablement au courant de l'affaire et il se demande pourquoi elle lui cache des renseignements. Il voudrait l'interroger, la prendre au dépourvu pour voir sa réaction.

— J'ai encore une ou deux pistes à vérifier. Tu as trouvé Simone?

Lefebvre hausse les épaules, tourne les pages de l'agenda.

— Sur une enquête, qu'on m'a dit.

— Elle n'est pas censée travailler sur cette enquête?

— Qu'est-ce que tu veux que je te réponde? Les femmes ne sont pas toujours disponibles quand on les demande, Moralès! C'est pareil pour moi : Thérèse Roch ne travaille pas tous les jours. Est-ce que je la relance jusque dans ses derniers retranchements? Non.

Il feuillette l'agenda.

— D'ailleurs, j'oserais pas. Tu sais qu'elle cohabite avec Dotrice Percy?

— La voyante?

— Oui. J'ai compris ça l'autre jour, en allant voir la voyante. C'est bizarre, «voir la voyante», tu trouves pas? Ça serait ça, tu penses, une mise en abyme?

Il réfléchit un instant.

— Si elle avait lu mon avenir dans une boule de cristal, j'aurais pu dire : «J'ai vu la voyante qui me voyait.» Après ça, elles sont colocataires. Ça explique pourquoi Dotrice arrive toujours à se faufiler dans le poste, mais c'est pas moi qui vais dénoncer Thérésita!

— Je veux voir Simone rapidement. Trouve-la.

Lefebvre referme l'agenda.

— Je m'en doutais qu'elle te faisait tourner le sang mexicain dans le corps !

— L'agente Lord ?

Lefebvre se lève, saisit son manteau, l'enfile.

— Ben oui ! Tu la trouves outrageusement sexy, Moralès. J'ai vu.

Et il quitte l'auberge.

Sébastien est rentré en début de soirée. Trempé, mais souriant.

— J'ai du poisson. T'as faim ?

Son père est toujours assis dans la salle à manger. Il achève son rapport de la journée. Sébastien déballe le poisson enveloppé dans du papier journal, se dirige vers la cuisine.

— Demain, je pense aller au bar rayé. Jacques m'a parlé d'une place...

Pourquoi cette jeune femme heureuse se serait-elle suicidée ? Ça n'entre pas dans la tête de Moralès. Il veut être certain que les braconniers n'ont rien à voir avec ça avant de fermer le dossier, d'appeler sa lieutenante et de lui dire qu'il rentre à Caplan.

Sébastien s'affaire, fait cuire des pâtes, revenir des légumes, enfarine des maquereaux tout en jasant de cuillères, d'appâts, de marées.

Son garçon dépose deux assiettes sur la table, prend place. Il continue son monologue enthousiaste pendant le souper: «Les phoques ont des cuillères de pêche accrochées à leur ventre, comme des médailles de général, t'en reviendrais pas !» Le poisson est un peu dur. Joaquin ne commente pas. Sébastien fouille dans sa veste, allume son cellulaire. Aussitôt, ce dernier se met à vibrer de façon démentielle, témoignant d'une tonne de textos qui se pointent d'un coup. Moralès voit le visage de son fils se durcir. Il regarde brièvement l'écran, remet l'appareil dans sa poche.

Il n'est pas particulièrement parano et il veut bien lui faire confiance, mais c'est évident que l'agente Lord connaissait les frères Babin et Jimmy Roberts, le premier jour, quand elle les a interpellés sur le quai. Se pourrait-il qu'elle couvre le braconnage des trois hommes ? Moralès a du mal à y croire, mais ce n'est pas impossible qu'ils la fassent chanter. Qu'ils la tiennent. Ou alors elle ignore tout. Ce serait presque pire, se dit Moralès.

Sébastien mange rapidement, annonce qu'il va prendre sa douche et sortir en ville. « En ville ! On s'entend que Gaspé, c'est pas Montréal, mais Corine m'a invité à une soirée, au Brise-Bise. »

— Faut que j'y aille. Je te laisse la vaisselle sale, OK ?

Une fois Sébastien parti, Moralès monte dans sa voiture. Il veut aller voir ce qui se passe au quai de Grande-Grave. Si le bateau d'Angel Roberts est absent, il contactera Pêches et Océans Canada. Rien d'audacieux, il a eu des années plus folles où être agent infiltré et se faire casser des côtes lui ont offert de belles poussées d'adrénaline. Mais il vieillit et ressent moins de plaisir qu'avant à l'idée de se faire tabasser.

Il a mis un thermos de soupe chaude dans la voiture. Il a déposé son dossier d'enquête sur le siège du passager. Il pourra se garer en bordure de la route et faire des allers-retours au quai pendant une partie de la nuit. Ça lui fera de la lecture entre deux visites et ça évitera que Corine mette le nez dans ses papiers. Corine. Il l'a croisée ce matin. Dans les courbes de la route, il pense à la jeune femme, puis à Sébastien. Il n'a pas encore eu l'occasion de discuter avec lui. Ça viendra bien. Bientôt.

Il avance dans l'entrée du parc, roule jusqu'à la guérite et se maudit : depuis la fin de la saison touristique, le camping est interdit et la barrière est fermée à partir de vingt et une heures. Pas moyen d'entrer.

Moralès hésite à retourner à l'auberge. Ça fait cinq jours que les enquêteurs tournent autour du homardier. Les braconniers doivent être sur les dents. Il ignore combien de casiers les pêcheurs ont mis à l'eau, mais ils veulent sûrement tous les récupérer. Ils ont peut-être déjà tout ramassé. Sinon ils doivent achever. Il aurait déjà dû insister pour joindre Simone Lord, alerter les agents des pêches. Vingt-trois heures trente. Personne ne voudra l'aider à effectuer une surveillance aussi hasardeuse à cette heure. Sans compter qu'il n'a élaboré aucun dossier de braconnage ni demandé d'autorisation pour mobiliser des agents.

Il fait demi-tour, s'éloigne de la guérite, mais juste avant de sortir du parc il remarque un chemin de terre du côté de la mer. Il s'y engage. C'est une station de vidange pour les campeurs. Il se gare au fond, dans un petit renforcement de la forêt. Il sort de la voiture, question de voir s'il peut trouver un endroit pour faire le guet, mais découvre l'entrée d'un sentier. Il avance de quelques pas. La terre est humide de pluie et glissante sous ses semelles. La nuit est sombre, mais ses yeux s'habituent à la pénombre. Le sentier mène à un premier lot de sites destinés au camping sauvage qui surplombe la mer. Il marche jusqu'au bord de la falaise.

À environ six cents mètres plus à l'est, il aperçoit la silhouette d'un bateau immobile dans l'ombre. Son adrénaline monte en flèche, mais ça ne ressemble pas à la forme du homardier d'Angel Roberts. Ce n'est peut-être qu'un bateau de plaisanciers qui s'offrent une nuit romantique en bordure du parc Forillon.

Il retourne vers les sites de camping. En général, ceux-ci sont reliés aux principaux points d'intérêt des parcs nationaux par des sentiers panoramiques. Il y a peut-être une piste qui longe la côte, passe près de ce bateau et rejoint Grande-Grave. Il allume la lampe de poche de son cellulaire, trouve un sentier et s'y engage.

Ils arrivent enfin. Il n'a pas vraiment compris pourquoi la mise en branle de leur trio a été aussi longue. Avoir su, il serait resté plus longtemps avec son père pour s'informer de l'enquête.

Corine et Kimo ont mangé de leur côté et il est allé les rejoindre vers vingt-deux heures. Il n'a pas saisi non plus pourquoi elles ne se sont pas jointes à eux pour le souper, Kimo habitant juste à côté de l'auberge, un peu en retrait, près de la rive. Elles avaient peut-être des secrets à se partager. C'est possible. Kimo semble se compliquer la vie avec ses amours.

Il stationne la voiture. Elles sortent sur le trottoir. Corine lui offre un sourire quasi consolateur. C'est que son amie est tellement figée dans une sorte de rebuffade contre l'humanité qu'elle fait figure de boulet dans cette soirée. Lourde. Sébastien se demande comment elle peut réussir à faire du yoga. Il la regarde marcher devant lui. Il voudrait la toucher, la faire danser.

Danser!

Soudain, Sébastien Moralès effectue une pirouette sur lui-même, sur le trottoir, avant d'entrer au bar, se penche et regarde Kimo droit dans les yeux.

— Ce soir, *vamos a bailar*!

C'est l'écho d'une voix de femme, Joaquin Moralès en est presque certain. Il ne voit pas correctement le bateau, d'autant plus que les lumières sont éteintes et que la nuit est épaisse comme une panse d'ours. Il a suivi le sentier jusqu'à ce qu'il se retrouve en face de l'embarcation. Ensuite, il a bifurqué vers la mer. Heureusement, la végétation n'est pas trop dense. Il est tout de même détrempé et il a les souliers boueux. Il commence à avoir froid, mais ne s'en soucie pas. Puisqu'il ne peut presque rien voir, il écoute.

Il a entendu de vagues murmures, mais surtout cette voix de femme. L'intonation. Ça lui rappelle celle de Simone Lord qui donne des ordres. Il tente de voir s'il s'agit d'un bateau de Pêches et Océans Canada, mais n'y parvient pas. De toute façon, qu'est-ce que ce bateau ferait là à cette heure-ci?

Si l'agente Lord avait prévu attraper les braconniers lors d'une intervention nocturne, elle lui en aurait parlé, c'est son enquête à lui, après tout. Il s'immobilise. Elle dirait la même chose : «C'est mon enquête à moi, Moralès!» À moins qu'elle soit de mèche avec les braconniers. Non. Ça, Moralès n'y croit pas. De nouveau, il entend l'écho de la voix. Elle murmure, mais le murmure même fait écho sur l'onde. Il ferme les yeux, tend l'oreille, puis comprend : ce n'est pas une voix. C'est le cri tapi d'un oiseau de nuit. Moralès se sent ridicule. Vieux et ridicule.

Il revient vers le sentier, troublé d'être aussi déconcerté par cette femme, Simone Lord. Est-ce que Lefebvre aurait raison ? Se peut-il qu'il y ait une attirance entre lui et l'agente des pêches ? Il revoit cette vertèbre souterraine qui hante la nuque de l'enquêtrice. Et puis, elle a cette odeur. L'odeur de la terre humide, du sel, avec un rien de boisé.

Il a retrouvé le sentier. La distance entre lui et Grande-Grave est à peine plus longue que celle qu'il vient de parcourir. Il serait idiot de retourner à sa voiture alors que *L'Échoueuse II* est juste à quelques centaines de mètres. D'ailleurs, même s'il regagnait sa voiture, la surveillance depuis son véhicule ne donnerait rien : les braconniers ne peuvent pas passer par la guérite puisqu'elle est fermée. Le seul moyen de percer à jour leur activité nocturne, c'est de se rendre au quai.

Sébastien a laissé son cellulaire dans son manteau. Il souhaite avoir les mains libres, se sentir léger. La musique est bonne, il se rend au bar. Il a envie de boire du rhum. Ce matin, il a fait du jogging dans un sentier du parc Forillon. Il a rejoint un pêcheur avec lequel il a pris du maquereau et fait bondir des phoques. Il a soupé avec son père, bu une bière avec les filles. Maintenant, il va danser.

Il commande son verre. Pense à Maude en regardant une bouteille de gin. Avec elle, il buvait du gin. C'est étrange à quel point la vie en couple l'a amené à se définir autrement. Il fait la même chose que son père. Le serveur pose le verre de rhum. Sébastien l'avale d'un coup.

— Un autre.

Le barman acquiesce.

Est-ce qu'il peut partir ainsi ? Après toutes ces années, ces promesses, ces projets, ces photos d'elle qui traînent encore dans son cellulaire ?

Le serveur pose le second verre sur le comptoir. Sébastien paye les deux consommations. Oui. Il pourrait. L'alcool lui brûle délicieusement la gorge, il a envie de rugir. Il pivote gracieusement et rejoint la piste de danse.

Elle est où, Kimo ?

Joaquin descend la pente en direction du quai. Personne. Il traverse le stationnement désert, se faufile derrière le centre de plongée, puis longe la falaise jusqu'à l'arrière du hangar de location de kayaks. De là, il a une vue complète sur le quai et sur *L'Échoueuse II*. Il a froid, même s'il est chaudement vêtu. Le sentier n'était pas très long, mais tellement humide qu'il a dû se frayer de larges détours dans les bois pour éviter les trous d'eau. Son pantalon est détrempé. Il marche de long en large à l'arrière de la cabane. Il regarde l'heure. Deux heures moins le quart.

La pile de son cellulaire est presque à zéro. Il aurait dû informer Lefebvre. Il aurait pu mieux se préparer. Maintenant, quel est le plan ? Si les braconniers arrivent, il fera quoi ? Il devra utiliser la radio du homardier ou le téléphone d'un des hommes pour appeler des renforts. Et s'ils ne viennent pas ? Il devra retourner à pied à sa voiture. Cette fois, il prendra la route en gravier. Ce sera plus long, mais plus facile.

Il devrait quand même alerter quelqu'un de sa présence ici avant que son cellulaire le lâche. Il va appeler Sébastien, tiens.

Pourquoi n'y a-t-il pas pensé plus tôt? Il allume l'appareil, compose le numéro. Ça sonne. Encore. Ça lui revient: son gars est parti dans une fête en ville avec Corine. C'est ce qu'il a dit. Le répondeur s'enclenche. Sébastien déteste les messages, surtout par les temps qui courent. Et Joaquin déteste laisser des messages. Le bip.

— Salut, *chiquito*. Je fais une surveillance de nuit dans...

Soudain, un bruit de moteur se fait entendre sur la route.

— ... le parc et...

Des véhicules tout-terrain! Au moins deux. Moralès aurait dû y penser: beaucoup de Gaspésiens en utilisent pour la chasse. Les braconniers ont dû s'aménager une entrée quelque part. Une musique mourante lui signale que la pile de son cellulaire a rendu l'âme. Il range son appareil.

Les véhicules apparaissent, descendent la pente qui mène au stationnement. Leurs phares balaient l'espace dans tous les sens. Moralès sort son arme de son étui, se tapit à l'arrière du hangar de location.

Il étudie les lieux. Dès que les braconniers quitteront le quai, l'enquêteur pourra emprunter un de leurs véhicules et aller chercher des renforts. Il sourit intérieurement. Ça ne sera pas si difficile de les coincer, finalement! Et c'est là, au moment où un rayon de lumière passe près de lui, qu'il les voit. Elles s'immobilisent ici, contre ses pieds, puis reculent et partent dans l'autre direction. Les traces de pneus, creuses et multiples, laissées par des véhicules tout-terrain, font le tour du hangar de location de kayaks.

Il gonfle son torse. C'est par là que la musique entre. Pas par les oreilles, mais par le ventre et les poumons. Il lève les bras et ça y est, la danse commence. Les mouvements des autres ne le dérangent pas; il ne les voit pas. La danse, ça lui appartient. Elle descend dans ses hanches, dans ses reins, réchauffe tout sur son passage, les cuisses et les jambes. Il baisse la tête, claque des mains dans les airs. Il est rock et tango à la fois. Corine s'approche, lui tourne autour, rit. Les hommes qui aiment danser sont rares. Il lui prend la main, la hanche, serre la jeune femme contre lui, puis la retourne parmi les autres. Celle qu'il veut, c'est la triste Kimo. Parce que la danse libère la douleur et que Kimo doit être volcan sous cet amas de plaques tectoniques immobiles.

Il la rejoint au moment où, indifférente aux contorsions du jeune homme, elle lui tourne le dos et observe les musiciens. Il s'approche derrière elle jusqu'à ce qu'elle sente la chaleur de son corps. Il le sait parce qu'il voit sur sa nuque la chair se hérisser. Elle sait que c'est lui parce qu'il l'a provoquée l'autre jour, parce qu'elle est froide, distante, et qu'il a décidé, caprice de jeune homme, d'essayer d'y remédier.

Il pose une main ferme sur sa hanche, creuse avec son pouce pour la forcer à plier un peu, tandis que l'autre bras vient l'enserrer autour de la gorge, pour immobiliser ses épaules. Il s'approche encore sans agressivité ni vulgarité. Il pousse un genou à l'arrière d'un des siens. Elle cesse de regarder le groupe. Son immobilité est une lutte presque désespérée. Il penche sa tête. Elle sent son souffle sur sa nuque, contre son lobe d'oreille.

— Lâche.

Soudain, elle abandonne. Comme si un ciseau géant coupait les cordes reliant son corps de marionnette à un croisillon de bois, elle s'affaisse contre lui. Et Sébastien Moralès la prend.

Les tout-terrain se faufilent le long de la falaise, passent derrière le centre de plongée. Moralès court et tourne le coin du hangar des kayaks. Il est face à *L'Échoueuse II*. Si les hommes se garent là où ils le font habituellement, il devra se glisser le long du mur avant, puis tourner l'autre coin, comme des enfants qui tournent autour de la maison quand ils jouent aux Indiens et aux cowboys.

Les véhicules ralentissent et s'arrêtent derrière le hangar. Les hommes débarquent. Moralès entend leurs voix retentir contre l'eau. Il se glisse contre le mur, court jusqu'à l'autre bout ; quand les deux hommes sortiront du côté de la mer, il se faufilera de nouveau derrière le bâtiment. Il a chaud, maintenant, la sueur perle sur sa nuque. Il se poste au coin du mur, attend.

Jimmy Roberts avance en direction du quai, suivi d'un autre homme, Jean-Paul Babin. Moralès recule entre le hangar et la falaise. Il soupire, puis avance la tête pour jeter un œil vers le bateau. Les deux pêcheurs se sont arrêtés à mi-chemin. Moralès se fige. Ils le regardent ! Moralès fait brusquement un pas en arrière et le regrette : il recule de plein fouet contre la poitrine d'un troisième homme. Ti-Guy Babin sourit dans le noir. Il a toujours rêvé de sacrer une volée à une police.

La musique bat la mesure. Sébastien fait bouger Kimo lentement, la fait onduler contre son corps, la remet en mouvement. Il descend le bras qui lui retenait les épaules le long de son bras à elle, lui prend la main et la fait tourner face à lui, son autre paume glissant contre ses reins pour attraper l'autre hanche et ramener le bassin de sa cavalière vers le sien.

Il la tient fermement. «Danse, Kimo, prends avec moi le pouls vif de la musique contre ton cœur, rappelle-toi que nous ne serons que des poussières à disperser dans le vent, bouge avec moi, tourne sous les étoiles.» C'est elle ou lui qu'il tente de convaincre ?

Sébastien Moralès penche son visage près de celui de la jeune femme. Il baisse les yeux, pour la regarder. Mais Kim Morin se raidit, recule.

— Je rentre chez moi.

Elle quitte la piste. Le concert est terminé, de toute façon. Les spectateurs applaudissent, alors que Sébastien rejoint la sortie.

Dimanche 30 septembre

Avant même d'ouvrir les yeux, Moralès sent la douleur. Respirer lui fait mal. Le torse, les côtes. Surtout les côtes. Il ouvre les yeux.

— Bonjour!

Une infirmière en uniforme bleu lui sourit doucement. Des souvenirs brumeux lui remontent en mémoire. Le coup le plus dur qui l'a envoyé contre la cabane, les hommes qui parlent: «T'es fou, c'est la police! J'appelle une ambulance!», «Elle pourra pas rentrer dans le parc!», «Les ambulanciers ont le code de la clôture». L'engueulade: «Comme si on n'était pas déjà assez dans le trouble!», «Qu'est-ce qu'on fait?» L'ambulance qui arrive: «Faut y aller!» Les hommes qui s'enfuient et ceux qui l'embarquent.

— Vous allez mieux? Le médecin s'en vient.

— Il est quelle heure?

— Presque huit heures. Le médecin vous a donné un sédatif. En attendant, votre femme est ici. Elle voulait être là à votre réveil, mais je crois qu'elle est partie aux toilettes.

Sa femme? Moralès se redresse difficilement. Sarah est venue jusqu'ici? Il tente de calculer les heures. L'exercice s'avère pénible, la conclusion, confuse: Sarah ne peut avoir fait toute cette route en si peu de temps. Elle a dû prendre l'avion.

L'infirmière prend son pouls.

— Je vous laisse vous reposer.

Il ferme les yeux. Il a foncé dans Ti-Guy Babin. Ça, il en est certain. Il bouge un peu. Ça va. On s'habitue à la douleur. Il

244

a la migraine. C'est confus. À moins que Sarah ait appris qu'il avait mis l'enquêteur Doiron dans ses affaires. Qui le lui aurait dit ? Sûrement pas lui. Doiron, c'est son collègue le plus fiable, en ville. Son ami. Il devrait l'inviter à la pêche. Il a dû recevoir un coup sur la tête. C'est flou. Qui l'a ramené ? Il soulève les paupières. L'infirmière finit de prendre des notes, s'apprête à sortir. Il pourrait la retenir, mais n'a pas très envie de poser ses questions à une étrangère. Elle quitte la chambre. Il l'entend croiser quelqu'un.

— Allez-y, il s'est réveillé.

Il étire un sourire contrit ; il aurait préféré régler ces histoires de mariage ailleurs et, surtout, dans d'autres conditions. La porte effectue un va-et-vient et une femme apparaît dans l'embrasure. Mais ce n'est pas Sarah.

— On se rencontre enfin !

Il écarquille les yeux, désorienté. Une grande rousse aux cheveux courts et très bouclés se tient près du lit, se penche sur lui. Il ressent un élan de panique, la repousse, tente de s'asseoir.

— Non, non. Je ne vous ferai pas de mal ! Mais vous devez m'écouter, enquêteur. J'ai tenté plusieurs fois de vous joindre. Je suis allée au poste de police, j'ai laissé mes coordonnées à l'entrée, mais vous n'avez pas eu le temps de me rappeler.

Moralès soupire, de découragement et de douleur, retombe sur son oreiller.

— Je m'appelle Dotrice Percy, enquêteur Poralès. Je me suis fait passer pour votre femme, j'espère que ça ne vous fâche pas, parce que j'ai des révélations importantes à faire.

Elle tire un grand fauteuil d'hôpital vers le lit, s'y installe sur le bout des fesses en s'assurant que l'enquêteur peut bien la voir, elle prend une grande inspiration, inspirée. Elle porte une robe ample à motifs pimpants. Moralès ferme les yeux. Ce sont des cauchemars ou les médicaments le font halluciner ? Dans les deux cas, c'est violemment désagréable.

— Je suis voyante, monsieur Poralès.

Il pense à la phrase idiote de Lefebvre «Je vois une voyante qui me voit», se dit que les analgésiques vont l'aider à surmonter l'intermède pénible qui s'annonce.

— Je sais que vous m'entendez. Vous êtes un sceptique, je le devine. Vous avez les yeux clos, mais vous m'entendez. C'est ainsi que vivent la plupart des gens. Moi, j'ai les yeux ouverts. Les yeux du corps et ceux de l'esprit. C'est ainsi que je vois des choses que d'autres ne voient pas. Avec les yeux de l'âme.

Moralès pense qu'il y a pire que la volée offerte par Ti-Guy Babin.

— Comme tous les vrais voyants, je m'astreins à certains rituels, dont ceux dédiés au passage des saisons. Ce sont des moments privilégiés pour entrer en contact direct avec les forces de l'univers ascendant et de l'univers transcendant. Ce sont des réalités qui vous échappent, mais sachez que, quand arrive l'équinoxe, l'air est chargé d'une vibration brute, dont il faut profiter. Surtout en période de croissance lunaire. Les astres, monsieur Poralès, nous parlent dans leur langue, avec des ondes qui ressemblent, pour les non-initiés, à des chuchotements.

Elle respire un grand coup. Bruyamment, comme si elle tentait d'aspirer la poussière dans tous les coins.

— Ce n'est pas facile d'être dans ce lieu. Ça sent le cancer, l'énergie malade. Cet hôpital hurle de cris silencieux. Dans ces locaux, c'est la vibration de la souffrance qui s'adresse à nous.

Moralès ouvre les yeux, la fixe, sans mot dire. S'il la brusque, elle répliquera certainement qu'il possède l'énergie puante des poumons de ces fumeurs sous-humains. Ou une niaiserie pareille. Il se contente d'essayer de lui faire accélérer son débit par un regard d'acier trempé. Elle prend de nouveau une large inspiration, lève les bras vers le ciel. Ses mains forment deux arcs de cercle qui s'abaissent et se rejoignent au niveau de son nombril à mesure qu'elle parle.

— La nuit de l'équinoxe, j'étais là-bas.

— Quand ça ? Où ça ?

— La nuit où Angel Roberts a disparu, j'ai médité sur la terre des ancêtres rouges. Je pratiquais, en fille-sœur de la lune, une ancienne coutume méditatoire là où le souffle puissant des baleines touche la terre. Et c'est là qu'il m'est apparu. Le monstre.

— Le monstre?

— Un monstre nu, doté d'un appendice translucide et d'un sexe atrophié.

— *¡En la puta Madre!*

Moralès ne se souvient plus de la dernière fois qu'il a utilisé ce vieux juron, entendu jadis dans la bouche édentée de son grand-père pêcheur maternel, et qui surgit à l'instant même, comme pour donner raison à la voyante, qui extirpe tout des profondeurs de la nuit des temps. Dotrice avance vers lui ses mains toujours ouvertes à la hauteur du nombril, comme si elle tentait de retenir un trop-plein de bonbons.

— Il est venu vers nous.

Joaquin lève les bras pour la repousser. La voyante, absorbée par son illumination, ne semble pas s'en apercevoir.

— Les humaines. Les voyantes.

— Dotrice, quittez ma chambre.

— Il a traversé le cercle méditatoire et s'est volatilisé dans les bruyères.

En fouillant dans ses couvertures, Moralès finit par trouver le bouton d'appel du poste des infirmières. Il appuie dessus. Dotrice se lève, descend les bras, puis les ouvre devant elle, tel le Christ accueillant les petits enfants.

— Nos mères et les mères de nos mères et leurs mères avant elles ont lu les signes et posé des fragments tremblants à la surface de l'onde. Elles nous l'ont dit: la mer est menteuse, et les hommes, traîtres!

Elle s'avance comme un zombie vers Moralès, puis s'arrête et pointe ses deux index vers lui.

— Hypocrites.

Elle le murmure dans un souffle grave. La porte de la chambre s'ouvre d'un coup. Sébastien entre, suivi de l'infirmière, mais Dotrice ne s'en préoccupe pas et poursuit sa marche hallucinée.

— Demandez-moi, Poralès, de quelle vérité céleste mon esprit est captif!

— Ça, madame, c'est le charme mexicain de mon père; on peut pas le laisser deux heures dans une chambre sans que les femmes se garrochent pour lui faire sa carte du ciel!

Sébastien, autoritaire, attrape la voyante, son sac, sa boule de cristal probablement dedans et s'affaire à tout sortir de la chambre. L'infirmière réagit conformément aux principes de sa dernière formation sur les victimes de violence familiale. Incapable de maîtriser Sébastien, qui fait passer Dotrice d'une sphère parallèle de l'univers à un corridor perpendiculaire de l'hôpital, elle se tourne vers Joaquin avec un regard dur.

— Je ne tolérerai pas la violence conjugale dans cet établissement!

— Écoutez, ce n'est pas ma...

— S'il faut vous attacher à votre lit, je n'hésiterai pas à...

Dans un coup de vent, l'agent Lefebvre pénètre dans la chambre. Il a bien sûr entendu les dernières paroles de l'infirmière.

— C'est quand tu veux!

Elle se retourne et vire au rouge vif en reconnaissant le nouveau venu. Elle sort, confuse, croise Sébastien qui revient et referme la porte derrière elle. Lefebvre observe Moralès.

— Tu vois: c'est pour ça que j'aime pas ça, faire du terrain!

— Salut, Lefebvre.

— Salut, Moralès père et fils!

— Je suis allé au quai de Grande-Grave, je voulais voir qui prenait *L'Échoueuse II* la nuit.

— Je sais, oui. On a reçu un appel, au poste, pour nous informer qu'un de nos soldats était tombé au combat. On a envoyé deux autos de patrouille au parc et, devine quoi? Elles ont arrêté deux quatre-roues montés par Jimmy Roberts et les frères Babin! Après ça, Ti-Guy Babin raconte qu'ils sont allés faire un tour au quai pour trouver qui faisait du braconnage avec le bateau d'Angel et qu'ils ont vu un intrus, dans le noir. Ils ont cru que le gars était dangereux et ils ont voulu le maîtriser.

Moralès n'en croit pas ses oreilles, mais Lefebvre hausse les épaules.

— T'es vraiment débile d'être allé là tout seul.

— Écoute, Érik...

La porte s'ouvre sur une femme en blouse verte, cheveux blonds très frisés, retenus en une couette haute, stature athlétique, yeux bleus légèrement bridés, munie d'un stéthoscope autour du cou. Ravissante, la taille mince et un sourire qui rafraîchit la chambre.

— Docteure Turcot!

— Bonjour!

— Je suis l'agent Lefebvre, votre nouveau patient! On s'est vus la semaine dernière. C'est mon collègue, l'enquêteur Moralès, qui est couché ici.

Sébastien se retient pour ne pas trop rire devant l'air émerveillé de Lefebvre, et Joaquin comprend tout à coup l'entêtement de celui-ci à vouloir un bilan médical.

Elle s'approche du lit, pose le dossier de son patient sur les draps et se penche sur le blessé. Lefebvre se glisse de l'autre côté, saisit le document, l'ouvre. Le médecin lève les sourcils.

— C'est confidentiel.

— Je suis agent de police...

Moralès hausse les épaules, Lefebvre étudie le dossier médical et trace le bilan de l'incident pendant que la Dre Turcot observe l'enquêteur.

— Rien de cassé. Quelques ecchymoses, une commotion. Vous lui prescrivez quoi? Valium? Dilaudid? Viagra?

Malgré elle, la Dre Turcot sourit.

— Des analgésiques.

Lefebvre regarde Joaquin d'un air faussement navré.

— Ah. Pauvre toi. C'est décevant, hein?

— Je vous donne votre congé, monsieur Moralès. L'infirmière va venir vous retirer votre soluté d'ici quelques minutes.

Elle reprend son dossier.

— Je vous souhaite une bonne journée, messieurs.

— Moi aussi, j'y vais! On se parle plus tard, là!

Lefebvre se précipite pour la suivre, ses bottes de cowboy claquant sur le plancher de la chambre d'hôpital, mais Moralès le rappelle.

— Pas question! J'ai besoin de toi, Érik Lefebvre!

À contrecœur, l'agent revient. La porte se referme derrière la belle docteure.

— Juste au moment où j'avais besoin de me faire prendre la pression…

— C'est l'enterrement d'Angel cet après-midi.

Moralès retire lui-même l'aiguille du soluté de son bras, déplace le pansement qui la tenait en place de façon à fermer le trou dans la peau. Il regarde Sébastien.

— Tu peux me ramener au parc? Je dois récupérer ma voiture.

Il enfile ses vêtements de la veille. Son manteau est sale, ses souliers, mouillés.

— On est allés la chercher, elle est à l'auberge.

— Mon dossier est toujours dedans?

— Je pense pas…

— Sur le siège du passager.

— Je regarderai.

Sébastien accompagne gauchement son père, sans arriver à faire quoi que ce soit de vraiment utile. Il le devance pour lui ouvrir des portes, mais elles s'ouvrent automatiquement; pour appeler l'ascenseur, mais il était déjà en route; pour ramasser sa carte soleil, mais le médecin la lui avait déjà remise.

— Érik, je dois passer à l'auberge. Je sais que c'est dimanche, mais je veux te voir à la cérémonie.

L'agent acquiesce.

— C'est certain que j'y serai. Je vais convoquer Jimmy Roberts et les Babin au poste.

— Il faisait assez clair pour que Ti-Guy Babin me reconnaisse la nuit passée.

— Je sais, mais ta plainte tiendrait pas en cour. T'inquiète pas, on va s'en occuper. Ils vont passer les prochaines semaines à poireauter jour et nuit en salle d'interrogatoire et on va leur coller des patrouilleurs au cul pour un an : qu'ils roulent à cinquante et un kilomètres à l'heure dans une zone de cinquante, qu'ils attachent mal leur bois sur leur remorque, que les bancs des enfants soient pas ultra-réglementaires ou qu'ils élèvent la voix une seule fois, ils seront tellement couverts de tickets qu'ils vont devoir hypothéquer leur maison ! Ils ont déjà eu tout ce qu'on pouvait leur donner d'amendes pour leur tout-terrain. Ils auront jamais soufflé autant de ballounes de leur vie. Après ça, on va aussi demander à la GRC de s'assurer que leurs armes à feu sont bien enregistrées. On va faire le tour.

En arrivant près de la voiture de son garçon, Moralès se tourne vers son collègue.

— Demande aux Babin ce qu'ils faisaient la nuit de la disparition d'Angel.

— OK.

— Je veux voir Jimmy Roberts demain.

— Il sera là.

Lefebvre s'éloigne pendant que Sébastien ouvre la portière de sa voiture à son père. Joaquin se tourne vers son fils, s'immobilise. Il tend le bras, le prend et le serre doucement contre lui. Il embrasse son garçon, puis le regarde. Émus, les hommes se tiennent un instant face à face.

— Ça va, ton projet d'expérimentation culinaire ?

Au petit matin, Sébastien a appelé sa mère pour lui dire que son mari venait d'entrer à l'hôpital. Elle n'a ni répondu ni rappelé.

— Je t'aime, p'pa.

— Je t'aime, *chiquito*.

La première mauvaise surprise sur laquelle Moralès bute, en arrivant chez Corine, c'est Simone Lord, debout près de sa voiture, qui fait les cent pas. Fallait peut-être s'y attendre. Elle est tellement enragée que l'auberge semble se tasser sur elle-même.

— Rentre, je vais ramasser ton dossier.

Joaquin acquiesce, sort de la voiture.

— Vous aviez pas d'affaire sur mon enquête, Moralès !

— Non, agente Lord. Pas aujourd'hui. On se parlera demain.

Il la contourne et entre dans la salle à manger. Sa migraine envahit tout l'espace.

— Vous êtes descendu à Grande-Grave en pleine nuit pour intercepter des braconniers, mais c'était pas votre enquête ! C'était la mienne !

Elle a raison. Moralès retire ses souliers trempés.

— Non seulement vous n'aviez rien à faire là, mais, en plus, vous m'avez caché des inform…

— Je ne vous ai rien caché du tout !

— Qu'est-ce que vous faisiez là d'abord ? Quelqu'un vous a informé que *L'Échoueuse II* servait à faire du braconnage ! M'en avez-vous parlé ? Non ! Vous m'avez engueulée, l'autre jour, parce que vous vouliez que je respecte votre champ de compétences, mais vous avez pas respecté le mien !

— J'aurais voulu le respecter, votre champ de compétences, sauf que, depuis deux jours, vous avez choisi de disparaître ! J'ai demandé à l'agent Lefebvre où vous étiez. Introuvable !

— Vous aviez juste à appeler à mon bureau !

— Pendant qu'on se décarcasse sur une affaire d'homicide, l'agente Lord, elle, décide de ne plus répondre au téléphone et d'organiser un tour de bateau avec des petits amis des pêches !

Enragée, elle ne voit pas Sébastien qui entre, les contourne et file vers la cuisine. Elle s'avance de deux pas vers Joaquin et pointe durement un doigt accusateur sous son nez.

— C'est justement ça, l'enjeu ! Vous deviez travailler sur un homicide, pas sur un braconnage ! Vous avez fait foirer mon enquête parce que vous voulez tout contrôler !

Moralès ouvre les bras vers le ciel, comme pour le prendre à témoin.

— *¡En la Madre!* Mais regardez donc qui ose me parler de contrôle ici!

Derrière eux, Sébastien met un peu de musique, comme pour ne pas les entendre.

— Vous saviez, depuis le premier jour, que Jimmy Roberts faisait du braconnage avec les Babin à bord de *L'Échoueuse II* et que cela pouvait être un motif de meurtre! M'en avez-vous informé, agente Lord? Non, parce que vous êtes trop occupée à garder votre petite enquête pour vous! Un policier s'est fait battre, la nuit passée, parce que vous êtes trop orgueilleuse pour travailler en équipe avec un homme! Sortez d'ici, agente Lord, avant que j'aie envie d'aller raconter ma version à votre supérieur!

Alors que Joaquin parlait, Sébastien a augmenté le volume de la musique et, au moment où Simone Lord s'apprête à répliquer avec fougue, elle comprend, en même temps que son vis-à-vis, que le petit comique leur a mis un morceau de tango qui fait écho à leur échange. Prenant soudain conscience du ridicule d'un tel emportement, Joaquin se tait. Il a honte de sa menace. L'agente Lord laisse passer trois mesures de musique et assène sa dernière réplique avec calme.

— Vous êtes autocrate et misogyne, Moralès. La volée que vous avez reçue, j'aurais voulu vous l'avoir donnée moi-même!

Elle tourne les talons et s'en va. Sébastien s'approche, s'immobilise à côté de son père. Ensemble, ils la regardent sortir de l'auberge, monter dans sa voiture et claquer la porte avec force.

— Elle a une nuque pas croyable.

— Je sais.

— Sacré caractère.

— Elle me fait perdre contenance.

— C'est quoi, cette vertèbre qui apparaît quand elle avance la tête?

— La C3, je pense.

La voiture de Simone Lord quitte la cour. Sébastien regarde son père, lui sourit doucement.

— J'ai pas trouvé le dossier. J'ai fouillé partout.

— ¡En la Madre!

— Est-ce que quelqu'un l'aurait volé ?

— Je vais demander à Lefebvre si quelqu'un du poste l'a pris. T'as mon cellulaire ?

— Oui. La batterie est à plat, je vais le brancher. Va prendre ta douche, je te concocte une soupe de poisson. Cet après-midi, je vais aller faire des courses.

— OK. Merci, *chiquito*.

Joaquin s'engage dans l'escalier. Sébastien entre dans la cuisine, fait l'inventaire du réfrigérateur, entame la préparation d'une soupe de poisson. Son père semble épuisé. Plus tard, il réglera ses comptes avec lui. Plus tard, il lui assènera peut-être les reproches qu'il est venu lui adresser. Mais jamais il ne lui dira que Sarah n'a pas rappelé.

La foule est dense, le silence, entrecoupé de craquements, de reniflements. L'écho des prières se répercute contre le plafond arrondi du salon funéraire.

Leeroy Roberts est assis à droite de l'urne. Près de lui, son fils Bruce. Même s'il y avait de la place pour deux autres personnes sur le banc, Jimmy Roberts est assis derrière eux. Seul. Ni son ex-femme ni ses enfants, qui ont pourtant dû connaître Angel, ne sont présents. Les frères Babin ont opté pour des places dans les rangées suivantes. Ils sont accompagnés de femmes, d'enfants, et démontrent une vive attention à l'endroit d'une vieille dame qui est manifestement leur mère.

Moralès est entré un peu en retard et n'a trouvé aucun banc libre. Il est debout, comme une vingtaine d'autres, à l'arrière de la salle bondée. Il fait un pas sur le côté.

À gauche de l'urne, Clément Cyr a les épaules secouées de sanglots et les yeux emplis de fantômes. Une petite femme énergique et un homme dont la carrure rappelle celle du pêcheur l'accompagnent. Probablement sa mère et son oncle Fernand.

Derrière eux, Jacques Forest est assis près d'une femme que Moralès n'arrive qu'à entrevoir. Quand il est sorti de la douche, l'enquêteur a pris ses messages téléphoniques. Forest faisait de l'insomnie la nuit dernière quand il a vu l'ambulance passer devant chez lui et bifurquer vers le parc. Il est sorti pour aller voir ce qui se passait et a aperçu l'automobile de Moralès à l'écart de la route. Il s'en est approché, a ouvert la portière et a vu le dossier de l'enquête. Il a eu peur que le document tombe dans des mains malveillantes, a-t-il affirmé, aussi l'a-t-il emporté chez lui. L'enquêteur a été incapable de le joindre, Forest étant probablement déjà en route vers la liturgie. Moralès ne veut pas le brusquer, mais il souhaite récupérer le dossier aujourd'hui même. Il ne veut surtout pas ébruiter l'affaire. Jacques Forest n'aurait pas dû prendre le dossier, certes, mais l'enquêteur a fait un faux pas en le laissant dans sa voiture.

La cérémonie achève. Les gens se lèvent. Leeroy Roberts avance vers l'urne, la prend et s'engage dans l'allée, comme un homme qui soupèse le poids de la perte. La vie tout entière de ton enfant, ses premiers mots, ses rêves, son petit vélo, ses projets, son homardier à placer d'un côté et rien à déposer sur l'autre plateau de la balance.

Les Roberts, les Cyr. Les deux clans ne se regardent pas, malgré le deuil commun. Qu'est-ce qui peut causer autant de mépris ? La procession se dirige vers la double porte, située à l'arrière du salon funéraire des Langevin.

Moralès redresse les sourcils sous le coup de la surprise : c'est sa patronne qui accompagne Jacques Forest ! La ressemblance entre les deux est frappante et, tandis qu'il croise son regard, il comprend que la lieutenante est la tante d'Angel, la sœur de sa mère décédée. Alors que sa patronne franchit les portes, il se demande pourquoi elle ne lui a pas révélé qu'il enquêtait sur la disparition de sa propre nièce.

La foule sort dans un défilé de murmures, de piétinements, de mouchoirs fripés, de manteaux qui se boutonnent, d'enfants impatients qui retrouvent joyeusement des connaissances.

Moralès aperçoit Corine et Kimo, dans un coin de la salle, qui attendent leur tour pour rejoindre le grand air. Kimo a les lèvres pincées. Corine fait écran entre elle et les autres. Elle croise le regard de Joaquin, le salue d'un hochement de tête, puis murmure quelque chose à l'oreille de son amie. Les yeux de Kimo cherchent la foule. Elle tourne la tête dans sa direction, l'aperçoit, le salue froidement et se détourne. Une trouée se faisant enfin devant elles, les deux femmes se faufilent vers une porte latérale et, ignorant volontairement la direction que les autres suivent, optent pour une sortie en douce. Moralès franchit le seuil et les voit partir du côté du stationnement d'un pas vif.

Les amis et la famille marchent vers le cimetière. Moralès n'y va pas. Il a vu Érik Lefebvre et Simone Lord suivre le mouvement. S'il se passe quoi que ce soit de primordial pour l'enquête, son agent lui en fera part. Quelques badauds décident d'attendre le retour des proches en restant sur une petite place circulaire pavée, ornementée de vivaces et agrémentée de bancs. Le salon funéraire étant bâti sur une colline, la vue embrasse une partie de la baie de Gaspé. Le soleil est étonnamment doux et Joaquin s'assoit.

Jacques Forest est revenu du cimetière auprès d'Annie Arsenault. Elle est en train de planifier une sortie de pêche.

— Vendredi matin, ça m'adonnerait. La marée devrait être parfaite pour qu'on aille à L'Anse-aux-Sauvages.

— Bonne idée. Ça te dérange si j'emmène Sébastien? C'est le fils de M. Moralès.

L'amie d'Angel Roberts salue Joaquin.

— Pas du tout. Vous pourriez venir aussi, enquêteur.

Joaquin regarde les deux Gaspésiens sans comprendre. Elle lui adresse un sourire doux.

— J'ai un bateau. Il est pas très grand, mais assez confortable pour quatre ou cinq passagers. Jacques et moi, on irait à la pêche en mer vendredi. En matinée, à cause de la marée. Vous pourriez vous joindre à nous, vous et votre garçon. Ça vous donnerait une pause, peut-être.

— Volontiers, j'adore la pêche.

Elle leur refait un sourire triste qui illumine difficilement son visage altéré par la douleur, puis va rejoindre son mari et ses garçons qui l'attendent en retrait.

Marlène Forest s'approche enfin. Elle discutait avec Lefebvre et Lord, qui se sont arrêtés pour saluer les frères Langevin. Moralès lui offre maladroitement ses condoléances. Il ne s'habitue pas aux formules figées. Il se sent comme un vautour qui plane au-dessus des drames. Il arrive toujours après. Trop tard.

— C'est vous qui avez envoyé l'équipe technique, le jour où le bateau a été retrouvé ?

— Oui. Et c'est moi qui ai demandé à ce que vous soyez affecté à cette enquête.

— Pourquoi vous ne m'aviez pas dit qu'Angel était votre nièce ?

Elle hausse les épaules, détourne le regard. Son frère, debout près d'elle, reste immobile.

— Je ne peux pas intervenir dans l'enquête, car on pourrait m'accuser d'être en conflit d'intérêts entre mon travail et ma vie privée. Mais si ça ne vous gêne pas, j'aimerais terminer la lecture de votre dossier ce soir, chez mon frère.

C'est donc pour ça que Jacques Forest s'est emparé du dossier : pour le faire lire à sa sœur !

— Vous pourriez le récupérer demain matin. Pour une fois, j'avoue que je ne suis pas mécontente que vous commettiez une bourde.

Il hoche la tête, mal à l'aise. Pour l'instant, ce dossier ne mène nulle part. Trop de pistes incertaines, aucun témoin fiable, aucun motif d'assassinat et une impossibilité flagrante à élucider le trajet de retour d'un potentiel meurtrier.

— Selon toute apparence, il semble que votre nièce se soit suicidée, Marlène.

Elle rejette clairement cette hypothèse.

— Quand une femme se suicide, personne ne bat l'enquêteur.

Il ne répond pas.

— Écoutez, Moralès. Je ne suis pas censée m'en mêler, mais je vais quand même, à titre de tante de la victime, vous dire quelque chose.

Il ne bouge pas, attend ce qu'elle s'apprête à lui dévoiler. Elle jette un œil à son frère.

— Ma sœur, notre sœur, a épousé Roberts, mais on n'a jamais compris pourquoi. Ma sœur, mon frère et moi, on a hérité de pas mal d'argent de notre père. On a toujours pensé que Leeroy avait épousé Irène surtout pour l'argent. Dès qu'ils ont été mariés, il est allé s'acheter un super bateau au Nouveau-Brunswick. Il s'est mis à faire son frais, à dire que les pêcheurs canadiens-français avaient toujours agi en pauvres, mais que lui, il se mettrait riche avec la pêche. Il a été travaillant, c'est vrai, et notre sœur a jamais manqué de rien, mais ça l'a pas empêché d'être pingre et macho toute sa vie, même avec ses enfants.

Moralès ne comprend pas bien où elle veut en venir.

— C'est devenu évident lorsque les enfants ont voulu avoir des bateaux. Leeroy a acheté un pétonclier au plus jeune, mais crains pas qu'il lui a chargé tout ce qu'il pouvait d'intérêts. Quand Jimmy a vendu, je pense qu'il s'est aperçu que son père l'avait escroqué. Je peux pas en être certaine parce que notre sœur était morte à ce moment-là.

— Et Angel?

— C'est ça, l'affaire. Leeroy, il voulait pas que la petite ait un homardier, sous prétexte que c'était une fille. Ma sœur était très malade. Elle lui a dit que, s'il fournissait pas un bateau à la petite, elle divorcerait avant de mourir, que ça le forcerait à diviser tous leurs biens en deux et qu'elle mettrait sa part d'héritage au nom d'Angel. Leeroy a eu peur, pas juste pour son portefeuille, mais aussi pour sa fierté. T'imagines ? Le riche de la place qui se fait entuber par son épouse mourante ? Alors il a dit oui. Il a acheté un homardier à sa fille, mais on est pas mal certains, Jacques et moi, qu'il lui a fait signer un papier en douce. J'ai rien vu là-dessus dans votre rapport, mais on pense que c'est lui qui hérite du bateau.

Moralès a du mal à y croire.

— Vous me dites que votre beau-frère aurait fait assassiner sa fille pour avoir son bateau ?

— On n'en sait rien, mais jetez un œil du côté du homardier.

Jacques Forest change de posture et Moralès comprend qu'il avait Érik Lefebvre et Simone Lord à l'œil. Ces derniers s'approchant de leur trio, il se dépêche de conclure.

— On se voit chez moi, demain matin ?

Moralès acquiesce pendant que les deux agents se joignent à eux. Lefebvre connaît tout le monde et jase avec l'aisance d'un courtier en assurances.

— Les frères Langevin, ils ont une série de succursales en Gaspésie. Avez-vous ça, vous autres, des préarrangements ? Le plus vieux des frères m'a laissé sa carte. Il pousse ben gros pour le columbarium. Après ça, j'avoue que c'est tentant parce que, quand ta visite vient te voir, elle se salit pas les pieds. Il dit que c'est mieux que le cimetière, aussi, pour les visites d'hiver. Je l'ai trouvé convaincant. Faut dire que je le connais un peu, ce gars-là, il était vendeur de chars, avant. Il sait parler aux clients.

Le silence tombe, Marlène et Jacques Forest en profitent pour les saluer et s'esquiver, d'autant plus que Leeroy Roberts s'approche, en compagnie de ses garçons. Pendant que Lefebvre et Lord leur offrent leurs condoléances, Moralès serre la main de Jimmy et l'entraîne à l'écart.

— Je veux te voir demain après-midi au poste.

Le jeune homme jette un œil en direction de son père, qui l'observe durement.

— Je suis désolé pour la nuit dernière, enquêteur, mais on nous a dit qu'il y aurait pas de charges retenues contre nous parce que…

Moralès lui tord légèrement la main, lui coupe la parole, baisse dangereusement la voix.

— T'étais où la nuit où ta sœur est morte ?

— Je comprends pas…

— J'espère que t'as un bon alibi parce que, moi, je pense que t'es passé au bateau pour aller braconner. Je pense que ta sœur était là quand t'es arrivé et qu'elle a voulu t'empêcher de partir.

— Les Roberts, on n'a rien à se reprocher !

Il a parlé fort pour que son père l'entende.

— Pis tes amis Babin ? Est-ce qu'ils ont quelque chose à se reprocher, eux autres ? Est-ce que ça s'est passé comme la dernière nuit ? Tu les laisses frapper et tu fais semblant d'être innocent ?

Le jeune Roberts ravale.

— Toi qui aimes tant ça, être sur l'eau, profites-en tout de suite parce que, la prison, c'est loin de la mer, mon Jimmy.

Le père Roberts, froissé d'être exclu de l'aparté, s'approche avec brusquerie.

— Nous avons prévu un petit goûter. Si vous voulez nous accompagner…

Lefebvre accepte de bon cœur, alors que Lord et Moralès prennent congé. Ce dernier les regarde s'en aller avant de retourner à sa voiture.

— Vous pouvez laisser faire, avec Jimmy Roberts. Les agents de Pêches et Océans Canada s'occupent déjà du…

Moralès s'arrête et se tourne d'un bloc vers Simone Lord. Il en a assez.

— Je me demande pourquoi vous volez au secours de Jimmy Roberts, agente Lord.

Stupéfaite, elle reste un moment sans voix.

— Je ne vole pas à…

— Aviez-vous des intérêts à protéger ces braconniers ?

Elle blêmit.

— Agente Lord, vous avez deux possibilités : ou vous m'aidez dans cette enquête en me dévoilant ce que vous savez ou je considère que vous avez fait de l'obstruction en couvrant les activités des braconniers, ce qui pourrait n'être pas très loin, dans ce cas-ci, de complicité pour meurtre.

Simone Lord est livide.

— On se voit demain pour en discuter. Ne me faites pas faux bond.

Il la plante là, muette et immobile, et monte dans sa voiture. Il a la migraine et espère que son gars a tenu sa promesse de lui faire à manger.

Lundi 1er octobre

Joaquin a dormi assez d'heures pour se remettre d'aplomb. Il contrôle difficilement un mal de tête avec les analgésiques, aussi prend-il son temps. Il examine les photos qui ornent les murs du salon pendant que Jacques Forest prépare le café.

Ce dernier le voit s'avancer vers l'une d'elles.

— Vous regardez le requin ? Une prise rare.

— Vous avez pêché le requin ?

— Le moins possible.

— Mais vous en preniez ?

Forest pose les tasses sur la table, près du dossier d'enquête.

— Juste par hasard. Il y a une couple d'années, j'étais allé au flétan du bord des Îles-de-la-Madeleine. Pis on a pris ça sur un croc. Sur le coup, on pensait que c'était un phoque, mais ça se débattait trop fort pour ça. Le capitaine a compris que c'était un requin. Pas immense, mais assez gros pour faire du dégât. Quand on est venus pour le hisser à bord, il est devenu méchant. Une gueule grande comme ça pis pleine de dents ! On lui a mis une balle de .22 dans la tête. Ça calme un poisson.

— Les pêcheurs ont tous des carabines à bord ?

Les hommes s'assoient à la table. L'intérieur de la demeure de Forest est tapissé de souvenirs liés à la mer, de photos datant de l'époque où il était sauveteur, des images d'Angel et lui sur *L'Échoueuse II*. Moralès a pu observer les différents aménagements que la jeune capitaine a fait faire sur son bateau, au fil des ans, du pratique à l'esthétique.

— Pas tous. On a le droit de tirer un phoque si la bête s'est trop approchée du bateau pis qu'elle s'est fait maganer par l'hélice. On la laisse pas souffrir. Mais c'est plus rare, aujourd'hui. Sur des crevettiers, dans le temps du moratoire, tous les pêcheurs en avaient. Ou presque.

Moralès goûte au café. Il est bon. D'ailleurs, la maison est bien tenue. L'homme est à l'ordre.

— Pourquoi ?

Forest prend son temps, choisit ses mots, et l'enquêteur se dit que l'histoire est importante à ses yeux.

— Quand le gouvernement a fermé la pêche à la morue, la moitié des pêcheurs du coin ont perdu leur source de revenus. Le bateau, le permis, l'équipement, ça coûte cher. Quand tu travailles d'arrache-pied, comme tes pères pis tes grands-pères · l'ont fait avant toi, que t'es pauvre depuis tellement de générations que tu peux retracer l'arbre généalogique de ta misère jusqu'au navire qui a débarqué ton ancêtre en Amérique ; que tu viens d'hypothéquer ta maison jusqu'au balcon, pis ton chien jusqu'à la queue pour mettre ton bateau à flot, t'as besoin que la saison commence. Imagine : le gars est accoté dans les dettes, la banque lui court après pis il attend juste ça, que la pêche rouvre. Mais elle rouvre pas.

— Qu'est-ce qui s'est passé ?

— Les pêcheurs ont demandé de l'aide au gouvernement. Savez-vous comment le ministère des Pêches a réagi ? Il leur a donné des quotas de crevettes !

— Les pêcheurs de morue ont dû changer leur équipement ?

— C'est pas ça, le vrai problème. Imagine. Dans une même zone, t'as des gars qui prennent de la morue pis d'autres de la crevette. Du jour au lendemain, tu dis à ceux qui pêchent la morue de se mettre à la crevette, eux autres aussi. Qu'est-ce que vous pensez qu'il se passe sur l'eau ? La mer est devenue le Far West. Moi, je suis parti travailler dans le sauvetage aux États. Mais je sais qu'y a des gars qui ont embarqué des fusils à leur bord.

— C'est à ce moment-là que votre beau-frère s'est acheté un crevettier ?

Forest tique.

— Comme un maudit hypocrite !

— Pourquoi vous dites ça ? Parce qu'il pêchait avec un bateau payé par sa femme ?

— Non, ça, tout le monde le savait.

Forest s'appuie au dossier de sa chaise. Boit une gorgée de café.

— Vous l'avez rencontré, Roberts. Lui, il est allé travailler aux États parce que personne voulait de lui. Quand il est revenu, il disait qu'il savait mieux pêcher que tous les autres. Il a marié Irène pis, avec son argent, il s'est acheté un beau bateau en disant que la mer pouvait payer de l'or, si elle était bien exploitée.

«C'est vrai qu'il a toujours travaillé fort. Sauf que Roberts, il avait ses frères au Ministère. Il savait tout le temps avant les autres de quel bord les réglementations s'en allaient. Ça fait qu'il prenait sa longueur d'avance. Quand il a su que le moratoire s'en venait, il l'a pas dit à personne pis il a laissé les autres investir dans des filets neufs. Mais lui, pendant ce temps-là, il a assuré son avenir. L'été avant le moratoire, il a rempli son bateau de bois de feux d'artifice pis il l'a fait brûler dans l'estuaire.

«Vous allez me dire que c'était pas arrangé, qu'il aurait pu vendre son beau bateau. Mais à qui ? Il le savait, Leeroy, que pus personne, du Labrador jusqu'aux États, pourrait pêcher avec ces équipements-là.

«Sauf que là, en ramassant les assurances un an d'avance, il a pu se faire bâtir un beau crevettier tout neuf au Nouveau-Brunswick. Il s'est trouvé un architecte naval qui lui a dessiné un engin performant comme on n'en avait jamais vu, avec un filet qui remontait sur un treuil, en arrière, avec la force du moteur. Ici, les hommes avaient encore des filets sur le côté, qu'ils remontaient à bras. Il s'est équipé d'une embarcation capable de prendre plus de crevettes que tous les autres pêcheurs en même temps! Il avait un meilleur bateau, un meilleur équipement, un meilleur moteur pis un sonar. Vous imaginez?

Il prend une inspiration.

— Pis il est allé descendre ses filets tout neufs dans le *spot* à Firmin.

— Le *spot* à Firmin?

— Firmin Cyr.

— Cyr?

— Oui. Le père de Clément.

Moralès est bouche bée.

— Firmin était pêcheur de crevettes. Il a dû diviser sa zone avec Leeroy Roberts.

— Il y a eu de la chicane?

— Non. Firmin, il avait décidé que l'argent serait jamais une chicane pis que, les crevettes, y en avait pour tout le monde. Leeroy a été chanceux de tomber sur lui.

— Qu'est-ce qui lui est arrivé, à Firmin?

— Mort noyé. Clément a repris la pêche de son père. J'étais aux États-Unis pendant ces années-là.

— Donc Leeroy Roberts et son gendre pêchent la crevette dans la même zone?

— Pêchaient. C'est Bruce qui a repris le permis. Il a changé de bateau. Leeroy, lui, il a racheté tous les permis de morue qui restaient, ceux dont les gens voulaient pus. Faites-moi confiance: si jamais le Ministère rouvre la pêche à la morue, Roberts va vendre ça à prix d'or!

Moralès réfléchit à ce qu'il vient d'apprendre. Si Forest lui amène une vision neuve de Leeroy Roberts, ça n'éclaire cependant pas les circonstances de la mort d'Angel. Il baisse les yeux du côté du dossier, que Forest a gardé près de lui. Ce dernier tend la main, l'ouvre.

— Je le sais que j'ai pas le droit, sauf que c'est ma nièce pis que le dossier est ici. Ça fait que j'ai regardé.

Il le tourne en direction de l'enquêteur. Il a mis une photo en évidence sur la pile des documents, celle du nœud qui retient la corde aux jambes d'Angel.

— Il y a quelque chose qui m'a achalé, sur cette photo-là. Je l'ai regardée longtemps. Pis j'ai compris.

Il se lève, va chercher un bout de cordage sur le coin du comptoir.

— Les techniciens en scène de crime m'en ont déjà parlé. C'est un nœud de chaise et les marins s'en servent beaucoup parce qu'il est solide et immobile.

Forest revient vers Moralès, pas démonté du tout.

— Je le sais, je l'ai lu dans leur rapport. Sauf que ça fait des années que je pêche avec Angel et qu'elle a toujours eu une manière bien à elle de faire ce nœud-là : elle le faisait à l'envers. Toutes les fois où je la voyais faire, je souriais. C'était comme une enfant qui fait une double boucle par habitude.

Il passe la corde derrière ses jambes, se rassoit.

— Moi, si je fais un nœud de chaise autour de mes jambes, je vais le faire de cette manière-là.

Forest effectue la manœuvre devant Moralès.

— Après, quand la cage va me tirer à l'eau, le nœud va se retrouver dans cet angle.

Il descend l'extrémité de la corde vers le sol.

L'enquêteur compare les nœuds. Se pourrait-il qu'Angel ait changé sa manière de faire des nœuds de chaise la nuit de sa mort ? Peu probable, d'autant plus qu'elle était engourdie par les calmants et qu'il faisait noir. Ses gestes auraient été mécaniques, comme des réflexes.

Forest montre la photo.

— C'est pas elle qui a fait ce nœud-là. C'est quelqu'un d'autre. Quelqu'un qui l'a fait dans sa direction à elle, pour faire croire qu'il s'agissait d'un suicide. Quelqu'un qui ignorait qu'Angel aurait jamais fait ce nœud-là dans ce sens-là.

L'onde est calme, entoure d'abord ses pieds, puis ses chevilles, ses mollets et, bientôt, il a de l'eau jusqu'aux genoux. Il s'arrête quand elle lui arrive à mi-cuisses. Le sable forme sous ses pieds un plateau confortable, les vagues brisent à plus de cent mètres devant lui. C'est la première fois qu'il porte des bottes-pantalon pour la pêche. C'est Forest qui lui a mis ça entre les mains, avec un leurre pour le bar rayé et une destination de choix.

Le soleil s'accroche, splendide, au-dessus de l'après-midi qui a pris un bel élan. Ils sont huit à Barachois. Trois jeunes qui font l'école buissonnière, deux retraités, deux aides-pêcheurs dont la saison est terminée et lui. À part les jeunes, chacun est venu de son propre chef. Ils pêchent tous en silence. Un des aides-pêcheurs a emmené un chien, qui s'est couché sur le sable après avoir inspecté les chaudières. Ils ont tous, comme lui, des bottes-pantalon de caoutchouc. Sébastien lance sa ligne à l'eau, imite secrètement ses voisins.

Le site est exceptionnel. Du côté sud, la face cachée du rocher Percé, qui n'apparaît sur aucune carte postale, se dessine comme le secret que les Gaspésiens gardent pour eux ou pour les invités qui s'y attardent. Sébastien rembobine.

S'il s'établissait en Gaspésie, c'est à Percé qu'il habiterait. Il pourrait travailler en restauration, par exemple, se trouver une petite maison. Il lance.

Les autres ondulent légèrement au rythme de l'onde. Il regarde son propre corps et constate que, lui aussi, il tangue. La mer lui impose un rythme sans heurts. Il rembobine.

Le corps de Kimo était tiède contre le sien, samedi. Il a mis son nez dans ses cheveux et a aspiré un grand coup. Une grande bouffée d'odeur d'elle. Qu'est-ce que ça lui fait, à Maude, d'être infidèle ? Il lance.

Soudain, à sa gauche, quelqu'un crie « Ça mord ! », donne un coup sur sa ligne et entame un moulinage solide. Sébastien sent la fébrilité l'envahir. Il rembobine et ça y est : sa ligne se tend.

Joaquin ne s'attendait pas à la trouver là. Assise dans la pièce adjacente à la salle d'interrogatoire, Simone Lord ne dit pas un mot. Il regarde Lefebvre. Ce dernier hausse les épaules. Il préfère ne pas se mêler aux différends qui les opposent.

Moralès s'est arrêté un long moment à l'auberge, pour manger et prendre d'autres analgésiques, mais le mal de tête persiste. Il a hâte que sa journée finisse. Il doit avancer ses rapports et espère relire tout ça en soirée.

Il entre dans la pièce où, fripé par les derniers événements, Jimmy Roberts attend sur la chaise de plastique bleu ciel près de la table qui le sépare d'une autre chaise identique.

En voyant l'enquêteur, il se lève et se tient debout devant lui, les bras le long du corps et la tête légèrement penchée vers l'avant, dans une posture qui rappelle celle d'un enfant à l'école qui, coupable d'avoir plagié la première de classe, s'apprête à recevoir un châtiment juste et mérité.

— Vous allez mieux, enquêteur?

Moralès ne répond pas. Il lui fait signe de s'asseoir, prend place en face de lui, lui lit ses droits et lui demande s'il les comprend. Jimmy acquiesce.

— Qu'est-ce que vous voulez savoir?

— Qui a financé ton pétonclier?

Visiblement déstabilisé, le jeune Roberts réagit sans y penser.

— Mon père.

Puis, comme s'il s'apercevait qu'il avait fait une gaffe, il expire longuement en secouant la tête et Moralès voit ses épaules s'affaisser. Il a déjà rendu les armes.

— J'ai eu ma première blonde à seize ans. Elle est tombée enceinte. Je l'aimais, on se pensait matures, on a gardé le bébé. Je me suis marié à dix-huit ans pis j'ai demandé à mon père de me financer l'achat d'un pétonclier, qui était à vendre. Une entente entre lui pis moi.

Il bouge sur sa chaise. Moralès ne dit rien, regarde où la confession le mènera.

— Mon père voulait pas me prêter d'argent, mais ma mère l'a convaincu. Sauf qu'il m'a chargé des intérêts ben élevés. Ben plus élevés que toutes les banques, mais j'avais pas les reins assez solides pour emprunter dans une banque. À cet âge-là, t'es ben innocent, t'es ben orgueilleux avec ton nouveau bateau pis tu t'aperçois pas que tu te fais fourrer à l'os par ton père. Ou si tu t'en aperçois, t'oses pas l'admettre. Sauf que ma femme pis moi, on vivait comme des pauvres.

Il sort un paquet de cigarettes, joue avec, le dépose sur la table.

— Quand l'association des homardiers m'a offert un prix, pour mon bateau, j'ai capoté : le montant couvrait ma dette, les intérêts me laissaient assez d'argent pour retourner à l'école, faire mon cours de capitaine pis m'embarquer sur des navires commerciaux. Ça prend ça, aujourd'hui. Un diplôme.

Il secoue la tête.

— Sauf que ma femme a demandé le divorce à ce moment-là. Comme j'avais acheté le pétonclier pendant le mariage, j'ai dû lui donner la moitié du montant de la vente. J'y ai dit : « M'as payer mon père pis on séparera le reste en deux. » Elle a pas voulu pis elle m'a traîné en cour. Comme l'argent venait de mon père pis que ça apparaissait sur aucun papier officiel que le bateau était bourré de dettes, j'ai dû donner la moitié du montant de la vente à mon ex-femme. Avec ce qui me restait, j'ai remboursé mon père. Il a exigé le montant complet, avec les intérêts sur dix ans, même si j'avais pas gardé le bateau dix ans. Il a même essayé de me négocier un pourcentage sur la vente, mais j'ai dit non. Depuis ce temps-là, il me traite comme si j'étais son employé. Je pense pas qu'il m'a déshérité, mais il hésiterait pas à le faire.

Le néon tapisse la pièce d'un éclairage froid. Il émet un bourdonnement désagréable.

— Moi, à vingt ans, j'avais un père, une femme, trois enfants pis un pétonclier. J'étais pauvre, mais heureux. Pis ben naïf.

À vingt-six ans, j'ai tout perdu. Mon ex s'est acheté un semi-détaché à Rimouski avec mon argent. Comme elle a dit à l'avocat qu'elle s'était toujours occupée des enfants, elle a eu la garde à temps plein. C'est vrai qu'elle s'en était tout le temps occupée : j'étais sur l'eau !

« Je sais pas si vous savez comment ça marche, la pension alimentaire. Ils calculent ça selon ton salaire. La première année après le divorce, l'avocat a calculé la pension en fonction de ma dernière année de pêche. Gère ça comme tu veux, c'était impossible que j'aille à l'école. J'ai barré ça de ma vie. Je suis rentré à l'usine de poissons, en disant à tout le monde que c'était ben correct, que j'avais pus envie d'être en mer, que j'aimais ça, l'usine… Je sais pas qui j'essayais de berner !

Jimmy Roberts se mord le coin des lèvres en tapant le bout de ses doigts sur la table de bois.

— J'ai jamais une crisse de cenne. Mon ex travaille au noir, au bistro à son chum. Elle est serveuse au bar. Je dis pas qu'elle est heureuse, je dis juste qu'elle doit faire pas mal en pourboires pis que, si elle les déclarait, ça me coûterait moins cher de pension. Mes enfants ont dix, onze pis treize ans. J'ai pas fini de payer. Mais c'est pas ça, le pire.

« Le pire, c'est que Rimouski, c'est à quatre heures et demie de route ! Ça fait que je vois mes enfants à peu près juste deux fois par année. Ils viennent ici deux ou trois jours à Noël pis ils reviennent pendant les vacances d'été. Pis inquiète-toi pas qu'ils restent pas longtemps, juste vingt pour cent du temps de garde ; leur mère calcule ça pour être sûre que je puisse pas lui réclamer une cenne de pension ! Après, ils repartent pis je les revois six mois plus tard. C'est pas qu'on s'aime pas, mais on sait pus comment se parler. On fait du camping parce que mon appartement est trop petit. Je leur fais à manger, on va dans le parc, mais y ont rien à me dire. C'est peut-être normal, à cet âge-là, de pas savoir quoi dire à son père, mais moi non plus, je sais pus comment leur parler. D'une année à l'autre, quand ils arrivent, j'ai quasiment de la misère à les reconnaître tellement y ont changé !

Il hausse les épaules comme s'il se faisait un constat intérieur.

— Après, quand les petites crinquées viennent nous faire la morale en nous parlant de féminisme, elles trouvent que j'ai l'air bête! Hostie! J'habite dans un appartement grand de même, je vois à peine mes enfants, pis ma paye passe en pension pour mon ex qui travaille au noir pis qui s'habille en North Face!

— Donc vous avez commencé à braconner?

Il sourit amèrement.

— C'est vrai qu'on a utilisé, à quelques reprises, le bateau de ma sœur. Mais la nuit passée, c'était un accident. On savait pas que c'était vous. En stationnant les VTT, on a vu des traces de pas dans la boue. La nuit, on n'est quand même pas les seuls à… utiliser des bateaux. Pis après ce qui est arrivé à Angel, on est un peu nerveux. Moi, je vous ai pas touché, je veux que vous le sachiez.

Sa voix tremble.

— Pour vous comme pour ben du monde, je suis rien qu'un pauvre type, mais j'aime mes enfants. J'ai jamais levé la main sur eux autres, j'ai jamais levé la main sur personne pis je vous jure que je vous ai pas touché. Si vous me collez une accusation pour coups et blessures, je pourrai pus les voir, même pas l'été.

Moralès a mal aux côtes.

— C'est vrai que j'ai utilisé le bateau de ma sœur en cachette. Je dis «en cachette», mais Angel le savait. Sauf qu'elle était pas du genre à me dénoncer.

— La nuit où votre sœur Angel a disparu, êtes-vous allé dans le parc pour utiliser son bateau?

Jimmy a du mal à respirer. Il reprend son paquet de cigarettes, l'ouvre et le referme mécaniquement. L'aveu pourrait lui coûter cher. Enfin, il le repose à plat.

— Oui. Angel nous avait dit qu'il fallait ramasser nos cages.

— Pourquoi?

Jimmy Roberts jette un regard incertain du côté du miroir sans tain. Moralès se demande ce qu'il y cherche.

— Je sais pas, mais elle nous l'a dit. Ça fait que je me suis rendu au quai, avec les frères Babin.

— Vers quelle heure?

— Vers trois heures et demie.

— Trois heures et demie? Vous en êtes certain?

— Oui. La pêche commerciale était déjà finie. Y avait pus personne sur l'eau. Juste des craqués de la pêche sportive qui sortent à des heures prohibées. Mais vous savez ce que c'est: je me tais si tu te tais. On fait semblant de pas se voir.

Il se passe la main sur le front.

— Cette nuit-là, la mer était haute à une heure et demie. Deux heures après la pleine mer, le courant est trop raide pour la pêche sportive. On était sûrs de voir personne.

L'explication est convaincante.

— Qu'est-ce que vous avez vu en arrivant?

— L'auto d'Angel était dans le stationnement pis *L'Échoueuse II* était pus à quai.

— Vous avez trouvé ça étrange?

— Oui. J'ai même essayé d'appeler ma sœur, mais son cellulaire était fermé. Ça fait que j'ai passé la journée au quai de Rivière-au-Renard. Les frères Babin se sont relayés pour rester avec moi. J'étais inquiet, mais je savais que ni mon père ni Clément me donneraient des nouvelles. Ça fait que j'ai attendu là en me disant que, si Bruce pis mon père partaient à la recherche de ma sœur, j'irais, moi aussi. J'avais comme l'intuition qu'il s'était passé quelque chose. J'avais hâte que les recherches commencent.

— Pour retrouver votre sœur ou le bateau?

En la formulant, Moralès regrette presque sa phrase. Il déteste l'ironie. Jimmy Roberts prend une grande respiration. Il a de l'eau dans les yeux. Il attend une minute avant de répondre.

— Je le sais: vous vous demandez sûrement si j'ai pu la tuer. Mais non. Pourquoi je l'aurais tuée?

Il regarde Moralès droit dans les yeux.

— Pensez-y, enquêteur: je pouvais utiliser ce bateau-là tant que je voulais parce que ma sœur disait pas un mot.

— Sauf qu'elle vous avait demandé de ramasser vos cages...
— Là, le bateau va être vendu. De toute façon, c'est fini,
pour moi, le braconnage. En plus, m'as être surveillé pas à
peu près !

Il secoue énergiquement la tête de gauche à droite, joue de
nouveau avec son paquet de cigarettes.

— Ma sœur Angel m'a offert de travailler pour elle, y a
deux ans, mais j'ai dit non. J'aurais dû y aller, mais la fierté
mal placée, on connaît ça, dans la famille. Sauf que, des fois,
j'allais la voir, sur le long de la côté. Je la regardais être capitaine, arrangée avec sa salopette orange pis ses grosses bottes,
partir avec ses cages au printemps, le bateau enfoncé dans la
mer, pis je mentirais si je disais que je l'enviais pas. Elle partait
même dans le gros temps pour montrer qu'elle était autant
capable que les gars. Elle s'assoyait à la barre pis elle mettait
de la musique reggae dans son bateau. Personne fait ça, par
icitte ! On met la radio locale, on écoute les chanteuses du coin.
Du reggae ! Elle voulait que ses aides-pêcheurs se sentent en
vacances, j'imagine.

Il secoue encore la tête.

— J'avais aucune raison de la tuer. Je l'aimais, Angel. Je
l'enviais parce qu'elle faisait des bonnes affaires. Elle avait du
cran, du chien pis de la jugeote. Tout ce que j'ai pas. C'était
ma grande sœur. J'y ai jamais dit, mais je l'admirais. Je suis pas
un ange, mais j'y aurais jamais fait de mal.

Il roulait, la musique décarcassant la voiture, quand son cellulaire a sonné. Il a pris son quota. Une chaudière de beaux
bars rayés est coincée sur le plancher à l'arrière et le goût de
cuisiner sa pêche le fait saliver.

— Allô !
— C'est Kimo.

Il freine, se range sur le bord de la route.

— C'est Corine qui m'a donné ton numéro. Elle est partie pour deux jours et elle avait peur que je m'ennuie…

Il ne réplique rien, déconcerté.

— Je te dérange, peut-être ?

— Heu. Non ! Je suis juste surpris… Je reviens de la pêche.

— Ah, oui ? Où ça ?

— Barachois.

— Ah, t'as du bar rayé ?

— Plein ! Une chaudière pleine.

— Est-ce que ça te tente de venir chez moi ? On pourrait les arranger sur la grève et les faire cuire dehors, j'ai une place exprès pour ça. Ça te ferait pratiquer tes expérimentations culinaires…

Il hésite, confus. Comme si elle répondait à une question qu'il ne formule pas, elle s'empresse d'ajouter qu'elle s'excuse pour l'autre soir.

— J'ai pas été très gentille. C'est un peu pour ça que je veux t'inviter : pour boire une bière, faire la paix. Si tu veux pas qu'on cuisine ton bar, c'est pas grave.

Il sourit.

— J'adore qu'une femme me montre à cuisiner ! Je m'en viens !

Il raccroche, remet la musique et accélère.

Joaquin referme la porte derrière lui. Quand l'agent Lefebvre est parti reconduire Jimmy Roberts à l'entrée, l'enquêteur lui a dit qu'il n'aurait plus besoin de lui aujourd'hui. Simone Lord est toujours assise en face du miroir sans tain. La lumière de la salle d'interrogatoire est éteinte. La vitre, opacifiée par l'obscurité de la pièce adjacente, renvoie le reflet d'une femme défaite.

— J'ai besoin de vous, agente Lord.

Elle soupire. Il trouve ça exaspérant.

— Et pourquoi donc?

— Pour calculer le temps que *L'Échoueuse II* a pris pour se rendre du quai de Grande-Grave jusqu'à l'endroit où nous avons trouvé le corps d'Angel Roberts.

— C'est pas une question qui va mettre mon savoir-faire à rude épreuve!

— Pardon?

— N'importe quel pêcheur est capable de faire ce calcul-là.

— Très bien. Oubliez ça. Je vais demander à un pêcheur. Non seulement j'aurai le renseignement, mais en plus j'éviterai de me faire traiter de demeuré parce que je viens de la ville, de retraité parce que j'ai cinquante-deux ans, de misogyne parce que je suis un homme, de tous les noms parce que je suis arrivé quatorze heures trop tard dans cette enquête.

— Il y a une dizaine de jours, en patrouillant le long de la côte de la baie, j'ai compris que *L'Échoueuse II* était utilisé par des braconniers.

Elle lui a presque coupé la parole. Elle parle rapidement, comme si elle avait appris un texte qu'elle débitait devant un objecteur de conscience. Elle regarde dans le vide.

— J'ai eu la même réaction que vous : je me suis rendue à Grande-Grave, une nuit, pour savoir ce qui se passait. Sauf que moi, j'avais le code de la clôture et que les hommes m'ont pas trouvée. Je les ai vus faire et j'aurais dû les dénoncer tout de suite. Pêches et Océans aurait envoyé un bateau, ramassé les cages; on aurait confisqué le homardier et mis Angel à l'amende. C'est la procédure et, pour n'importe quel pourri, j'aurais pas hésité.

Elle reprend difficilement son souffle.

— Mais je travaille dans ce milieu-là depuis longtemps. Je sais combien ça prend de courage à une femme pour faire sa place parmi les hommes. Je connaissais un peu Angel, je savais qu'elle avait travaillé fort et qu'elle se sentait peut-être obligée de laisser une chance à son frère. Ça fait qu'au lieu d'alerter la cavalerie, je suis allée la voir.

Elle penche la tête et Moralès, en retrait, voit apparaître la vertèbre séduisante avec tant de netteté qu'il en est ébranlé.

— Angel m'a écoutée. Elle est allée voir son frère et lui a donné une semaine pour retirer toutes ses cages. Elle lui a dit que, s'ils continuaient, elle les dénoncerait, lui et les frères Babin, pour éviter de perdre sa pêche.

La suite n'est qu'un murmure.

— Deux nuits plus tard, elle est morte.

Simone lève la tête, cherche le regard de Joaquin dans la vitre sans tain, le trouve.

— J'aurais dû vous l'avouer, je le sais. Mais moi aussi, je suis une femme dans un milieu d'hommes, enquêteur Moralès. Dans la nuit de samedi à dimanche, si j'avais réglé le braconnage avec mon équipe, je vous aurais tout expliqué le lendemain. Je vous le jure. Mais vous êtes intervenu et mon plan est tombé à l'eau. Vous inquiétez pas, je serai punie. Mon patron va dire que j'aurais dû être plus vigilante, qu'un policier a été battu par ma faute. Il va se faire une joie de me blâmer et va probablement me faire muter au diable vauvert. Si vous lui apprenez que j'ai donné une chance à Angel, je serai mise à la porte. Personne va m'absoudre d'avoir protégé une femme. On va m'accuser, comme vous l'avez fait hier, d'avoir protégé un braconnier.

Moralès est sans mots. Il regarde cette femme triste et belle dans le miroir sans tain.

— Décidez ce que vous voulez.

Elle baisse les yeux.

— De toute façon, c'est vrai que j'ai mal fait mon travail. Angel est morte et je me le pardonne pas.

En silence, Joaquin quitte la pièce. Il est épuisé et la migraine ne le lâche toujours pas. Il sort du poste par la porte arrière, pour éviter de croiser le cerbère de l'entrée. Il s'assoit dans sa voiture, trouve son cellulaire, compose le numéro de Cyrille Bernard. Pas de réponse. Il démarre et prend le chemin de l'auberge. Il ne pense plus qu'à elles, les femmes de la mer.

À Catherine, qui lui a mis le cœur à l'envers et est partie en voilier. À Angel, qui voulait caboter vers la côte. À Simone.

Ils pourraient faire l'amour ici. Sur la berge.

Quand il est arrivé, elle l'attendait. Elle avait revêtu une robe-pantalon colorée qui lui moulait la poitrine, faisait ressortir son ventre et ses hanches musclés. Presque inquiétant, son corps semble dur comme une menace pour un homme comme lui, en bonne santé, certes, mais pas particulièrement baraqué.

Elle a pris le couteau et découpé les poissons. Il a observé sa technique, mais son regard a vite bifurqué vers ses doigts, ses mains, remonté ces lignes de muscles jusqu'aux poignets, aux avant-bras, puis des coudes jusqu'aux épaules et, presque naturellement, il a glissé sur ses seins, pas gros, adaptés à son corps d'athlète. Elle ne portait pas de soutien-gorge.

Il a pensé à Maude. Elle cuisine parfois ainsi, sans soutien-gorge. Il vivait la même proximité, mais avec une autre femme. Il a avalé sa première coupe de vin d'un coup, pour faire passer l'image, mais s'est étouffé dedans et Kimo a dû lui taper dans le dos, lui offrir un peu d'eau. Elle l'a fait en se tenant près de lui, si près que l'un de ses petits seins lui a frôlé le bras et qu'il a pensé, à ce moment-là, qu'elle avait fait exprès, qu'elle l'avait même invité pour ça : le troubler. Ça marchait très bien. Il était troublé. Il s'est versé du vin, il a bu plus lentement et s'est détendu.

La soirée a continué ainsi, avec peu de mots, mais beaucoup de proximité. Kimo a allumé le feu dehors bien avant qu'il arrive et la chaleur dégagée par le foyer extérieur réussissait à vaincre ce froid de l'automne qui perce vite la peau quand le soleil se couche.

Ils ont fait cuire les poissons sur la braise, ensemble, trop près. L'odeur boisée devait imprégner ce film de sueur mince

277

qui recouvrait son corps d'athlète, qui perçait par endroits cette robe-pantalon qui semblait si facile à détacher.

Ils ont mangé le poisson sans épices ni à-côté, avec les mains qui se touchaient dans l'assiette d'aluminium et «Tiens, goûte à ce morceau», et il ouvrait la bouche et sentait contre ses lèvres les chairs tièdes et poisseuses du bar et de ses doigts. «T'aimes ça?» Il a eu du mal à contenir son sexe, alors que le roulement des vagues sur la grève chuchotait que le large était à portée de main, que l'horizon pouvait s'incarner dans le corps voluptueux d'une femme et murmurait une permission accordée.

Ils ont rincé leurs mains. Elle avait un dessert. Elle est entrée le chercher pendant qu'il ajoutait du bois dans le feu. Il a mis la musique de Celia Cruz, elle est revenue avec la mousse au chocolat. Elle lui a tendu une bouteille de rhum, qu'il a bu au goulot. Elle a dit qu'elle aimait la musique, a demandé si c'était l'heure du cours de danse. Elle s'est positionnée dos à lui, comme l'autre soir, dans ce bar. Elle a pris le bras gauche de Sébastien et l'a ramené contre elle, pour qu'il lui enserre les épaules et la gorge. Elle a trouvé sa main droite, qu'elle a posée sur sa hanche, là où il a senti l'os du bassin, cet endroit où il savait qu'il pouvait la faire plier vers l'avant. Elle a ajusté la pointe de ses omoplates contre son dos, puis ses fesses contre son érection. Elle a murmuré: «Fais-moi danser.»

Et il a obéi.

Il l'a fait tourner, dans cette robe-pantalon qui la moulait et qui tenait fermée grâce à un nœud, un seul nœud, qui glissait sous la main du jeune homme et attisait le feu. Il a fait mine de vouloir arrêter et c'est là que, cessant de jouer, elle s'est mise à l'embrasser.

Elle goûte le chocolat, le rhum et le sel de la sueur. Elle a la langue douce, poisseuse, avec des dents qui ne heurtent rien. Sébastien la tient contre lui. Ses mains avancent des hanches aux fesses, sous ses fesses et la lèvent contre son corps. Elle enroule ses jambes autour des reins du jeune homme; il sait que son sexe à elle est juste au-dessus du sien à lui et il ne pense qu'à ça en l'embrassant.

Derrière eux, il y a un large lit de bronzage garni d'un matelas, d'oreillers et de tous les coussins nécessaires pour lui soutenir les reins et l'enfiler moelleusement. Il en a envie. Il la dépose par terre. Elle prend sa main et la place sur le nœud qui retient la robe-pantalon. Il tire sur le ruban et regarde son corps d'athlète apparaître dans la lumière rouge du feu. Il se recule d'un pas pour admirer ses muscles découpés et ses seins trop petits, ses tétons sombres sous les étoiles. Elle est nue d'un coup, sans sous-vêtements, et Sébastien sait que le piège se referme sur lui quand ses yeux descendent jusqu'à sa chatte recouverte d'un mince et discret velours blond.

Il se penche sur elle et glisse sa main entre ses cuisses, remonte son pouce dans sa fente humide et il l'entend gémir. Alors il se dit qu'elle est parfaite. La journée, la pêche, cette femme offerte et il entend la mer battre les rochers de la grève comme ses propres reins vont battre tantôt la croupe de Maude. Ou de Kimo. Il déglutit, inspire l'odeur du cou de la jeune femme, descend, puis remonte sa main, son pouce, dans la moiteur blonde. Elle s'accroche à ses épaules, ouvre la bouche pour émettre un gémissement qui entrecoupe la musique de la mer. Elle ne gémit pas comme Maude. Sébastien a soudain froid dans le haut du dos. La jeune femme le sent, s'agrippe, écarte les jambes. Il recommence le mouvement de la main, avec plus de force, cette fois. Elle gémit encore, plus fort. Les jambes de Maude, son ventre, ses reins tendus. Il recommence presque durement son mouvement. Elle émet une plainte plus aiguë. Le rire de Maude, sa voix, son corps tout entier, son odeur, ses yeux. Les autres hommes.

Sébastien Moralès retire sa main, recule d'un pas. Maladroitement, il referme les pans de la robe-pantalon, s'excuse. Sans toucher à la mousse au chocolat, il abandonne sa voiture et rentre à pied à l'auberge.

Mardi 2 octobre

La voiture de son fils n'est pas dans le stationnement ce matin. Joaquin se demande où il a pu dormir. Il se doute depuis un moment, depuis qu'il l'a vu danser avec Joannie Robichaud, que Sébastien est infidèle à Maude, mais il n'ose pas se l'avouer.

Est-ce que ça le dérange?

Il prend une gorgée de café.

Oui, il admet que ça l'agace. Ce n'est pas l'infidélité de son fils qui l'agace, mais d'en être témoin. Il ne veut pas être au courant des déboires de Sébastien, juger son comportement, mentir devant Maude. Et puis, quand on aime une femme, Lefebvre a raison, il faut tout condenser en elle. Dès que ton regard t'échappe, tu n'arrives plus à le rattraper.

Ça le ramène à Sarah. Il y pense de moins en moins. Le silence s'étire entre eux. Il dure peut-être depuis des années. Son ami Doiron l'a informé. Une petite enquête de rien, en douce, lui a appris qu'elle avait acheté un condo à Longueuil. Il sait qu'il faudra divorcer. Aller voir un avocat, faire préparer des papiers, signer une reddition de comptes, séparer les avoirs. Il faudra mettre les mots de la séparation, les signer en quatre exemplaires, les faire déposer au greffe et payer pour qu'ils se tiennent en bonne et due forme dans les registres du monde et inscrivent officiellement les lettres F I N au bas de leur histoire. Ça se termine comme ça, trente ans de vie commune et deux enfants? Autant de quotidien sans cesse lavé et relavé, d'émotions traversées ensemble, de défis relevés, de nuits amoureuses peuvent s'évanouir dans la bouderie ? Mais si le condo n'était qu'un pied-à-terre en ville ? Si elle venait quand même ?

Il a soudain l'étrange impression d'avoir vécu sa vie dans le silence, d'avoir tu sa jeunesse au Mexique, de n'avoir jamais parlé qu'à mots couverts des scènes de crime sur lesquelles il enquêtait, d'avoir étouffé le désarroi qu'il rencontrait devant les morts, d'avoir lavé le sang avant de rentrer chez lui afin que rien ne paraisse, d'avoir semé en lui le noyau durci de la souffrance humaine pour mettre sa famille à l'abri et d'avoir ainsi cultivé cet espace aphasique où la solitude a germé.

Il observe de nouveau la place de stationnement qu'occupe habituellement la voiture de son garçon. Est-ce qu'il est envieux ? De sa liberté, de sa jeunesse, d'être dans les bras d'une autre femme que la sienne ? Joaquin lave sa vaisselle, puis remonte vers son appartement. Non. Là n'est pas la question. C'est juste qu'il a élevé ses garçons avec des valeurs auxquelles il croit et que l'infidélité de son aîné le surprend.

En entrant dans l'appartement, il fait le saut : son fils est là, debout dans la cuisinette. Il porte un jeans, se frotte les yeux.

— Qu'est-ce que tu fais là ?

Sébastien sursaute, se retourne. Il pensait que son père était encore couché, sonné par les effets des analgésiques. Il n'a pas osé faire de bruit.

— Je me lève. Pourquoi ?

— Ta voiture n'est pas dans le stationnement.

— J'ai bu un coup, hier soir. Chez une amie, juste à côté. Je suis revenu à pied. Tu sais, papa, c'est pas une bonne idée de conduire en état d'ébriété.

Il est passé chez elle sur la pointe des pieds. Honteux. Il n'a pas frappé à la porte. Il fuit. Il embraye sur la route de Barachois, met la musique à fond. Macaco hypnotique dans son auto, le dossier de son siège tape le rythme de la basse dans son dos.

Ça prend quoi pour être bien ?

Depuis qu'il est en Gaspésie, il a dansé, il s'est soûlé à en oublier son nom, il a senti son corps tanguer dans la vague et, la nuit dernière, il a tiré sur un ruban. L'horizon bronzé d'un corps de femme s'ouvrait devant lui comme cet espace secret dans lequel il enfonçait déjà sa main. Mais il a reculé.

Qu'est-ce qui s'est passé ? Il n'arrive pas à y voir clair. S'il pouvait exprimer ce qu'il ressent, il pourrait sûrement s'en libérer. Quelque chose lui brûle la gorge. L'étouffe. La musique lui pousse dans le dos.

Il est venu ici avec des résolutions plein les mains. Il voulait affronter son père pour s'affranchir, mais il n'a pas trouvé le bon moment. L'a-t-il vraiment cherché ? Il tourne brusquement du côté de la plage de Haldimand.

Il a toujours détesté les discussions qui durent des heures et les explications qui se diluent dans le bavardage. Pourtant, il sent qu'il aurait besoin de formuler son malaise avant de se noyer dans l'incompréhension. Ça pourrait n'être qu'un mot qui condenserait tout son mal-être. S'il pouvait extirper ce mot de sa gorge, comme on déracine une mauvaise herbe, l'arracher pour s'en débarrasser !

Il arrive au bout de la route, stationne sa voiture face à la mer, éteint le moteur, la musique et, dans le silence de l'habitacle, il entend son père ne plus parler espagnol. Et il se dit qu'à l'instar de celui-ci il perd peut-être sa langue, sa faculté à s'exprimer, sa capacité à se définir, à comprendre ce qu'il ressent. Soudain, le mot remonte dans sa poitrine et arrive enfin, empli d'amertume, jusqu'à sa bouche.

Loyauté.

S'il y a une personne que Joaquin a peu envie de revoir, c'est le triste géant Cyr, hanté par ses fantômes, sa culpabilité et son désir d'être reconnu coupable. Le veuf est affligé, confus et, dans sa maison bordélique, Moralès a eu l'impression de voir surgir des ombres.

Il sonne. Le pêcheur vient répondre et l'invite à entrer. L'enquêteur le suit et constate au passage que le vestibule, la salle à manger, la cuisine ont été rangés. La maison est redevenue propre, comme si Angel continuait d'ordonner sa tenue. Ce détail rassure Moralès. Lefebvre lui a dit que Clément Cyr avait été pris en main par les services sociaux, mais les dégâts d'un deuil si violent sont parfois irrécupérables. Or même le discours du veuf brille de clarté.

— *L'Échoueuse II*? Leeroy va sûrement la vendre. Il est retraité pis Bruce a déjà sa pêche.

— Pourtant, c'est vous qui héritez de tous les biens de votre femme. De sa pêche aussi.

Le regard de Clément s'attarde sur l'enquêteur et le voilà qui glisse de nouveau, rebondit sans prise dans l'espace, comme une bouée abandonnée au gré des vagues. Mais l'homme ne perd pas pied. Il se lève, s'avance vers un grand bureau, au coin du salon, dont il ouvre un tiroir-filière.

— J'imagine que c'est inévitable que le mari soit considéré comme le potentiel assassin de sa femme.

Il prend un document dans un dossier, revient vers la salle à manger, le pose sur la table, le glisse en direction de Moralès.

— Tout me revient, sauf la pêche.

Moralès fronce les sourcils puis se penche vers le papier. Clément lui en résume la teneur en se rassoyant.

— C'est une entente passée entre Angel et son père dont je suis, avec Bruce Roberts, le témoin.

Pendant que Moralès lit le contrat, Clément s'appuie sur le dossier de sa chaise. Angel regarde par-dessus l'épaule de l'enquêteur.

— Leeroy Roberts, c'est un grippe-sou. Je vous apprendrais rien si vous veniez du coin, tout le monde le sait. Il a de l'argent. C'est lui qui a financé la pêche d'Angel. Faut savoir que les permis, les zones, les bateaux, ça vient souvent ensemble pis ça coûte les yeux de la tête. Angel a jamais voulu pêcher avec moi. Elle voulait son propre bateau. Sauf que le homardier qui venait avec la zone était pourri. Fallait avoir les reins solides pour acheter ça. Le père d'Angel a accepté de financer l'achat de toute l'affaire, mais à une condition.

— Que tout lui revienne en cas de décès ?

— Pour dix ans. Pendant les dix premières années du prêt, s'il arrivait quoi que ce soit à Angel, c'est le père Roberts qui héritait de tout, comme si elle avait jamais remboursé un sou. Après, ça serait allé aux héritiers légaux.

Moralès lit le document en vérifiant la date d'expiration.

— Et quand est-ce que ça fera dix ans ?

— Ç'a fait dix ans mercredi passé, le jour de notre mariage. Angel voulait absolument signer ses deux grands contrats le même jour ! Quand il a su que le décès datait de la nuit de samedi à dimanche, Leeroy a demandé le transfert immédiat du titre de propriété. Le notaire m'a dit que ça sera fait dès que les avoirs d'Angel seront libérés.

L'enquêteur se demande pourquoi Leeroy Roberts ne lui a pas donné cette information.

— Vous comptez attaquer la légitimité de ce document ?

Clément Cyr regarde au loin.

— Pourquoi je ferais ça ? J'ai pas remis les pieds sur le bateau de ma femme depuis sa mort. J'ai rien à faire à son bord. J'ai hérité de la pêche de mon père. J'ai dû acheter un autre crevettier, parce que le sien a coulé, mais c'est comme si c'était le bateau de mon père.

— Pourquoi vous ne m'en avez pas parlé quand je suis venu vous voir ?

Cyr hausse les épaules.

— Ma femme est morte, enquêteur. Les affaires m'ont un peu échappé.

Il a raison. C'est Moralès qui aurait dû y penser, c'est lui qui mène l'enquête.

— Vous croyez que Jimmy va vouloir racheter *L'Échoueuse II* ?

— Aucune idée. Il a toujours été jaloux d'Angel. En plus, elle a fait partie de ceux qui ont racheté les permis des pétoncliers. Lui, il se pensait riche en vendant, mais il s'est trompé. Après, Angel lui a offert d'aller travailler avec elle. Il a craché sur son offre. Elle l'a toujours aimé, même si y était pas fin. Elle disait qu'il était malchanceux. Je pense pas que le père Roberts va financer Jimmy pour l'achat du homardier. Ça m'étonnerait.

— Qu'est-ce qui s'est passé entre votre père et votre beau-père quand le moratoire est arrivé?

Le regard de Cyr se vide de toute expression.

— La même affaire que partout le long de la côte : ceux qui étaient riches sont devenus plus riches. Pis ceux qui étaient pauvres ont fermé leur gueule.

Il reste longtemps prostré sur la plage, hanté par ce mot, loyauté, sans savoir quoi en faire. Il se lève, décide de marcher. Le temps est doux, mais il a froid. Les mains dans les poches, il longe la pointe de Haldimand. Soudain, son cellulaire vibre dans sa paume et, mécaniquement, il le sort, regarde le message. Une photo en noir et blanc. Il ne comprend pas, déverrouille l'appareil, agrandit l'image et manque d'air.

D'un coup, l'horizon se ferme et tout se décolore : la mer, la plage, le ciel, ils virent au blanc en une ronde immobile. Une image figée sur l'écran noir de l'échographie. L'encre lui coule dans la gorge. Il cherche son souffle. Sébastien ouvre le document, le referme, l'ouvre de nouveau, hésite entre le détruire et le sauvegarder. Il ne sait pas quoi faire de cette photo de pixels en mouvement dans le ventre de Maude.

Leeroy Roberts l'a fait entrer avec méfiance dans le vestibule. Il ne l'a pas invité dans la cuisine ni au salon. Il a navigué assez longtemps pour savoir quand le temps devient traître.

Moralès regrette de ne pas avoir emmené l'agent Lefebvre, mais sa présence aurait peut-être braqué davantage le pêcheur et il aurait alors fallu convoquer ce dernier au poste. Il est trop tard maintenant pour penser à ça : il est là et Roberts est fâché. La pièce est longue plus que large, un garde-robe muni d'une triple porte coulissante occupe tout un mur. En face, deux chaises décoratives sont installées de part et d'autre d'une petite table ronde surmontée d'une lampe à abat-jour de type Tiffany. Au fond, une porte-jardin d'intérieur s'ouvre sur une cuisine aux armoires de bois foncé qui est séparée de la salle à manger par un comptoir de marbre.

Leeroy voit le regard de l'enquêteur qui glisse derrière lui pendant qu'il lui résume ce qu'il sait au sujet de l'entente que sa fille et lui ont signée lorsqu'il lui a financé l'achat de son homardier. Il relève le menton, croise les bras sur sa poitrine.

— Je vois pas où est le problème. Toutes les parties ont signé en connaissance de cause.

Ce moment-là, ç'avait été l'affront de sa vie, à Leeroy. Le jour où sa femme l'avait forcé à payer des études de marin pour leur fille à l'école de Rimouski. Avec l'appartement, l'auto et le reste.

Elle avait toujours détesté la pêche, Irène, mais c'était elle qui avait financé le bateau de bois de son mari, avec l'héritage de son père. Elle n'était pas d'accord, mais elle l'aimait et elle avait dit oui. Le soir, quand ils veillaient ensemble et qu'elle voyait les reflets de la lune sur la mer, elle disait que c'était l'argent des fous, qu'il s'accrochait à un leurre comme un poisson sur une cuillère dorée. Ça l'enrageait.

Elle n'était jamais montée à bord de ses bateaux et Leeroy l'avait tellement eu sur le cœur qu'il s'était juré de lui prouver qu'elle avait tort de douter, que la pêche pouvait être payante.

Et il l'avait fait. Quand leurs enfants, à tour de rôle, avaient décidé de devenir pêcheurs, Leeroy était à l'aise. Il se payait de belles voitures et faisait son fier sur le quai.

Or, un jour, Irène avait exigé qu'il finance les pêches des enfants. Il n'était pas d'accord, mais elle avait répondu qu'elle-même avait payé à contrecœur son bateau de bois avec l'argent de son père. Elle avait ajouté qu'il y avait cru, lui, à cet argent des fous, et qu'il n'avait pas le droit d'empêcher leurs enfants de suivre les leurres que lui-même avait fait briller sous leurs yeux extatiques. Alors il avait payé, mais il avait arrangé les contrats à son idée.

Leeroy Roberts regarde l'enquêteur Moralès. Il a des enfants, il doit avoir une épouse. Il doit savoir combien c'est déchirant, ces histoires-là.

— J'avais dit à Angel de choisir un autre métier, que la pêche, c'est pas fait pour les femmes. D'une certaine façon, c'est triste à dire, mais elle a décidé de son malheur. Méprenez-vous pas : c'était ma fille pis ça me brise le cœur. Mais des fois, je me demande ce qu'ils ont dans la tête, les jeunes. On les élève pour qu'ils soient travaillants, pour qu'ils manquent de rien. Comment ça se fait qu'ils prennent des décisions folles de même ?

— L'autre matin, quand vous m'avez parlé de vos enfants, vous n'avez pas mentionné ce contrat.

— Je vous ai rien caché ! Vous m'avez demandé si c'était moi qui avais dit à Jimmy de ramener *L'Échoueuse II* à son quai pis je vous ai répondu que oui.

— Mais vous ne m'avez pas dit que le bateau vous appartenait.

— Vous auriez dû vous en douter ; j'aurais jamais touché au bateau d'un autre !

— Vous conviendrez avec moi que l'entente que vous avez conclue avec votre fille était peu scrupuleuse. C'était cher payé pour…

— Angel aurait jamais eu son homardier si je l'avais pas financé !

— Étiez-vous au courant que votre fils Jimmy faisait du braconnage à bord de *L'Échoueuse II* ?

S'il était dehors, Leeroy cracherait par terre. Au lieu de ça, il reste fier, les bras croisés et les yeux bien plantés dans ceux du Mexicain.

— La mer, c'est pas votre juridiction.

Moralès regrette de ne pas l'avoir convoqué au poste pour un interrogatoire en bonne et due forme.

— J'ai cru comprendre que les zones de pêche à la morue sont fermées depuis longtemps. Les permis que vous avez achetés ne se vendront peut-être pas très cher. Dans ce contexte, une pêche au homard, ça doit être un bel héritage.

Leeroy Roberts blêmit de colère.

— Moi, enquêteur, j'ai passé ma vie à prouver aux autres que j'étais un bon pêcheur. Quand ta femme te finance ton premier bateau, tu portes ça comme une tache de vin en plein milieu du visage : toute la Gaspésie le savait que je naviguais sur le bras de mon épouse ! J'avais pas l'air d'un pêcheur, mais d'un profiteur ! Ça fait que j'ai travaillé comme un fou pour leur montrer, à tout le monde pis à ma femme en premier, que j'étais capable de trouver mon argent. Quand la pêche fermait dans le golfe, je montais aux Îles-de-la-Madeleine pour grossir mon quota. Je pêchais tellement tard en saison qu'une année les garde-pêches ont cru que je trafiquais de la drogue ! J'ai fait mon argent en homme honnête, pis vous, vous venez m'accuser d'avoir tué ma fille pour hériter de son bateau ? Savez-vous c'est quoi, vous, voir son enfant se faire manger par les poissons ? Sortez de ma maison, enquêteur ! Allez trouver votre coupable ailleurs !

Moralès rentre à l'auberge, lourd des derniers jours. Il monte à sa chambre, pose le dossier sur son lit, revient vers la cuisinette de son appartement. L'origami de Simone est toujours là, posé sur le coin de la table. Soudain, il réalise qu'il n'a pas envie de manger seul. Il hésite, appelle Lefebvre. Ce dernier répond à la deuxième sonnerie.

— T'as quelque chose de prévu pour souper ?

— Non, pourquoi ? On se rejoint au Brise-Bise ?

— Je m'en viens.

Il raccroche, appelle son fils, mais la ligne doit être occupée parce qu'il est immédiatement transféré dans sa boîte vocale. Il lui laisse un message et file rejoindre Lefebvre au restaurant.

La ligne est occupée parce que Sébastien n'en pouvait plus de cette marée qui l'aspire et le laisse indécis. Il a repris son cellulaire et a composé son numéro. Elle répond et, dans cet « allô » soufflé délicatement au bout du fil, il respire de nouveau.

— J'appelle pour m'excuser.

Lefebvre est déjà là et s'envoie sa première pinte avec enthousiasme au moment où son supérieur franchit la porte du Brise-Bise. Il est assis au bar, à la même place que l'enquêteur a occupée les deux fois où il est venu, face aux pompes.

— Tu connais Louis ?

Moralès salue le serveur, commande une bière que l'autre lui verse dans l'instant.

— C'est triste, ce qui est arrivé à Angel Roberts.

Les policiers acquiescent. Joaquin retire sa veste, s'installe.

— C'est pas le premier suicide qu'on a dans le coin…

Les enquêteurs se taisent. C'est le genre d'hameçon qu'on leur tend trop souvent pour qu'ils y mordent. Le serveur, voyant que sa tactique pour leur soutirer des informations privilégiées ne donnera aucun résultat, opte pour le repli. Il allume le téléviseur sur une chaîne de baseball et va jaser avec de jolies clientes aux allures bohémiennes au bout du bar.

— Le baseball ! Ça, c'est un vrai sport !

— Tu joues au baseball, Lefebvre ?

— Oh que oui, monsieur! T'as devant toi le meilleur lanceur de la ligue gaspésienne! Un fier Marinier de Sainte-Thérèse!

Joaquin imagine son collègue, coiffé de sa casquette, la petite moustache sérieuse, l'habit élastique ajusté, plisser les yeux avec le décorum nécessaire au monticule.

— Après ça, c'est une ligue amicale. Mais toi, à part le jogging, tu fais quoi? Regarde-moi pas comme ça, tout se sait ici! Tu loges chez Corine, c'est pas difficile d'avoir de l'information.

Érik finit sa première bière, attend la réponse de Joaquin.

— Plus jeune, j'ai beaucoup joué au soccer. Au Mexique, avec les amis, mais aussi en ville, avec les collègues.

— C'est tout?

— J'ai aussi fait de l'équitation et pratiqué le lasso.

La mâchoire de Lefebvre tombe d'un coup sur le comptoir.

— Tu me niaises, Moralès?

— Le frère de mon père avait un ranch et j'y allais souvent pour aider à déplacer le troupeau ou marquer les bêtes.

— C'est sûrement fameux pour ramener une femme dans son lit!

Lefebvre mime le geste de faire tourner un lasso à son côté, puis de le lancer au loin et de ramener une femme. L'apercevant, le serveur pense qu'il lui est adressé et se pointe devant eux.

— Deux autres bières!

Lefebvre se tourne vers Moralès.

— C'est ma tournée, cowboy! Tu sais qu'il y a des festivals westerns en Gaspésie?

— C'est fini, le lasso.

Louis dépose les pintes devant les deux hommes, puis retourne vers les filles. Moralès n'a pas encore terminé son premier verre.

— Après ça, on en est où, dans l'enquête?

— Je suis passé voir Leeroy Roberts aujourd'hui. Tu savais que c'est lui qui hérite du bateau de sa fille?

L'agent siffle entre ses dents.

— C'est le monde à l'envers quand les parents héritent des enfants, tu trouves pas?

— Clément Cyr semble complètement indifférent à la perte du homardier.

Lefebvre ramasse un stylo sur le comptoir, tente de noter quelque chose sur son sous-verre, mais ce dernier est humide et mou, la bille n'y adhère pas suffisamment pour que l'encre puisse s'y imprimer. Il pose le stylo devant lui.

— Leeroy Roberts m'a mis à la porte. Il n'a pas besoin de cet héritage, mais il y a quelque chose qui m'achale...

Lefebvre attrape un bloc de facturation de l'autre côté du comptoir, feuillette les commandes brouillonnes en avalant sa deuxième bière.

— Des radins, y en a partout.

Si Moralès ne l'avait jamais vu travailler ainsi, il serait convaincu que son assistant ne l'écoute pas.

— Angel Roberts avait passé un contrat d'emprunt établi sur dix ans avec son père. Elle remboursait les traites, mais l'entente stipulait que, si elle mourait pendant cette période, le bateau, le permis, l'équipement revenaient au père. Étant donné que la saison est terminée, le remboursement est peut-être complet. Angel ne devait probablement plus rien à son père, tu comprends?

— C'est un contrat étrange. Elle est morte avant l'échéance?

— Trois jours avant.

Lefebvre se lève, va vers la scène, monte dessus, ramasse un micro sans fil installé sur une tablette tout au fond et revient.

— Tu peux vérifier la somme des virements d'Angel vers son père au cours des dix dernières années?

L'agent Lefebvre observe minutieusement le micro, le pose près du sous-verre humide, du stylo inutile et du bloc de facturation.

— Il a fait un coup financier semblable à son cadet. Vérifie aussi les transferts d'argent entre l'aîné et le père.

— Quand le père va mourir, ce sont les gars qui vont hériter.

— Vérifie les comptes de Bruce.

Lefebvre fait signe à Louis.

— Tu m'apporterais le menu ?

Louis marche jusqu'à la colonne de bois qui sépare le comptoir de la caisse enregistreuse, ramasse deux menus, les tend distraitement aux enquêteurs, part accueillir des clients qui franchissent la porte du bistro. Sans le lire, Lefebvre pose le menu près du sous-verre humide, du stylo inutile, du bloc-notes de facturation et du micro fermé.

— Fais aussi le tour de la famille de Clément, des avoirs de sa mère, de son beau-père. Regarde si les assurances d'Angel peuvent profiter à une famille élargie.

Inutile de fournir papier et crayon à Lefebvre. Il amasse les infos en amoncelant les objets hétéroclites. Probablement un truc mnémonique.

— Demain, j'irai rencontrer la mère de Clément Cyr.

L'agent se lève de nouveau, mais Moralès l'arrête d'un geste.

— C'est bon, Érik, j'ai fini. On peut se commander à manger.

— Le menu ? Je le connais.

Il se rassoit, boit une gorgée de bière.

Louis s'approche pour noter les commandes. Il cherche son bloc-notes et son crayon un instant de son côté du comptoir, puis les découvre en face du policier. Il soupire, comme s'il était exténué de répéter des consignes ménagères à un enfant souffrant de troubles de l'attention. Il saisit le micro, le range sous le comptoir, prend son stylo, son bloc-notes et les menus. Subitement, il ne reste plus qu'un demi-verre de bière sur un sous-verre humide devant l'agent Lefebvre.

— Comme d'habitude, Érik ?

Il acquiesce. Moralès choisit le poisson du jour. Le serveur va poinçonner les commandes sur l'écran de sa caisse.

— Parlant de l'enquête, Joaquin, j'ai quelque chose de personnel à te demander.

Lefebvre respire à fond.

— Après ça, tu couches avec qui tu veux, mais ta relation avec Simone Lord...

— Non, Lefebvre. J'ai pas couché avec Simone.

L'agent est visiblement soulagé.

— Tant mieux! Tu comprends: que vous couchiez ensemble, ça me dérange pas. Moi, je suis amoureux fou de ma Thérésita et personne n'en fait de cas au travail. Tant qu'on parle pas d'abus d'autorité ou de pouvoir, que tout le monde est consentant et a du plaisir, ça va. C'est quand une des deux parties ne jouit pas que les embrouilles commencent.

Joaquin est sans mots.

— Quand tout le monde est satisfait, ça détend l'atmosphère de faire tomber les tensions sexuelles.

Lefebvre hoche la tête, sûr de lui.

— Je l'ai moi-même remarqué: je travaille mieux après une nuit bien remplie.

— Ça se passe bien avec ta docteure?

— Chut! Elle est mariée. Disons que c'est du donnant-donnant.

Moralès éclate de rire. Louis apporte les assiettes, les couverts, et repart. L'enquêteur s'aperçoit qu'il est affamé, que sa migraine l'a lâché et que le saumon a l'air bon.

Cette fois, il ne l'a pas fait danser. La première fois, une femme peut pardonner un refus. La deuxième, non. Il est entré chez elle. Elle portait une jupe de sport, des leggings et une camisole. Elle a reculé contre la table. Il n'a rien dit de plus qu'au téléphone. Il s'est approché, a remonté ses mains sous sa jupe en la regardant droit dans les yeux et lui a retiré ses leggings. Il s'est agenouillé devant elle. Il a retenu sa jupe avec sa main gauche tandis que, de la droite, il lui a écarté légèrement les cuisses. Elle portait une petite culotte de coton et de dentelle crème légèrement bombée par les poils dorés qu'elle couvrait. Il a avancé ses lèvres vers elle et a murmuré des mots d'excuse avant d'y poser la bouche.

Lefebvre prend une bouchée d'un énorme hamburger, continue à parler la bouche pleine.

— Tu m'as pas dit : est-ce que ton gars s'amuse bien ?

— Je sais pas. On n'a pas vraiment eu le temps de discuter.

— Il est venu en Gaspésie pour rencontrer des filles ?

Sans s'en rendre compte, Joaquin mange son poisson à toute allure.

— Il a une blonde depuis l'âge de quinze ans.

— Après ça, ça veut juste dire qu'il est en couple et, crois-moi, la plupart des couples ne baisent pas tant que ça. C'est pour ça que les femmes sont souvent infidèles. Le fardeau de la responsabilité sexuelle pèse davantage sur les hommes que sur les femmes, si tu veux mon avis. C'est facile, pour les hommes, de jouir. Mais ça prend tout un doigté pour faire jouir une femme pendant plusieurs années. Tu crois qu'il y arrive ? D'ailleurs, il est où, en ce moment, ton garçon ? Appelle-le pour qu'il vienne nous rejoindre !

— Mon gars est allé à la pêche, aujourd'hui. Il doit être en train de manger du poisson en regardant la télévision.

— J'en reviens pas ! Aussi ennuyant que son père !

Moralès repousse son assiette vide et avale une gorgée de bière avant de répondre.

— Pas ennuyant, Lefebvre. Fidèle.

— C'est une qualité de chien, ça, Moralès ! Audacieux, sexy, ça, ce sont des qualités d'homme !

— Audacieux ! Lefebvre, t'es même pas capable de garder des munitions dans ton arme et tu me parles d'audace ! Laisse mon fils se reposer. Il est ici pour ça.

Elle a d'abord joui dans sa bouche, debout contre la table, ensuite sous ses mains, pliée contre le divan. Puis il lui a dit d'exiger ce qu'elle voulait, alors elle l'a fait coucher par terre, sur le tapis du salon. Il a obtempéré. Elle défait sa ceinture, la lui retire, dégrafe son jeans, le baisse, suivi du caleçon, à mi-cuisses. Elle s'agenouille au-dessus de Sébastien. Sa jupe recouvre la scène, mais il sent la main de la jeune femme fouiller dessous, prendre son sexe dur, aligner son corps. Dans un mouvement précis, elle descend son bassin.

— C'est Kimo, ça?

Lefebvre suit la direction du doigt de Moralès.

— Oui, c'est elle.

— Elle travaille ici?

Il s'approche pour mieux examiner la photo. Louis s'avance vers les deux hommes, qui, debout près de la caisse, l'attendent pour payer.

— Kimo? Elle cuisinait ici avant d'ouvrir sa salle de yoga. Maintenant, elle donne ses cours et elle aide Corine à l'auberge. On a travaillé ensemble l'autre samedi. Le soir où Angel Roberts a disparu. C'est la dernière fois que je l'ai vue. Vous avez des pistes?

Lefebvre tend sa carte de crédit à Louis. C'est lui qui invite, a-t-il dit, mais Moralès soupçonne qu'il demandera un remboursement à la SQ pour frais d'enquête.

— Vous avez travaillé où? Ici?

Le serveur passe la carte sur la machine de paiement, qu'il remet à l'agent.

— Non. Chez Corine, au *party* des pêcheurs.

Lefebvre entre les informations de paiement.

— Vous étiez présents, Kimo et vous, à la fête des pêcheurs chez Corine l'autre samedi?

Le serveur reprend la machine, détache le reçu et le donne à Lefebvre.

— Je viens de vous le dire: on a travaillé pour Corine, ce soir-là.

— Vous êtes partis à quelle heure, Kimo et vous?

— Kimo, je sais pas trop. Vers deux heures, je pense. Clément Cyr était pas mal soûl pis il lui tournait autour. À un moment donné, elle s'est tannée. Moi, j'ai dit à Corine que je retournerais, le lendemain, pour finir le ménage. J'ai dû partir autour de trois heures.

— Est-ce que Kimo a une relation particulière avec Clément Cyr?

— Je pense pas. S'il se passait de quoi, de toute façon, ça me regarderait pas. Kimo aime les hommes, c'est clair, mais Cyr était marié. C'était à lui de se tenir tranquille.

Louis le salue, puis file en direction de la cuisine.

Moralès sort, s'approche d'Érik Lefebvre, qui est occupé avec son cellulaire.

— On se voit demain, OK? J'ai un coup de fil à donner, si ça te dérange pas.

Non, ça ne le dérange pas. La nuit est tiède. Il marche en direction de sa voiture, s'y engouffre. Il se demande où est Corine. Ça fait deux jours qu'il ne l'a pas vue. Demain, il aimerait lui parler. Il veut lui demander pourquoi Louis et Kimo n'apparaissent pas sur la liste qu'elle lui a remise le deuxième jour.

La jeune femme s'arque sur le sexe de Sébastien, son corps fléchit, sa poitrine s'étire, son cou ploie vers l'arrière. Elle sent qu'elle va jouir, alors elle redresse la tête et regarde loin, loin devant elle, du côté de la grève et de la nuit bleutée.

Mercredi 3 octobre

Gaétane Cloutier prépare des sushis, debout derrière le comptoir de cuisine. Sur son visage jouent des éclats de soleil renvoyés par la mer. Elle a indiqué un tabouret à Moralès et lui a servi un café. La fatigue de la commotion se fait encore sentir, mais l'enquêteur a pris son temps ce matin. Il a quitté l'auberge en milieu d'avant-midi. Sébastien dormait encore, la porte de sa chambre fermée, et la voiture de Corine n'était toujours pas dans la cour.

Par la fenêtre, Moralès peut entrevoir Fernand Cyr, l'oncle mais aussi le beau-père de Clément, qui fait du rangement d'automne, remet les kayaks de mer et les pagaies dans le hangar, rince les combinaisons de plongée, les suspend pour les faire sécher.

Gaétane Cloutier a soixante-deux ans. Elle avait trente ans quand elle a marié Firmin, le père de Clément. C'était un mariage civil.

— On l'a fait pour Clément.

Elle coupe des morceaux de saumon.

— Firmin et son frère avaient hérité de la maison ici et du crevettier de mon beau-père quand leurs parents sont morts dans un accident d'auto, en revenant d'une noce. Quand je les ai rencontrés, les gars habitaient ensemble, faisaient le *party* fort, pêchaient la crevette. À cause de la mort prématurée de leurs parents, ils avaient décidé de vivre heureux, de profiter de leur vie.

Elle range les languettes de saumon, nettoie ses mains et le couteau, prend un morceau de thon et entame un découpage similaire.

— C'était la belle époque du *peace*. Moi, je débarquais de Québec, je venais de finir mon université, je voulais devenir professeure et j'avais été engagée dans une école de Limoilou. Je devais commencer au mois d'août. J'avais l'été devant moi, alors j'ai pris mes économies et j'ai décidé de faire le tour de la Gaspésie sur le pouce avant de travailler. Vous vous souvenez peut-être de ces années-là ou vous êtes trop jeune ?

Moralès ne répond pas. À Mexico, dans ces années-là, des policiers tiraient sur des universitaires en révolte.

— Quand j'ai rencontré les frères Cyr, je les ai aimés tout de suite. Ils m'ont invitée à coucher ici. Je dis « ils » parce que je me souviens plus c'était lequel des deux, mais j'ai accepté et je suis jamais repartie. Quand l'automne est arrivé, j'ai trouvé du travail à l'école de Cap-aux-Os. Je suis jamais allée enseigner à Limoilou et je l'ai pas regretté.

Elle met de côté les morceaux de thon, lave de nouveau ses mains, puis le couteau.

— Un jour, je me suis aperçue que j'étais enceinte. Le bébé était de Firmin, ça, c'est sûr, parce que Fernand était parti en voyage.

Elle sourit, jette un œil par la fenêtre.

— Un matin, Fernand s'est levé et il a décidé qu'il voulait faire le tour du monde ! Comme ça ! On lui a dit d'aller se recoucher, qu'il avait trop bu, mais il s'est entêté. Il a fait son sac, mis ses sandales de marche et il est parti pendant plus d'une vingtaine d'années. Il est revenu pour les funérailles de Firmin. Ça vous donne une idée.

Elle entreprend d'éplucher une mangue.

— Firmin, il était de *party*. Il parlait fort, il était drôle. J'ai eu beaucoup de peine quand il est mort. Fernand est revenu. Il a dit qu'il était tanné de voyager. Alors il s'est installé à la maison. Au début, c'était une consolation, un réconfort. Là, je dirais pas que c'est une habitude. Nous nous aimons sincèrement.

Moralès envie cette facilité au bonheur, cette acceptation quasi naturelle du destin.

— Clément avait quel âge au moment de l'accident?

— Vingt ans. Il a reçu sa part d'héritage, touché l'argent des assurances, acheté un nouveau bateau et repris la pêche.

Elle range les morceaux de mangue, couche un concombre sur la planche à découper.

— Est-ce que le moratoire sur la morue avait déjà été imposé dans la région?

Elle suspend, pour la première fois, sa lame au-dessus de son plan de travail, surprise. Elle ne devait pas s'attendre à ce qu'il connaisse cette histoire. Ou à ce qu'il lui pose cette question.

— Il avait été imposé l'année d'avant.

— Ça vous a beaucoup affectés?

— Firmin a dû partager sa zone de pêche, c'est sûr.

— Avec Leeroy Roberts.

— Oui. Mais le moratoire a pas vraiment affecté Firmin. Fernand et lui et avaient pas de dettes, et moi je travaillais. Un peu plus, un peu moins d'argent, ça dérangeait pas. Vous savez, on a toujours fait un grand jardin sur la pointe en arrière et on a toujours pêché. On a aussi un camp de chasse. On s'organise bien. J'ai jamais eu envie de voyager, je suis déjà au bout du monde. J'irais où? J'ai même pas fini mon tour de la Gaspésie! On n'a jamais eu de grands besoins financiers, et la pêche a toujours été assez payante pour entretenir la maison. Qu'est-ce qu'on aurait pu vouloir de plus? Un comptoir de marbre dans la cuisine? Un plancher chauffant dans la salle de bain? Quand on aime la mer, on n'est pas déjà riches?

— C'est aussi l'avis de Clément?

— Non. Clément trouvait ça injuste parce que Leeroy était plus riche que nous autres.

Moralès se dit qu'elle est la seule à l'appeler par son prénom, avec une sorte de familiarité amicale.

— Est-ce que votre fils pêchait avec son père?

— Oui, mais pas le jour de l'accident. Ce jour-là, il passait son examen de capitaine. Il s'est toujours senti coupable de ne pas avoir été présent.

Elle approche un plat de panure, un chaudron de riz tiède et des feuilles d'algue. Elle pose une feuille d'algue sur un tapis à sushi avant de répondre.

— Qu'on le veuille ou non, vingt ans, c'est jeune. Clément a enregistré toutes ces informations-là comme il a pu. Il a toujours cru que Firmin était dépressif, à la suite du moratoire, vous comprenez? Je lui ai dit mille fois que la mort de son père était accidentelle, que ça n'avait rien à voir avec un suicide. Firmin n'était pas suicidaire ni dépressif. Il était joyeux, mon Firmin!

«Mais Clément voulait absolument blâmer quelqu'un pour la mort de son père, trouver un coupable. Alors il s'est mis à pointer du doigt Leeroy Roberts. Vous comprenez: le responsable du suicide, il fallait que ce soit le gars riche qui nous avait volé des crevettes!

Elle a placé du poisson, de la panure et de la mangue sur le riz qu'elle s'affaire maintenant à rouler dans la natte.

— J'ai jamais compris pourquoi il faut toujours trouver des causes, des raisons. Vous êtes pas fatigué, vous, d'avoir à trouver où sont les bons et où sont les méchants? De mettre des gens au soleil et d'autres à l'ombre?

Elle prend le rouleau de sushi, le pose sur une planche à découper, saisit le couteau. Il lui sourit doucement.

— Tout n'est ni noir ni blanc, je sais. Il y a plein de zones de gris.

Elle fait non de la tête.

— Il n'y a pas que des tonalités de gris, enquêteur, mais des milliers de couleurs. Vos tons de gris, ils ne sont là que pour les gardiens de prison. Dans la vraie vie, Roméo et Juliette deviennent amoureux. Clément s'est entiché d'Angel, alors qu'il détestait la famille Roberts. Il n'a jamais aimé Leeroy, mais la couleur est revenue.

Elle mouille la lame et coupe le rouleau. Les morceaux de sushis roulent un à un sur la planche, tombent à plat et laissent entrevoir, au centre de la feuille d'algue et du riz, un noyau de thon rouge, de mangue jaune et de panure dorée.

Moralès arrive au poste de police avec un plat de sushis frais. Thérèse Roch, de l'autre côté de la vitre pare-balles, fait mine de ne pas le voir. Il avance vers elle, se penche vers l'interphone. Elle tape toujours à l'ordinateur, comme si sa vie en dépendait.

— Bonjour, madame Roch. J'espère que vous allez bien. Moi, ça va mieux. Comme vous le savez, j'ai été durement tabassé samedi dernier. Je sais que vous êtes au courant, car j'ai reçu la visite de Dotrice Percy à l'hôpital. Je me suis demandé qui avait pu lui livrer cette information confidentielle. Car jamais on ne dit à un civil qu'un membre des forces de l'ordre est hospitalisé. Vous comprenez : ça pourrait mettre sa vie en danger. Puis je me suis rappelé que vous m'aviez déjà passé un mémo de la part de Mme Percy et qu'elle était votre amie. Une telle violation du secret professionnel pourrait, si j'étais le genre d'enquêteur à porter plainte, entraîner la mise à pied de la personne qui...

Il entend le déclic de la porte.

— Je suis heureux, madame Roch, que nous soyons enfin capables d'une si bonne entente. Et, à titre d'information : mon nom, c'est Moralès. Pas Poralès. Bonne journée.

Il entre dans le poste, file jusqu'au bureau de Lefebvre, pousse une boîte, ferme la porte, déplace deux dossiers et s'assoit.

L'imprimante de Lefebvre crache des feuilles les unes à la suite des autres, pendant que ce dernier se lisse la moustache.

— Touche pas aux feuilles, c'est pour une autre enquête.

Il lui tend un dossier.

— Les situations financières de toutes les familles Cyr et Roberts. Tout va pour le mieux dans le meilleur des mondes. La mère de Clément Cyr touche une pension, son mari et elle ne sont pas riches, mais ont un petit pécule pour assurer leurs vieux jours. T'avais raison : le père d'Angel a encaissé un chèque substantiel le jeudi avant la mort de sa fille, ce qui confirme qu'elle avait probablement effectué son dernier paiement. On sait déjà que Jimmy travaille pour payer sa pension alimentaire.

Ce qui m'a étonné, c'est que Bruce Roberts, le plus vieux des enfants, n'ait pas plus d'argent devant lui. Un gros emprunt à la caisse, qui correspond à une partie de ce que vaut son bateau.

— Une partie ?

— Oui. Si je me fie aux versements que lui aussi a effectués dans le compte de son père, je dirais que le bonhomme Roberts finance *L'Ange-Irène* tout comme il a financé les bateaux de ses deux autres enfants.

— À un taux d'intérêt exorbitant.

— Facile à croire, difficile à prouver.

— Bruce Roberts parvient à bien vivre ?

— Il paye ses dettes et j'imagine qu'il peut manger du sushi à l'occasion.

Moralès sourit, ouvre le contenant de plastique transparent et en offre à son collègue, qui en profite pour avaler trois ou quatre morceaux.

— Ça manque de sauce soya.

— J'ai besoin que tu cherches autre chose.

— Je suis ton homme.

— J'aimerais que tu me trouves le rapport d'enquête sur la mort de Firmin Cyr.

— Quelle année ?

— L'année suivant le moratoire.

— Les années 1990, c'est dans les archives papier, ça. Tu cherches à me faire plaisir : c'est la section que je préfère !

— Ça va te prendre combien de temps ?

Lefebvre regarde sa montre.

— Toutes ces archives sont à Rimouski. Je vais appeler un collègue et lui demander de m'envoyer des photocopies du dossier. Si tu as une petite demi-heure, on peut sûrement retracer des articles de journaux qui relatent l'accident.

Sans attendre sa réponse, Lefebvre tourne l'écran de son ordinateur afin que Moralès puisse le voir et active une recherche dans une base de données de journaux. Une série de titres apparaît, avec des dates.

— Ce sont des journaux locaux. Viens.

Érik Lefebvre se lève, quitte la pièce sans se soucier d'être suivi ou non par un Moralès qui reconnaît dans son collègue la même démarche préoccupée que lorsque ce dernier va ramasser des objets hétéroclites autour de lui. Ils longent le corridor, virent à droite dans la salle commune et l'agent ouvre la porte des archives. Sans hésiter, il se rend au fond et, avec une efficacité étonnante, sort huit exemplaires de journaux de trois tiroirs différents, les empile dans les bras du sergent, se dirige avec lui vers la photocopieuse près de laquelle est disposée une table vide.

Récupérant les journaux, Lefebvre les ouvre un à un à la page couvrant l'accident de Firmin Cyr, sans avoir à consulter la table des matières, comme s'il avait mémorisé l'information en un coup d'œil sur l'écran de son ordinateur. Alors que Moralès se penche pour lire le premier article, Lefebvre les survole tous, avec une rapidité déconcertante, puis se tourne vers son supérieur.

— Firmin Cyr est mort noyé. C'était un accident. Des témoins affirment qu'il a effectué un virement de bord qui a entraîné son bateau vers le fond. Il semble que le capitaine du crevettier *Fille du Midi* se soit retrouvé enfermé dans le poste de pilotage et qu'il se soit noyé. Le rapport d'enquête pourra nous en dire plus. Ses trois aides-pêcheurs étaient Réginald Morin, de Cloridorme, Daniel Cotton et, tiens-toi bien : Bruce Roberts, de Rivière-au-Renard. Morin et Cotton savaient pas nager. Bruce Roberts est le seul qui a réussi à regagner le bord.

En route vers l'auberge, Moralès bifurque vers le quai. Il a aperçu la camionnette de Leeroy Roberts devant la poissonnerie. Il stationne sa voiture un peu plus loin et fait semblant, en le voyant sortir de la poissonnerie avec un sac de plastique dans la main, de se trouver là par hasard. Il avance en sa direction.

— Monsieur Roberts, je suis content de vous voir. Je voulais m'excuser pour hier. Quand on enquête, vous devez vous en douter, on ne doit rien laisser au hasard.

Leeroy pince les lèvres.

— C'est correct.

— Je peux vous poser une question ?

Le pêcheur n'est pas du genre à se défiler.

— Allez-y.

— On m'a affirmé que, lors du moratoire sur la morue, vous êtes allé pêcher la crevette dans la zone de Firmin Cyr et qu'il avait été plutôt tolérant.

Leeroy hésite. Il aurait dû se méfier.

— C'est vrai.

— J'ai du mal à saisir les raisons de votre animosité à son endroit...

Le silence s'étire. Leeroy pèse le pour et le contre ; il n'a rien à perdre à lui expliquer ça. Depuis le premier jour, il se dit que l'enquêteur va comprendre parce qu'il a des enfants, lui aussi.

— Quand Bruce était jeune, il voulait toujours venir à la pêche avec moi. Le jour où mon bateau de bois a brûlé, il était à bord. Il avait vingt-deux ans. Il étudiait à l'université en biologie marine pis il était en vacances pour l'été. Quand le bateau a pris feu, j'ai eu la peur de ma vie. Pas pour moi. Pour mon gars. Après, j'ai pus jamais embarqué mes enfants à bord. Sauf qu'eux autres, ils voulaient absolument continuer. Comme la saison était pas finie, savez-vous ce que Bruce a fait ? Il est allé voir Firmin. La *Fille du Midi* avait pas besoin d'un homme de plus, mais son capitaine a quand même pris mon fils à bord. À l'automne, j'ai dit à Bruce : « Finis tes études, trouve-toi un métier pis lâche la pêche. » Il a passé l'hiver en ville, mais il est revenu le printemps d'après. Pis il est retourné sur la *Fille du Midi*.

Leeroy fait une moue d'écœurement, comme s'il revoyait la scène, avant de continuer.

— J'avais peut-être une partie de ses crevettes, à Firmin Cyr, mais lui, y avait mon garçon dans son bateau! Pis plus tard, son Clément a marié ma fille.

Il secoue la tête comme s'il voulait effacer ce souvenir de sa mémoire.

— Je voulais pas que mes enfants deviennent pêcheurs. J'ai tout fait pour les décourager. Demandez-leur: ils vont vous dire que je leur ai chargé ben cher d'intérêts pour leur bateau, mais que je leur offrais gratuitement l'université s'ils voulaient étudier autre chose. Pis après, allez voir mon testament: tout l'argent qu'ils m'ont donné leur est redistribué.

Il fait quelques pas vers sa camionnette. Moralès pivote pour le suivre. Leeroy Roberts appuie une main sur le toit de son véhicule qu'il frotte un peu, sans s'en apercevoir.

— Je me méfie de l'ex-femme de Jimmy. Si je redonnais son argent à mon gars, elle le traînerait en cour pour lui faire cracher. Mais elle pourra pas toucher à son héritage, c'est garanti par la loi. Je me méfiais de Clément: je voulais pas qu'il mette la main sur le bateau d'Angel.

Il ouvre la portière de sa camionnette.

— La nuit où on a retrouvé *L'Échoueuse II*, je suis pas allé en mer pour un homardier. C'était ma fille que je cherchais. Quand j'ai compris que je la verrais pus vivante, j'ai ben dit à mes gars: «Je veux pas voir vos noms traînés dans la boue.» C'est pas des anges, mais ils mériteraient pas ça. J'en voudrais pas un en prison.

Le père des Roberts s'assoit dans son véhicule, dépose son sac sur le siège du passager.

— J'hérite du bateau de ma fille. Je le sais de quoi ç'a l'air, mais vous, vous le redonneriez à son mari, si vous étiez à ma place?

Moralès ne répond pas. L'autre claque la portière, démarre, baisse la vitre.

— J'ai jamais détesté les Cyr, mais je les ai jamais aimés.

Leeroy Roberts embraye et quitte la cour de la poissonnerie.

Avant même de monter à sa chambre, Moralès passe dans la cuisine et dépose les filets de morue qu'il a achetés à la poissonnerie. Il sort des oignons, un chou rouge, des poivrons, un piment; pousse de côté deux kiwis que Corine a laissés traîner là. Il pourrait faire des tortillas. Il songe à Leeroy et à ses fils, à Clément et à sa mère, aux frères Babin, aux hommes qui coupaient les lignes d'Angel, aux femmes qui jalousaient son audace. Il retire sa veste, l'étui dans lequel il range son arme, grimpe l'escalier. Il a vu la voiture de Sébastien dans la cour, il va l'inviter à manger avec lui.

En arrivant près de leur appartement, il entend du bruit. Est-ce que Corine serait encore en train de fouiller dans ses affaires? Il s'approche à pas feutrés, entrouvre la porte. La première chose qu'il voit, dans la lumière tamisée, c'est l'origami de Simone qui gît à quelques pas de l'entrée. Il pousse la porte. Sébastien, de dos, tourne brusquement la tête, rougit et camoufle comme il peut le postérieur découvert d'une femme courbée au-dessus de la table de la cuisinette sur lequel il s'affairait consciencieusement.

Joaquin se détourne, gêné, évite de regarder la femme, qu'il ne veut surtout pas identifier. Il recule pour sortir de la pièce, mais il est encombré par son manteau, son étui et son arme. En un geste rapide, il se penche, pose tout ça par terre, le revolver, la veste par-dessus et, dans le même mouvement, ramasse délicatement l'origami avant de quitter la pièce en refermant derrière lui une porte qu'il aurait préféré ne jamais ouvrir.

Quand Sébastien était adolescent, il disait à tout le monde qu'il voulait devenir policier. Un jour, il a changé d'idée. Un jour, les enfants se mettent à parler de sujets auxquels les parents ne comprennent rien, adhèrent à des valeurs qui ne sont pas les leurs, font des choix qui les laissent perplexes et deviennent des étrangers.

Joaquin nettoie les légumes quand son fils le rejoint à la cuisine.

— P'pa…

— C'est ça, ton expérimentation culinaire ?

Moralès défait avec brusquerie l'emballage de poisson puis sort de la pièce. Il n'arrivera pas à cuisiner ainsi. Il se dirige d'un pas raide vers le bar, revient avec une bouteille de rhum. S'il a choisi le rhum, c'est que la tequila est de mauvaise qualité. Il en verse deux verres, les pose sur le comptoir. Il avale cul sec, n'invite pas Sébastien à boire celui qui reste, mais n'y touche pas.

— Quand tu choisis une femme, tu dois condenser en elle toutes les beautés des autres, tous les gestes délicats, tous les mouvements sensuels, toutes les perfections. Il n'y a pas d'autre façon d'aimer !

Joaquin se détourne, rince les poissons, tranche les filets. Sébastien pose une casserole sur le feu, met de l'huile dedans, prend le couteau, coupe les oignons verts, le jalapeño et les jette dans la casserole chaude. Derrière eux, la porte de l'auberge s'ouvre et se referme. Joaquin devine que la maîtresse de son fils vient de partir. Il prend une poignée d'épices qu'il lance sur les oignons.

— Et quand on cuisine la mer, on met tout dans la même casserole : les oignons, les arômes, le sel, les souvenirs, les doutes, les bons, les mauvais moments, les épices parfumées et celles qui sont trop chères, les herbes et les piments.

Dans un geste de défi, Sébastien saisit un kiwi, le coupe en deux et jette la chair dans la casserole. Il recommence avec le second kiwi.

— Comme ça ?

Joaquin serre les dents.

— ¡ En la Madre !

Il ne sait pas ce qui l'écœure le plus : son fils qui trompe sa conjointe sur sa table de travail ou son entêtement à concocter des plats fades. Il s'en veut de n'avoir pas su lui poser les bonnes questions et s'entend lui parler avec les mots des autres, de Lefebvre et de sa grand-mère avec laquelle il cuisinait quand il était enfant. Sébastien ouvre le couvercle du robot, envoie le contenu douteux de la casserole dedans, y flanque en plus tout ce qui traîne : le jus de la lime, la coriandre, la sauce piquante. Il regarde son père avec un air de défi.

— Maude est enceinte.

Il met brusquement le robot en marche. Le bruit envahit l'espace comme un jouet d'enfant trop bruyant. Joaquin récupère la casserole, la remet sur le rond, ajoute de l'huile, y glisse délicatement deux filets. Sébastien éteint le robot.

— Quand ta mère est tombée enceinte de toi, j'ai quitté mon pays pour être auprès d'elle. Et toi, quand ta conjointe attend ton enfant, tu la fuis ? Tu fais une crise d'adolescence et tu t'enfuis !

Joaquin ne va pas plus loin, ses mots s'essoufflent rapidement. Sébastien attrape le chou rouge, regarde son père dans les yeux et y plante le couteau.

— D'un autre gars.

Il descend la lame à travers, coupe les quartiers en fines lamelles. Joaquin sent ses genoux plier sous lui. Les filets grésillent dans l'huile. L'odeur se répand dans toute la cuisine.

— La première fois qu'elle m'a trompé, on avait dix-huit ans.

Sébastien prend la pince et vire lui-même le poisson que son père a abandonné dans la poêle. Il place une plaque en fonte sur un autre rond, qu'il allume, met de côté le chou, saisit la pâte que son père avait commencé à préparer, la pétrit, la divise. Il aplanit une première tortilla qu'il dépose sans hargne sur la plaque brûlante.

— Elle m'a trompé souvent. Tout le temps. Avec plusieurs hommes. Je pensais qu'elle se tannerait. Mais non. Pis sais-tu quoi ? À un moment donné, on dirait que je me suis habitué.

Animée par la chaleur, la pâte se tord, gonfle. Sébastien la tourne avant qu'elle brûle, aplanit d'autres pâtes, continue la cuisson des tortillas, met le chou émincé dans un plat. Joaquin se ressaisit, reprend la cuisson des filets. Un à un. C'est tout ce qu'il réussit à faire, empiler les poissons cuits. Et il écoute, parce qu'il est incapable de ne pas entendre.

— Quand elle m'a appris qu'elle était enceinte, j'ignorais si l'enfant était de moi. Malgré ça, je lui ai dit que, si elle le voulait, j'étais prêt à l'assumer. À devenir le père. Elle a répondu qu'elle avait besoin d'y penser. Ça fait que je suis parti, pour nous laisser réfléchir. J'ai rien pris, à part mes casseroles, qui me viennent presque toutes de toi. J'ai cru qu'en te parlant j'arriverais à comprendre. Mais en route je me suis soûlé, j'ai dansé, je suis allé à la pêche et, je le sais pas pourquoi, mais je...

Il fait un geste en direction de la chambre, de l'autre femme. Joaquin retire le dernier filet de la poêle, le dépose avec les autres, éteint le feu.

— T'as toujours fait ça, toi, suivre une seule idée et t'arranger pour qu'elle soit vraie. Ta vie, c'est comme ta cuisine : tu mets tout dans tes enquêtes, dans tes enfants, dans tes amours. Mais des fois, on n'y arrive pus. Pis là, c'est plus fort que moi : j'y arrive pus.

Joaquin voudrait boire de la tequila, écouter de la musique trop forte, pêcher avec Cyrille. Il voudrait savoir consoler son fils, mais tout ce qu'il parvient à faire, c'est mettre la poêle dans l'évier et la remplir d'eau savonneuse. Le téléphone vibre soudain dans la poche de jeans de Sébastien. Ce dernier le saisit et le tend à son père.

— C'est elle. Elle arrête pas de m'écrire. Elle demande où je suis, ce que je fais, si j'ai rencontré une autre femme. Elle dit qu'elle va se décider bientôt.

Joaquin prend l'appareil, moins pour le regarder que pour en débarrasser son fils, qui termine la cuisson des tortillas.

— C'est quoi, ton code ?

Sébastien retire le bol du robot, verse l'étrange salsa au kiwi dans un contenant.

— Maude. Les cinq lettres de son prénom.

Joaquin les tape.

— Elle a passé son échographie hier. À treize semaines et quatre jours. Elle était en congrès à Dallas au moment de la conception.

Moralès n'arrive pas à arrêter les vibrations de l'appareil dans sa main. Il se sent vieux. Vieux et ridicule.

— J'ai juste une affaire en tête depuis que je suis parti. Sais-tu c'est quoi?

Désemparé, il regarde son père.

— Ta loyauté.

— De quoi tu parles, *chiquito*?

— Quand t'es tombé amoureux de maman, t'as largué ton pays, ta culture, ta langue. T'as renié toute ton identité pour elle!

— Non. C'est faux. J'ai rien largué!

— T'écoutes jamais de musique latino!

— J'écoute plein de musiques…

— T'as perdu ton accent pour elle!

— Non. C'est pour le travail que j'ai cassé mon accent. J'étais policier et j'arrivais d'un pays de narcotrafiquants, tu comprends?

— Tu t'es soumis à ce qu'elle voulait!

— Les apparences t'ont trompé, *chiquito*. Tu t'es inventé une histoire. Ce n'est pas la réalité!

Moralès a expliqué cette théorie des dizaines de fois à ses équipes d'enquête: les gens se créent des fictions auxquelles ils croient. Se peut-il que son garçon ait fait la même chose? Qu'il ait modelé sa vie amoureuse sur un mensonge?

— C'est ça que tu m'as appris: la soumission.

— Je t'ai jamais appris ou demandé ça! J'ai jamais été soumis, j'ai été amoureux de ta mère!

Ça y est: Joaquin a conjugué son amour au passé. Il sait que son fils l'a entendu. Il soutient son regard. Il s'avance vers l'évier et laisse tomber le cellulaire de Sébastien dans une casserole d'eau sale.

— *Chiquito*…

Joaquin sort deux plats pour emporter, les pose sur le comptoir. Il hume l'odeur parfaite de la cuisson. Dans chacun des plats, il place deux tortillas qu'il garnit de poisson, de yogourt, de chou effilé, de salsa au kiwi, de coriandre. Il ajuste les couvercles, empile les contenants et les insère dans un sac qu'il tend à son garçon.

— Il y a des jours pour tout prendre et des jours pour tout abandonner.

Sébastien regarde son père, saisit le verre de rhum, avale le liquide ambré d'un coup, prend le sac et quitte la cuisine.

Il reste assez de nourriture pour une famille entière, petits-enfants inclus, mais Joaquin n'a plus faim.

— Après ça, je dirais pas non pour une tortilla de poisson, moi !

Moralès fait le saut. Lefebvre a dû se faufiler dans l'auberge au moment où Sébastien sortait.

— Sers-toi.

L'agent n'attend pas de se faire inviter deux fois. Il attrape une assiette qu'il garnit généreusement.

— J'ai les photocopies du dossier de la mort du père Cyr.

Il prend une cuillerée de salsa avec un air de doute, y goûte.

— Mmm ! C'est fameux, ton petit mélange, ici ! C'est une recette mexicaine ?

— Non. C'est de l'expérimentation culinaire.

Moralès prend une cuillère, s'approche de la salsa, y goûte en fermant les yeux. C'est la première fois qu'un plat concocté par son gars est si bon.

— Tu te fais une assiette ?

— J'ai pas faim.

— T'as une tête de gardien de prison, sergent. Viens t'asseoir.

Son assiette dans une main, Lefebvre attrape la bouteille de rhum, deux verres propres et des couverts dans l'autre avant de se diriger vers une banquette qui, près d'une fenêtre, offre la mer en paysage.

Il s'assoit, verse le rhum, entame sa première tortilla avec appétit.

— J'ai vu ton gars partir comme s'il avait le feu aux fesses. Il se passe quoi ici ?

Joaquin s'assoit, avale une lampée d'alcool.

— Sébastien est fâché contre moi.

— C'est le propre des enfants de déclarer la guerre à leurs parents. Le tien est un peu vieux pour faire une crise d'ado.

— Il m'accuse d'avoir agi en homme soumis.

— T'es soumis, Moralès ?

— Je pense pas.

— Remarque : devant une femme comme Thérésita, je suis toujours prêt à m'agenouiller, mais j'imagine que c'est pas de ça qu'on parle.

— Il m'accuse d'avoir abandonné mes racines mexicaines.

La bouche pleine, son collègue articule difficilement.

— C'est vrai, ça ?

— J'ai quitté le Mexique en 1976. Cinq ans avant, les paramilitaires avaient tiré sur les étudiants à Mexico. En juin.

Lefebvre cesse de manger.

— J'étudiais pour devenir policier dans un pays de narcotrafiquants. Si j'étais resté là-bas, je serais mort avant mes trente-cinq ans.

Lefebvre s'appuie sur le dossier de la banquette, boit une gorgée de rhum, attend la suite.

— J'ai rencontré Sarah par hasard. Elle était venue au Mexique dans l'idée de rejoindre un gars, mais elle s'était trompée de vol et elle ne parlait pas espagnol. Je l'ai trouvée en patrouillant autour de l'aéroport. Elle pleurait.

— Ça fait que t'as profité de la manne touristique ! Je le savais que t'étais le genre à te dévouer pour bien servir la citoyenne !

Il replonge dans son assiette. Moralès sourit malgré lui.

— Oui, mais ma touriste à moi, elle est tombée enceinte.

Érik Lefebvre s'étouffe dans son plat.

— Ça fait que je suis venu la rejoindre et je l'ai mariée.

Lefebvre cesse de tousser, reprend le dessus.

— T'avais quel âge ?

— Vingt-deux ans.

Joaquin Moralès contemple le golfe qui disparaît dans la pénombre du soir.

— Un des oncles de Sarah était policier pour la SQ. Il m'a fait entrer à l'école de police. J'ai dû refaire mes cours, parfaire mon français.

Lefebvre repousse son assiette vide, s'essuie la bouche du revers de la main, avale une gorgée de rhum.

— Au début des années 1980, tous les corps de police luttaient contre les narcotrafiquants de l'Amérique latine. Être mexicain dans les bureaux de la SQ, ça voulait dire passer son temps à jouer les infiltrés. À un moment, j'en ai eu assez.

— D'être *undercover* ?

Moralès ne voit plus la mer. La lune n'est pas encore levée et, par la fenêtre, il n'aperçoit que les reflets des lampes allumées dans la salle à manger, de la bouteille de rhum, de ses mains qui tiennent le verre vide.

— De regarder les pires Latinos faire les pires conneries. D'avoir honte. D'écouter la même musique qu'eux, de venir du même continent, d'entendre leur accent dans ma bouche.

— Pis t'as décidé que l'accent québécois était moins pire ? On n'entend pas ça souvent !

Joaquin esquisse un sourire.

— Ton gars te reproche quoi, au juste ?

— Il pense que j'ai sacrifié mon identité mexicaine pour plaire à ma femme.

— Si c'était le cas, en quoi ça serait un problème ?

— Il dit que je lui ai transmis le gène de la soumission masculine.

Lefebvre ouvre de grands yeux, siffle entre ses dents, verse une autre rasade de rhum dans chacun des verres.

— Moi qui pensais que ma mère avait du vent dans la tête !

Il prend son verre, l'avale d'un coup.

— Il est parti où, ton gars ?

313

— Rejoindre une femme qu'il a rencontrée.

— Tu m'as pas dit qu'il était en couple?

— Oui.

Joaquin ne lui dit pas que Maude est enceinte d'un autre homme.

— C'est un bon exercice pour se libérer de sa soumission. Après ça, c'est qui, la fille?

— Je sais pas.

Lefebvre glisse hors de la banquette.

— En Gaspésie, c'est chacun son tour d'être le touriste d'un autre.

Il ramasse son couvert.

— Tu t'ennuies du Mexique?

Moralès ne répond pas. Il boit son rhum pendant que Lefebvre va porter la vaisselle sale dans la cuisine et revient. Il prend le dossier qu'il a laissé sur une table en arrivant, le dépose en avant de l'enquêteur.

— En attendant le retour de ton ado soumis, tu pourras lire ça. C'est ta copie du dossier d'enquête sur la mort de Firmin Cyr. Je rentre chez moi pour y jeter un coup d'œil avant de me coucher.

Il se dirige vers la porte, s'arrête.

— Un de nos agents a travaillé sur cette affaire.

— Quelqu'un de Gaspé?

— Oui. Si tu veux lui parler, je te l'envoie demain.

— Oui, OK.

Lefebvre se dirige vers l'entrée, prend sa veste sur le crochet, l'enfile.

— Ça te gêne si je te laisse la vaisselle sale?

Jeudi 4 octobre

Moralès finissait son petit-déjeuner quand Corine a franchi, pimpante, la porte de l'auberge. Il ne l'avait pas revue depuis l'enterrement d'Angel.

— Corine? Vous étiez où?

Elle le regarde, surprise.

— Il y a un problème, Joaquin?

Il s'aperçoit qu'il lui a parlé un peu sèchement. Peut-être parce que ça fait quelques jours qu'il veut la questionner et qu'il commençait à croire qu'elle le fuyait. Ou peut-être parce qu'il n'a pas revu Sébastien depuis hier et que ça affecte son cœur de père. Ou peut-être parce qu'ils les croyaient ensemble et que ça le rendait mal à l'aise.

— Non. Pas de problème. Je m'excuse. Je me suis inquiété de votre absence.

Elle accroche son manteau, troque ses bottes d'automne contre des souliers pendant que Joaquin se lève et va nettoyer sa vaisselle.

— Étant donné que personne avait besoin de moi ici et que l'atmosphère de deuil me pesait, je suis allée passer trois jours chez mon amoureux. Je l'avais dit à votre fils. J'avais laissé mon numéro de cellulaire juste ici, au cas où.

Elle s'avance vers la réception et montre une tablette sur laquelle un numéro a effectivement été griffonné. Moralès n'a pas pensé à demander à Sébastien s'il était au courant des allées et venues de Corine.

— J'ignorais que vous aviez un amoureux.

— Oui. Il travaille à la microbrasserie de L'Anse-à-Beaufils et il habite à Sainte-Thérèse. Il est dans la même équipe de baseball que votre collègue, Érik Lefebvre : les Mariniers de Sainte-Thérèse-de-Gaspé.

Elle a dit ça avec un enthousiasme comique.

— J'ai une question à vous poser, Corine.

Il s'avance vers la table où il a déjeuné, prend le papier qu'elle lui a donné le lendemain de son arrivée à l'auberge.

— Pourquoi le nom de Kim Morin ne figure pas sur cette liste ?

Elle fronce les sourcils.

— Vous m'avez demandé la liste des pêcheurs qui étaient présents. J'ai écrit juste les noms des pêcheurs...

— Y a-t-il d'autres personnes qui étaient présentes ce soir-là que vous n'avez pas inscrites sur la liste ?

— Oui. Louis Legrand, qui est serveur au Brise-Bise, mon chum Gabriel Sutton et moi.

Moralès prend un stylo et ajoute ces noms en marge de la liste.

— Je suis désolée, j'avais mal compris les consignes.

— À quelle heure sont-ils partis ?

— Kimo est partie vers deux heures. Elle est célibataire et les hommes la courtisent beaucoup. Elle commençait à trouver ça pénible. Vous comprenez : les gars étaient en fin de saison, ils avaient bu...

— Qui la courtisait ?

Elle hésite un instant, se demande visiblement ce qu'elle doit répondre.

— Pas mal d'hommes...

Moralès attend en silence. Elle prend une grande respiration.

— Bon, d'accord. J'aime pas tellement répondre à ce genre de questions là, vous le savez, mais ça semble important... Kimo a passé la dernière semaine ben à l'envers et c'est un peu pour ça que je suis partie quelques jours. Je suis une amie, pas une psy, pis des fois j'ai de la misère à comprendre les relations complexes, ça fait que je me mets les pieds dans les plats sans faire exprès.

Debout bien droite, elle se met à parler comme si elle récitait une leçon.

— Ce qui est arrivé, c'est que Kimo est célibataire depuis longtemps. Peut-être parce que son physique d'athlète impressionne les hommes. Je le sais pas. Mais, au printemps passé, elle est allée voir la mise à l'eau des bateaux parce qu'elle aime ben ça, surtout les gros crevettiers. Pis là, y a Bruce Roberts qui l'a invitée à bord et ils ont commencé à se courtiser. Sauf que, pas longtemps après, Clément Cyr l'a invitée, lui aussi. C'est comme s'il était jaloux de Bruce, vous comprenez?

Elle attend qu'il dise oui, puis enchaîne.

— Bruce, c'est un grand timide, mais l'alcool le rend audacieux, ça fait que, l'autre soir, il a bu un peu pour essayer de ravoir Kimo. Sauf qu'un gars en boisson, ça reste un gars en boisson… Pis y avait aussi Clément qui tournait autour de Kimo. Il était soûl raide. C'est effrayant, quand on y pense, parce que pendant ce temps-là, sa femme se suicidait! Kimo en veut à Clément pis elle se sent coupable. C'est normal d'être à l'envers, mais c'est un suicide; c'est pas comme si Kimo l'avait tuée!

Elle se mord la lèvre inférieure.

— Vous savez, Kimo est pas méchante, mais mettez-vous à sa place: ça fait trois ans qu'elle est célibataire pis, tout d'un coup, y a deux gars qui sont presque prêts à se battre pour elle! C'est sûr, vous allez dire qu'elle aurait dû choisir Bruce, parce qu'il est célibataire, mais c'est pas aussi simple que ça.

Corine déverse un tel flot de paroles, là, debout dans la salle à manger de l'auberge, qu'elle pourrait faire tourner une turbine électrique. Elle déplace nerveusement une salière et une poivrière qui n'avaient rien demandé.

— Kimo, c'est une athlète. Elle a besoin de remporter des médailles, de gagner des compétitions. Comme une vraie sportive, vous comprenez ce que je veux dire? Angel Roberts, c'était LA super femme! Même que moi, je l'admirais: c'était tellement audacieux d'être une pêcheuse dans un milieu d'hommes !

Moralès songe qu'elle a dû négocier fort avec sa conscience, les derniers jours, et que son amoureux a dû lui conseiller de tout dire à la police.

— Je pense que, dans la tête à Kimo, Angel était LA plus grande compétitrice qu'elle pouvait dénicher dans toute la Gaspésie. C'est une affaire d'orgueil : t'as la femme la plus admirée des pêcheurs devant toi et t'as la possibilité de t'envoyer en l'air avec son mari. C'est tout un panache à suspendre au-dessus d'un lit, ça !

Elle ouvre de grands yeux catastrophés par ce qu'elle vient d'énoncer.

— C'est pas glorieux, ce que je viens de dire, je le sais. C'est pas le genre de compétition qui se mérite un trophée, si vous voulez mon avis, mais on est qui, nous, pour juger Kimo ? C'est pas une mauvaise personne pour ça, c'est juste une femme célibataire dans un pays d'hommes ! Vous comprenez ?

Comme si elle dégonflait un ballon de plage contre sa poitrine, Corine soupire profondément, épuisée d'avoir tout dévoilé ou d'avoir autant erré dans le labyrinthe des explications avant d'arriver à s'en sortir. Elle tire une chaise et tombe assise dessus.

— Louis Legrand est parti vers trois heures. Mon chum et moi, on a couché ici. On a fait le ménage le lendemain. Louis devait revenir, mais on l'a appelé pour lui dire de laisser faire.

Moralès lui sourit doucement.

— Il y a autre chose que je devrais savoir sur cette soirée, Corine ?

Elle le regarde, navrée de lui avoir caché ces informations si longtemps, secoue la tête.

— Est-ce que Kimo est allée rejoindre Clément Cyr dans sa chambre ?

— Non. Je vous le dirais, si c'était arrivé. Ça insulte Kimo de se faire courtiser par des hommes soûls. Elle aurait peut-être

318

couché avec lui, je le sais pas, mais à jeun. Ça l'aurait humiliée de gagner parce qu'il était en boisson. Sinon elle aurait peut-être fini par choisir Bruce, mais il était soûl lui aussi. À un moment donné, elle s'est tannée et elle est partie. Faut dire que la soirée était pas mal terminée, j'avais pus vraiment besoin d'elle.

— Est-ce que Bruce Roberts était parti, à ce moment-là ?

Elle réfléchit un instant.

— Il est sorti juste après. Vous me dites ça pis ça me rappelle que ça m'a étonnée qu'il veille aussi longtemps. C'est pas un grand sorteux. Je me suis demandé s'il était resté aussi tard pour s'essayer avec Kimo ou pour surveiller son beau-frère.

— Le surveiller ?

— Oui, pour voir si Kimo allait rejoindre Clément dans sa chambre.

Joaquin la remercie.

— Si vous avez d'autres questions, hésitez pas. Vous savez, je l'aimais, Angel Roberts. J'en reviens pas qu'une femme comme elle se soit suicidée.

Moralès ramasse son dossier, puis remonte à sa chambre pour récupérer sa veste et son arme.

Ses jambes lui font mal, sa respiration est douloureuse, mais Sébastien continue.

Il s'est réveillé avec le goût de l'autre femme sur les lèvres. Le goût de l'adultère, s'est-il dit avec ironie, puis il a rectifié le tir : la saveur mi-figue, mi-raisin de la liberté.

En sortant de chez elle, en pleine nuit, il n'a pas voulu rentrer à l'auberge ; il craignait d'y croiser son père. Il s'est assis au volant de sa voiture et a conduit jusqu'au parc. La barrière était fermée. Il a fait marche arrière et s'est stationné sur le côté, dans l'aire de vidange où il était venu récupérer la voiture de Joaquin l'autre jour. Il a pris son sac de couchage dans le coffre, s'est aménagé un espace inconfortable sur la banquette arrière et a somnolé là, couché de travers, jusqu'à l'aube.

Quand il a entendu passer le véhicule des employés du parc, il s'est dépêché de se lever. Craignant d'avoir l'air d'un hurluberlu qui a passé la nuit à dormir dans son auto dans l'aire de vidange d'un parc, il s'est pointé à la barrière en racontant qu'il attendait l'ouverture de l'endroit pour se rendre à la pêche. L'employé l'a à peine regardé; il semblait lui-même avoir passé la nuit sur le divan chez sa mère.

Sébastien se sent idiot d'avoir menti pour rien.

En arrivant devant l'entrée du site de Grande-Grave, il ralentit, mais il ne bifurque pas vers le stationnement, vers le bateau de la mariée, vers le quai où les pêcheurs vont peut-être arriver sous peu. Il continue tout droit, aspiré par la route de gravier ou par la pointe du parc.

Qu'est-ce que nos parents nous lèguent? Il repasse sans cesse cette question dans sa tête. Une génétique facile à reconnaître: une stature carrée, un cheveu soyeux, une vision parfaite, une maladie cardiaque.

Arrivé au bout de la route, il est incapable de faire demi-tour, de revenir en arrière. L'Anse-aux-Amérindiens. Il gare sa voiture près de l'aire de pique-nique, en sort.

Mais on hérite aussi d'une loyauté filiale, il en est certain. Si Sébastien a accepté d'aimer Maude malgré ses caprices, c'était pour obéir à un ordre muet, à une sorte d'injonction paternelle qui lui dictait de se soumettre à sa conjointe, comme son père l'a fait, afin de devenir un digne fils Moralès.

Au bout de l'aire aménagée, il remarque un sentier qui longe la mer. Il s'y engage, mû par son propre pas, par le mouvement, par ce qu'il a entrepris en quittant Maude, en sortant de Montréal, en prenant l'autoroute 20, puis la 132, en avalant un verre de trop, en dansant dans les bars, en allant à la pêche, en couchant avec une autre femme.

Il avait préparé des arguments en vue de l'affrontement d'hier. Des phrases fortes sur la puissance du sentiment d'appartenance, des accusations, aussi. Il devait passer par cet affrontement pour se libérer de son histoire. Il s'attendait à ce que son père soit blessé, mais qu'il reconnaisse la vérité dans les propos de Sébastien. Or Joaquin a répondu : « Les apparences t'ont trompé. » Comment pourrait-il se tromper ? Il était présent, enfant, dans la maison familiale ! Il se souvient de sa mère qui affirmait que tel mot se prononce de telle façon en québécois. Elle se moquait, même, quand Joaquin avait de la difficulté.

Il traverse les broussailles en direction de l'océan lumineux qui s'ouvre devant lui, proche et lointain, perforé par le souffle puissant et arc-en-ciel des baleines.

De quelle manière son père réagissait-il ? Il riait. Ils étaient heureux. Sébastien secoue fermement la tête. Ce n'était que des apparences ! Comme Maude et lui.

Il arrive au phare de Cap-Gaspé, tout en haut de la pointe. Ses jambes lui font mal, son souffle lui brûle la poitrine. Une affiche indique que le Bout-du-Monde est par là, plus bas, qu'il doit descendre pour y arriver.

Il revoit Maude qui pleure en avouant qu'elle l'a trompé, qu'elle a embrassé un autre gars dans une fête. Elle avait dix-huit ans. Il avait ri. Et ensuite ? L'échographie, douze ans plus tard. « Tu t'es inventé une histoire dans laquelle tu étouffes, mais ce n'est pas la réalité ! » L'image noire pixelisée de blanc.

Il s'engage dans l'escalier à pic, continue sur le trottoir de bois, entre les piaillements d'oiseaux et les cris cruels des goélands.

Il se concentre sur les derniers jours, sur la pêche, il pense au bar accroché à l'hameçon. Les images du corps de Kimo remontent en lui, comme un soulagement ou un malaise. Il pense aux maquereaux qui se débattent violemment au bout de la ligne à pêche. « J'arrivais d'un pays de narcotrafiquants. » Il voit la mer qui apparaît entre les branches des arbres.

C'est là, plus loin, au large de cette pointe, qu'ils ont remonté le corps de la femme noyée. Sébastien revoit sa robe qui flottait autour d'elle. Une robe de mariée. Puis son mari, agenouillé et paralysé de douleur.

Une affiche indique que le Bout-du-Monde est juste devant. Il ralentit, s'arrête avant d'entrer sur le promontoire de bois. La sueur lui coule dans les yeux. Il jette un œil sur les falaises qui encadrent le belvédère. Il penche la tête. Ses mains pendent le long de son corps.

Soudain, un bruit mouillé déchire le murmure que fait la vague en léchant les rochers à fleur d'eau. Ça ressemble au bruit des plongeurs sautant en bas du bateau pour récupérer la mariée. La mariée. Rêvais-tu d'horizon, toi aussi? Il la revoit. Devant l'infini, elle avait la tête relevée et les bras ouverts. As-tu, toi aussi, obéi à une illusion? Suivi un ordre qui n'a jamais été formulé? Il avance d'un pas sur le promontoire.

En bas, un phoque fait des cabrioles dans l'eau. «Je ne t'ai jamais demandé ça.» La lumière du soleil se brise à la surface de l'onde, comme un tapis d'or qui s'étire du côté du levant. Il constate avec stupeur que c'est la première fois qu'il le voit. Il a regardé les oiseaux, le rocher Percé, la ligne à pêche, les phoques, les poissons, mais c'est maintenant seulement qu'il le voit et qu'il comprend ce que Cyrille a voulu lui dire. Sébastien Moralès est subjugué par le spectacle. Il est envahi par quelque chose qui bat en lui. Le vertige. Le désir d'être aspiré par le large. Les nuages ont pris le bord, le ciel a viré au bleu et l'océan Atlantique s'ouvre tout entier devant lui. Le souffle coupé, Sébastien avance jusqu'à la rambarde au moment où un mince nuage vient ombrager les reflets scintillants. Ce n'est ni un tapis ni de l'or. C'est l'horizon. Le cœur battant, il recule brusquement vers le sentier.

L'océan lui donne le vertige.

L'enquêteur arrive au pied de L'Ange-Irène. La coque massive l'impressionne, tant par sa carrure que par sa hauteur. Une camionnette est garée juste à côté, il en déduit que Bruce Roberts est à l'intérieur du mastodonte des mers. Il s'engage sans enthousiasme dans l'escalier en aluminium que les membres de l'équipage lui ont accolé le jour où ils l'ont sorti de l'eau. L'escalier a beau être attaché au pont, Moralès n'aime pas sentir les vibrations inquiétantes de celui-ci sous ses pas. À pic, l'escalier fait au moins dix mètres de haut. Il arrive enfin sur le pont.

Joaquin déteste ce genre de hauteur, d'autant plus qu'il est encore pris de légers étourdissements depuis qu'il s'est fait tabasser. En regardant par-dessus la main courante du crevettier, il ne voit rien sous lui, sinon le sol dur sur lequel son corps se fracasserait s'il tombait. Il en a vu, des types qui étaient tombés, plus ou moins poussés par d'autres, en bas d'étages moins hauts que ça ou de toits de maison, et qui étaient restés à plat, le crâne crevé. Ça peut donner le vertige longtemps, de pareilles visions.

Il s'engouffre dans le poste de pilotage où il est entré il y a déjà dix jours. Personne. Il descend l'escalier étroit et abrupt. Un instant, il se demande s'il ne devrait pas appeler Lefebvre, puis se ravise. Il ne s'agit que d'une rencontre informelle et, même s'il l'appelait, l'agent trouverait probablement une défaite pour ne pas quitter son bureau.

L'escalier tourne à quarante-cinq degrés. Moralès arrive du côté bâbord. Il avance vers la proue. Une cuisinette est éclairée au néon. Réfrigérateur, four sur billes, table avec banquettes fixes. Vers la pointe, une porte ouvre sur une cabine munie de six couchettes, trois de chaque côté de la proue du navire, les unes cordées par-dessus les autres. Des sacs de couchage y traînent encore, ainsi que des manteaux suspendus à des crochets. Entre la cuisinette et la cabine, deux cabinets : la toilette d'un côté, la douche de l'autre. Personne.

Moralès revient devant l'escalier, hésite sur la direction à prendre. Ça sent fort l'huile, la glace fondue, les entrailles de poisson, le sel. Il avance vers la poupe, se retrouve dans un corridor qui ouvre vers l'entrepont. Il perçoit alors un bruit en dessous de lui. Il longe le corridor jusque du côté tribord et découvre une autre volée de marches, située sous l'escalier qu'il vient d'emprunter. Il s'y engage en ayant la désagréable impression de s'enfoncer dans les entrailles d'une bête mécanique qui pourrait l'avaler. Un globe de lumière crue, fixé sur une plaque de porcelaine, éclaire violemment le lieu, la peinture écaillée, les taches de boue qu'ont laissées les bottes des pêcheurs, de sel, les poutrelles métalliques.

Moralès débouche de nouveau du côté bâbord, l'escalier faisant, en ligne droite, toute la largeur du navire. Il risque un œil du côté de la poupe. Même schéma qu'à l'étage supérieur : un corridor étroit avec des portes fermées donnant probablement sur des caissons de transport pour la crevette.

Un câble électrique jaune vif longe le mur de l'escalier et se faufile dans l'embrasure d'une porte située dans la proue. Un coffre à outils en métal rouge, estampillé d'autocollants de Terre-Neuve, est ouvert devant la porte. L'étage à outils du dessus a été retiré et posé à plat. Moralès avance dans cette direction. De l'autre côté de la porte, il découvre un moteur ou une génératrice, il ne saurait le dire, vivement éclairé, comme la cuisinette, par un néon. À gauche du moteur, il remarque des bottes. Un homme est agenouillé, dos à lui. Il se fige, la main sur la crosse de son arme.

Bruce Roberts se redresse et tourne la tête vers lui. Habillé d'une combinaison d'ouvrier, une guenille bleue à la main, il regarde l'enquêteur, s'étonne de sa paume posée sur son revolver, lève lentement les mains en l'air.

— C'est rien qu'un changement d'huile.

Moralès, embêté par sa propre attitude, relâche la garde, se détend un peu.

— Je suis désolé. J'ai cru que vous étiez couché à plat ventre.

— C'est pas construit en fonction de l'ergonomie des mécaniciens, ces affaires-là. Si ça vous dérange pas, il faudrait que je referme un bouchon. J'aimerais ça que vous me tiriez pas dessus.

Moralès lui fait signe que ça ira et recule hors de la pièce pour le laisser terminer son ouvrage. Il tourne en rond dans le corridor, mal à l'aise et nauséeux, puis se demande pourquoi il reste là.

— Je vais vous attendre en haut.

— OK.

La voix de Bruce Roberts lui parvient à travers le bruit métallique des outils contre le moteur. L'enquêteur monte d'un étage, hésite, puis retourne carrément dans la timonerie. Il évite de s'approcher du bord et de regarder vers le sol. Décidément, l'inconfort le poursuit. Il s'assoit sur la banquette de bâbord qui longe la proue, dos à l'extérieur. Il fixe le plancher, attend, se concentre sur la conversation à venir.

Au bout de quelques minutes, le pas lourd de Bruce Roberts montant l'escalier se fait entendre. Le pêcheur apparaît dans le carré de l'escalier. Il s'arrête deux marches avant d'atteindre le palier, s'appuie les avant-bras sur la rambarde de bois. Une guenille entre les mains, il frotte le cambouis de ses doigts. Il n'est pas particulièrement content de voir l'enquêteur.

— Qu'est-ce que vous me voulez?

— Il y a une quinzaine d'années, vous avez été l'aide-pêcheur de Firmin Cyr, à bord de la *Fille du Midi*.

Bruce Roberts reçoit le sujet comme un coup de poing au visage, recule la tête, puis la ramène vers l'avant, mais ne répond pas. Ce n'était d'ailleurs pas une question.

— Avec Réginald Morin et Daniel Cotton.

Toujours pas d'assentiment à ces affirmations.

— Vous avez travaillé longtemps sur ce bateau?

— Plus ou moins deux ans.

— Vous ne vouliez pas embarquer avec votre père?

— Il engageait pas ses enfants. Il préférait des étrangers.

Moralès hoche la tête.

— Que s'est-il passé la journée où le crevettier a coulé?

Bruce Roberts est sur ses gardes à tel point que le sergent se demande s'il ne va pas lui dire de partir. Les lèvres serrées, les paupières plissées, il semble chercher une bouée, un point dans l'horizon. Puis, comme s'il trouvait une réponse, son regard revient vers Moralès.

— Vous avez rien qu'à lire le rapport d'enquête.

— Je l'ai lu.

— Qu'est-ce que vous faites ici, à me poser ces questions-là, d'abord ? Pourquoi vous brassez ça ? Ça vous suffit pas que ma sœur soit morte ?

Il s'interrompt, recule d'un pas, s'appuie, toujours debout sur l'avant-dernière marche de l'escalier, le dos contre l'autre bordure de bois. Il penche sa tête sur ses mains, recommence à les frotter, mais sans y prêter attention.

— Firmin était soûl. Qu'est-ce que vous voulez que je vous dise ? Il était tout le temps soûl. Il avait rempli les ballasts de tribord, il a oublié de les vider pis il a viré. Son système de stabilisateurs, c'était des paravanes. Vous avez dû en voir. C'est comme deux grandes échelles triangulaires, avec des ancres au bout, qu'on lève à la verticale quand on est au quai pis qu'on déploie en mer pour stabiliser le bateau. Il les avait pas baissées. Ça fait que, quand il a viré sur tribord, le poids des ballasts nous a fait gîter pis le poids des stabilisateurs nous a couchés. On n'était même pas loin. Cap-des-Rosiers. J'ai revolé à l'eau. J'ai perdu mes bottes, j'ai enlevé ma salopette pis j'ai nagé. Faisait frette en crisse. La vague m'a jeté sur la grève pis je suis entré en hypothermie juste avant que les secours arrivent.

« D'habitude, je me méfiais plus. Je le savais qu'il fallait *checker* Firmin. Il buvait trop. J'ai manqué mon coup. Réginald pis Dan étaient pas assez en forme pour nager. Plus tard, j'ai appris que la porte de la timonerie s'était fermée et barrée sur Firmin. Hostie de Firmin ! Il s'était fait poser une porte-patio sur son crevettier parce qu'il voulait tout voir : les bancs de poissons, la pêche pis les orages qui s'en viendraient. Pis il a viré par une journée de soleil, avec un vent d'est ! Des fois,

J'imagine sa porte-patio qui se ferme, la barrure de métal qui embarque pis qui l'embarre. Pis l'eau qui monte pis lui qui se voit mourir, avec sa bouteille de Jack Daniel's dans la main.

Le pêcheur lève des yeux sans méfiance, juste emplis de désarroi.

— C'est de l'hostie de misère humaine, tout ça. Les Cyr en voulaient à mon grand-père parce qu'il négociait sur rien au magasin des Hyman, mon père en voulait aux Cyr parce que Firmin m'engageait, les Cyr en voulaient à mon père parce qu'il pêchait dans leur zone, Clément m'en voulait parce qu'il disait que j'avais tué son père, mon père lui en voulait d'avoir marié Angel... Ça finit pus !

— Les Cyr pensent que vous avez tué Firmin ?

— À un moment donné, Fernand pis Clément m'ont sorti ça. J'avais vingt-quatre ans ! Faut être malade mental en tabarnak pour penser qu'un *kid* de vingt-quatre ans a envie de tuer son équipage pour une couple de crevettes !

Il penche une fois de plus la tête.

— Ils sont fous, les Cyr. Sauf Mme Gaétane, qui était une bonne professeure.

Il a cessé de se frotter les mains, les abandonnant à leurs imperfections.

— Regardez-moi aujourd'hui, à raconter encore cette histoire-là. Des fois, je me demande pourquoi je suis devenu pêcheur ! On est à la merci de tout le monde : du gouvernement qui décide, des acheteurs qui veulent pas payer, des Cyr qui sont enragés pour une poignée de crevettes, de mon père qui parle depuis quinze ans de sa crisse de morue, des secrets de mon frère qui braconne avec les bandits à Babin, de ma sœur qui s'est tuée. Regardez-moi : j'ai un diplôme en biologie marine, mais je suis endetté comme mes ancêtres, les mains dans la graisse, devant un enquêteur habillé ben propre qui me demande comment la vie m'a sali.

Il se tourne vers l'horizon.

— Je suis pogné jusqu'au cou, comme un damné de la mer.

Moralès descend prudemment l'escalier d'aluminium et reste un long moment debout près de sa voiture, à se dire que ça ressemble à un filet de misère. Il n'a pas osé lui demander, à Bruce Roberts, s'il était envieux de sa sœur qui mettait de la musique reggae à bord, ni s'il guettait son beau-frère, ce soir-là, au bar, ni s'il avait suivi Kimo jusque chez elle ou ailleurs. Le pêcheur était resté un instant en silence puis il lui avait tourné le dos et avait simplement disparu, avalé par la gorge de l'escalier. C'était bien ainsi. L'enquêteur en avait assez de cette discussion. De ce vertige, de cet enfermement.

Maintenant qu'il est à terre, il songe à Gaétane Cloutier. Alors qu'elle lui a raconté que Firmin était mort par accident et que jamais, au grand jamais, le père de son garçon n'avait éprouvé de frustration à partager sa zone de pêche, Bruce Roberts a quant à lui affirmé le contraire. Et deux fois plutôt qu'une.

Sébastien revient à l'auberge. Il est soulagé en remarquant que la voiture de son père n'y est pas. Il n'a pas envie de le croiser. Il est venu en Gaspésie pour l'affronter, mais tous les miroirs ne lui renvoient que sa propre image. Juste avant de rentrer dans la douche, il entend le téléphone de sa chambre qui sonne. C'est Kimo.

— Ma famille a un petit chalet sur le bord de la rivière. Si ça te tente, je pourrais te montrer à pêcher à la mouche en fin d'après-midi. La saison est terminée, mais on peut fermer l'hameçon et pratiquer le lancer.

Sans y penser, il acquiesce, heureux d'avoir quelque chose à faire, un projet en vue, une échappatoire à lui-même.

— Tu veux que j'apporte de quoi manger?

— Heu. Oui. D'accord.

En raccrochant, il hésite, puis compose le numéro de sa messagerie vocale. Même si son cellulaire ne fonctionne plus, celle-ci est restée active et deux messages sont entrés la veille. Il tape son code, écoute le premier.

« Salut. »

Maude fait une pause.

« Si tu veux être le père, c'est correct. »

Comme s'il recevait un coup de poing dans le ventre, Sébastien éloigne le téléphone de son oreille et plie en deux sous la douleur. Il n'écoute pas le reste du message. Il le supprime pour ne jamais le réentendre. Respire. Il se redresse en s'agrippant au lavabo de la salle de bain. La boîte de messagerie enchaîne avec le second message.

« Monsieur Sébastien, c'est Renaud Boissonneau qui fait un appel à l'aide ! »

Sa voix est dramatique, une octave plus aiguë que d'habitude, remplie de trémolos.

« J'm'en vas vous dire quoi ? On est en plein drame à cause de Cyrille Bernard ! »

Il est essoufflé, comme si sa gorge retenait des sanglots secs.

« Il est parti ! J'm'en vas vous dire : parti, parti ! En bateau ! J'm'en vas vous dire que son bateau est pus à quai pis que sa sœur est arrivée en disant qu'il était pus dans sa chambre, pis là, tout le monde se demande pourquoi il revient pas ! »

Renaud éclate.

« Monsieur Sébastien, faut dire à votre père de venir enquêter ! »

Sébastien efface le message et entre sous la douche.

Par la fenêtre de la salle à manger, Gaétane Cloutier voit l'enquêteur approcher avec son plat de plastique vide en main et elle se dit qu'elle aurait dû lui spécifier de le garder, que Moralès s'est trouvé une raison pour revenir glisser son pied dans l'entrebâillement de la porte et lui demander de préciser ceci ou cela, de raviver les taches décolorées sur le tissu de sa mémoire.

Elle ouvre la porte et esquisse un sourire de condamnée. Moralès hoche la tête, il sait qu'elle n'a pas tout dit. Elle le laisse entrer. C'est inutile de vouloir ralentir le mouvement de la marée.

— Je vous offre un café ?

— Pas aujourd'hui.

Elle en déduit que ça ira vite, fait trois pas dans la salle à manger, tire une chaise, s'assoit en l'invitant, d'un geste, à s'installer en face. Moralès prend place au bout de la table. Il ne veut pas la confronter, et lui donner l'impression qu'elle est en interrogatoire.

— Que voulez-vous savoir ?

Il choisit ses mots.

— Hier, j'ai cru comprendre que l'arrivée du crevettier de Leeroy Roberts dans la zone de pêche de votre ex-conjoint, Firmin Cyr, ne vous avait pas importunés, votre mari et vous.

Elle soupire.

— Vous êtes allé discuter avec Bruce.

— Et avec son père.

Elle prend une grande inspiration, comme si elle cherchait par où commencer les aveux.

— Après que son bateau a passé au feu, Leeroy ne voulait plus que ses enfants deviennent pêcheurs. Firmin a quand même pris Bruce à bord pour le reste de la saison. C'était peut-être, c'est vrai, pour narguer Leeroy. Après, l'hiver est arrivé et Bruce est retourné à l'université. C'est au printemps qu'on a appris qu'il y aurait un moratoire et que Leeroy est arrivé avec son crevettier.

« Je crois que Leeroy pensait, quand il était jeune, que la pêche, c'était le plus beau métier du monde et qu'il a été déçu. Le moratoire l'a jeté en dépression. Financièrement, il s'est repris dans la crevette, mais juste en attendant que la morue revienne. Il l'attend encore, sa morue, et il va mourir avec ses permis.

— Bruce a travaillé longtemps pour votre mari ?

Elle observe l'enquêteur, pensive.

— Deux ans. La première fois, c'était parce que le bateau de son père avait passé au feu. L'année d'après, il est revenu de la ville en disant qu'il voulait devenir pêcheur. Leeroy était enragé. Bruce est remonté à bord de *La Fille du Midi* parce que son père ne voulait pas de lui, mais ça lui crevait le cœur.

— Et votre fils Clément, qu'est-ce qu'il pensait de voir Bruce sur le bateau de son père?

— Il disait que Bruce était un espion et qu'il irait raconter les meilleurs *spots* de pêche à son père. Bruce avait quoi? Vingt-trois ou vingt-quatre ans. Clément en avait vingt. C'est des âges où les gars jouent à celui qui sera le plus coq. Quand Firmin essayait de le faire taire, Clément répliquait que son père prenait pour le voleur de crevettes. Mon Firmin l'aimait, Bruce. Il le trouvait malchanceux: son père en voulait pas et Clément en disait du mal.

— Et quand l'accident est arrivé…

Elle hoche la tête, la voix lourde, emplie de ce qui coince, de ces mots durs que son fils a prononcés à l'endroit du jeune Roberts qu'elle aimait bien, elle aussi.

— Clément était pas à bord ce jour-là. Il avait un examen à l'Institut maritime. Il a exagéré, comme un jeune qui contrôle pas sa douleur.

— Il a dit à Bruce qu'il avait tué son père pour une poignée de crevettes, c'est ça?

Elle lève les yeux.

— C'est Bruce qui vous a dit ça: «une poignée» de crevettes?

Elle pince les lèvres et son visage prend l'expression d'une institutrice en désaccord avec le choix de mot d'un élève.

— On parle quand même, pour l'époque, d'un quota de cent mille livres! Les pêcheurs allaient en mer avec des fusils à bord, vous savez. C'était pas pour protéger deux couronnes de crevettes surgelées! Ces bateaux-là, ce sont pas des barques de pauvres, monsieur Moralès, mais des commerces. La pêche, c'est une industrie.

Elle laisse filer un silence.

— Je dis pas ça pour accuser Bruce. Peu importe le nombre de crevettes, c'est pas lui qui a tué Firmin.

— Qui, alors?

Elle esquisse un pauvre sourire. Il faut dévoiler son homme, une fois de plus. Elle l'aime bien, Fernand, elle s'est habituée à lui et elle ne s'en séparerait pas. Mais il n'a pas la joie chantante, l'éclat spectaculaire qu'avait l'homme qu'elle a aimé et qui lui a donné un fils.

— C'est exactement ce que je vous disais hier: vous cherchez des coupables.

Sa voix tremble.

— Vous allez dire que Firmin avait trop bu pour prendre la mer. Réginald Morin était à bord et il est mort. Allez voir son frère, si vous voulez. Il va se fâcher si vous lui dites que c'est de la faute à Firmin. Ça se passe pas comme ça, avec les marins d'ici. Réginald, Daniel et Bruce, ils le savaient que Firmin buvait, mais ils sont embarqués quand même, ce matin-là.

Elle prend une inspiration pénible, qui lui déchire l'intérieur.

— Il était comme ça, mon Firmin: fêtard, drôle, rassembleur. Tout le monde était bienvenu à son bord et il donnait du poisson aux touristes. Une fois, il avait appris que le frère de Dan Cotton avait pas assez d'argent pour s'acheter un frigo. Savez-vous ce qu'il a fait? Il lui a fait livrer un frigo neuf! Il était généreux de sa fête, de son cœur. Et il est mort embarré dans son ivresse, en regardant la mer monter dans son bateau.

Gaétane Cloutier relève la tête et fixe Moralès avec sévérité.

— Quand vous êtes arrivé ici, tantôt, je me suis dit que vous aviez ouvert le dossier d'enquête et que vous veniez pour me faire dire que c'était pas un simple accident, pour me forcer à l'accuser, à dire que mon Firmin était un criminel parce qu'il a conduit en état d'ébriété, qu'il a tué Réginald Morin et Daniel Cotton. Vous devez vous demander pourquoi je vous ai pas tout dit ça hier.

Moralès s'était posé la question.

— Pourquoi je vous l'aurais dit? Pour que vous le jugiez, vous qui l'avez même pas connu? Et vous allez faire quoi, de cette précieuse information? Vous allez jouer dans des rapports qui sentent la tristesse, la condamnation, le jauni. Et après? Vous allez déterrer ses restes et les mettre en prison? Pour combien de temps? Laissez-le donc dormir en paix!

Au cours de la dernière phrase, une porte d'entrée a claqué derrière Moralès. Un homme, presque aussi grand que Clément Cyr, mais plus vieux et affligé d'un problème de genoux qui le force à boiter un peu, s'avance dans la pièce.

Il regarde sa femme, puis Joaquin.

— C'est vous, l'enquêteur?

Moralès hoche la tête.

— Sortez de notre maison, monsieur. Laissez-nous tranquilles. On a assez souffert comme ça. On n'a jamais compris pourquoi Clément avait marié cette petite-là, mais on a appris à l'aimer, malgré son père. Sa mort nous fait ben de la peine, on n'a rien de plus à dire là-dessus.

Moralès hésite. Il aurait bien une question ou deux à poser à Fernand Cyr, mais ce dernier lui jette un œil, puis regarde derrière lui, du côté de la porte, et l'enquêteur comprend que la discussion est terminée.

Il n'a pas informé son père du départ de Cyrille Bernard. Il a oublié, mais ça n'y changerait rien. Mécaniquement, il est allé acheter du vin et de la nourriture. Trop de vin et trop de nourriture, d'ailleurs; il a rempli son panier comme s'il partait pour une semaine. C'est peut-être ça qu'il voudrait: décamper de lui-même.

Il arrive chez Kimo. Le coffre de sa voiture est ouvert, des affaires de pêche y sont entassées. Il y dépose ses sacs, puis retourne prendre son manteau dans son auto. Kimo sort de la maison à ce moment, le salue et avance vers le coffre ouvert. Elle regarde les sacs, cherche un espace où ranger ses bottes, finit par les déposer au pied de la banquette arrière.

— Ça va ?

— Et toi ? Prêt pour la grande aventure ?

Il déglutit, mal à l'aise. Pour la première fois, il remarque que le sourire de la jeune femme est distant. Il se demande ce qu'elle lui trouve et pourquoi elle l'invite à son chalet. Il n'ose pas formuler ses questions. Lui-même part avec elle sans réponses parce qu'il n'a pas envie de rentrer à l'auberge.

Comme s'il s'agissait d'un pèlerinage, Joaquin Moralès se rend, en sortant de la maison de Gaétane Cloutier, au quai de Grande-Grave. Le bateau d'Angel Roberts est monté sur un ber de métal. Dans un coin du stationnement, le homardier orphelin fait face à cette baie de Gaspé au cœur de laquelle il a perdu sa jeune capitaine. Leeroy Roberts a dû ordonner sa sortie de l'eau par crainte que les braconniers continuent leur travail de sape.

Moralès tourne en rond, vire de bord, hésite en sortant du parc, puis se dirige du côté du cimetière de Gaspé. C'est là que les cendres d'Angel Roberts ont été mises en terre.

Il songe à Marlène Forest, qui s'attend à ce que son beau-frère finisse ses jours en prison. Il a étudié, comme elle le lui a demandé, la piste de l'héritage. C'est vrai que Leeroy Roberts reprend *L'Échoueuse II* et que les frères Roberts hériteront un jour du père, mais rien n'indique que ces hommes, seuls ou en équipe, aient pu attenter à la vie de la fille de la famille. C'est vrai aussi qu'il y a de vieilles chicanes entre ces hommes et les Cyr, mais rien qui puisse, aux yeux de l'enquêteur, justifier le meurtre de la pêcheuse.

Et même si l'un d'eux avait décidé de se débarrasser d'Angel Roberts, le mystère de la procédure demeure entier. La jeune

334

capitaine a été jetée à l'eau, sans marques de violence, à dix-sept kilomètres de la côte, après trois heures du matin. En admettant qu'elle ait été suffisamment droguée pour avoir dormi pendant que le ou les meurtriers l'attachaient et l'abandonnaient à la mer sans laisser d'empreintes, comment ces derniers auraient-ils fait pour revenir à terre ?

Il stationne sa voiture dans la rue, en sort et se dirige vers l'entrée du cimetière. Il espère trouver l'emplacement grâce aux fleurs fraîches que la famille a dû déposer sur le monument. Il entre sur le terrain gazonné, aperçoit un homme qui marche lourdement en sa direction. Le géant triste. Moralès le salue, Cyr se contente d'un hochement de tête.

— Vous trouvez pas l'assassin, hein ?

Moralès se racle la gorge, gêné par la conclusion de son enquête.

— Je ne crois pas que ce soit un assassinat.

Le géant essaie de conserver des images qui se décolorent et ne reviendront plus. Il se souvient des jours heureux, du camping. Elle allait se baigner à la petite rivière. Elle sortait de l'eau avec son maillot rouge, ses pieds s'enfonçaient dans le sable. Elle riait en marchant. Les gouttes ruisselaient sur son corps. Le soir, elle s'assoyait près du feu et il voyait son visage éclairé par la lueur des flammes. Tous les gestes qu'elle faisait étaient une grâce, une bénédiction. Son rire était un chapelet de perles dans sa gorge.

Il secoue la tête.

— Angel s'est pas suicidée. C'était une femme trop heureuse pour ça.

Il la voit arriver en courant, lumineuse sur cette triste pelouse d'automne, puis perdre son sourire, s'estomper, s'effacer, disparaître.

— Elle vous manque.

— C'est vertigineux.

Pour les pêcheurs, la richesse, c'est la mer. Les filets pleins, les cages lourdes, les reflets du soleil sur l'eau. Pour Clément

Cyr, la mer était belle parce que, quand il levait la tête, parfois, il voyait le bateau de sa femme dans l'horizon.

— J'arrive de chez votre mère.

— Ah, oui ?

Il y a un accent d'inquiétude dans la question.

— Tout va bien, j'avais juste quelques questions à lui poser sur la mort de votre père. Vous comprenez : deux personnes qui meurent de noyade dans la même famille, ça m'a intrigué.

— Vous auriez dû m'en parler, j'aurais pu répondre à vos questions. C'est un bête accident, les ballasts de tribord se sont pas vidés et le bateau a chaviré quand mon père a viré. L'enquête a conclu que c'était pas de la faute à Bruce Roberts, même si c'est le seul à s'en être tiré.

Ce n'est pas la première fois que Moralès voit des gens nier l'évidence et, visiblement, Clément Cyr vit difficilement son deuil. Comme si quelqu'un l'attendait, l'homme salue vaguement Moralès, pressé de partir, de fuir le cimetière où il vient d'enterrer sa femme.

L'enquêteur avance de trois pas, puis s'arrête. Se peut-il que Bruce Roberts soit resté à l'auberge, ce soir-là, pour s'assurer que Clément ne rentre pas chez lui trop rapidement pendant que quelqu'un d'autre s'occupait de tuer Angel ? *L'Échoueuse II* était remplie d'empreintes de Jimmy Roberts et des frères Babin, mais puisque Jean-Paul Babin travaillait pour Angel et que les deux autres braconnaient avec le homardier, ce n'est pas anormal. Et comment seraient-ils revenus à terre ? Si les hommes avaient disposé d'une embarcation, se dit Moralès, ils n'auraient pas eu besoin du homardier pour braconner. Il reprend sa marche dans l'allée centrale.

— Bonjour, monsieur Moralès ! Faites pas le saut, on s'est déjà vus dans le bout de Caplan. Langevin et frères. On a des succursales dans toute la Gaspésie.

C'est le thanatologue. Moralès le salue.

— Vous venez visiter Angel Roberts ? Faites attention de pas vous salir les pieds ! Notre columbarium de Gaspé est en construction. Ça va être pas mal plus pratique pour ceux qui veulent voir leur monde sans se salir les pieds. Je l'avais dit à Clément Cyr qu'on pouvait prendre les cendres en dépôt jusqu'à ce que le columbarium soit terminé et les mettre dedans après. Il a pas voulu. Mais bon. Il est quand même venu faire sa tournée.

Debout, les pieds dans la terre fraîchement remuée, il trie les fleurs sur un monument qui, Moralès le lit, est bel et bien celui d'Angel Roberts.

— Sa tournée?

— Oui, il est venu voir la tombe de sa femme et celle de son père, là-bas. En ce qui concerne sa femme, c'est plutôt une urne, mais vous comprenez que je parle de l'emplacement.

Il finit d'arranger les bouquets, fait remarquer qu'elle en a eu beaucoup.

— Celui-là, en forme de bateau, il est original. C'est une spécialité de notre fleuriste qui fait des bouquets sur commande. Si jamais vous avez envie d'envoyer des arrangements à une femme, appelez-moi et je vous donnerai ses coordonnées.

L'enquêteur regarde la pierre tombale, comme si elle pouvait lui livrer autre chose que des dates : 1975-2007.

— Pareil, on aime mieux quand c'est des vieux qui meurent. Les jeunes, ça nous arrache le cœur. Je sais pas trop pourquoi, d'ailleurs, parce qu'on les connaît moins que les vieux, au fond.

Le granit est empli de silence.

— En même temps, les vieux ont des bizarres d'idées. Vous savez que le pêcheur Cyrille Bernard, de Caplan, est allé mourir en mer?

Le souffle manque soudain à Moralès.

— Pardon?

Joaquin a reculé de deux pas.

— Je vous comprends : moi aussi, j'étais fâché! C'est pas bon pour les affaires ni pour les proches, ce genre d'attitude! Il est allé en mer, il s'est jeté à l'eau et il s'est arrangé pour que la marée ramène juste son bateau. C'est fou, quand même! À vrai dire, je le sais pas si c'est la marée. Mais il paraît que son bateau était revenu à quai ce matin. J'imagine que c'est la mer qui l'a retourné. Le corps, lui, non. Pourtant, M. Bernard avait un lot dans le cimetière juste à côté de sa maison et j'ai vérifié : il reste de la place. C'est étrange comment les gens choisissent de mourir. M'étonnerait qu'il revienne, lui. Quand les pêcheurs décident de se suicider, ils savent très bien où aller pour que leur corps ne revienne pas.

Il sort enfin les pieds du carré de terre. Il s'essuie les mains sur un mouchoir de poche, puis fouille dans sa veste.

— Je vous donne deux cartes d'affaires. Vous êtes sergent de police, on ne sait jamais. N'hésitez pas à en donner une ou même les deux, si l'occasion se présente. J'irai en laisser d'autres au poste, en cas de besoin.

Machinalement, Joaquin est sorti du cimetière. Il a conduit jusqu'à l'épicerie et a erré dans les rangées. Il y a cherché des produits qui n'y étaient pas. Il a tourné en rond, est passé à la poissonnerie, est rentré à l'auberge. Il a déposé ses sacs dans la cuisine et est monté à sa chambre. Au passage, son regard a accroché l'origami d'oiseau marin dont il ignore le nom, ce papier plié que Simone Lord a abandonné sur la table de la cuisinette, qui s'est retrouvé par terre et qu'il a ramassé sans arriver à s'en débarrasser. Il a pris des analgésiques, puis est redescendu à la cuisine. Il a allumé les plafonniers, les a éteints, a opté pour de petites lampes, des lumières tamisées.

Il n'a pas regardé la mer.

Cyrille est mort. L'océan en fera du corail, des bijoux que les fiancées porteront à leurs noces, qui les transformeront en épouses.

Il sort ses achats des sacs d'épicerie. Il prend une tasse à mesurer, ouvre le sac de farine, tamise deux tasses en monticule sur le plan de travail. Le vent doit être du nord, il entend la vague qui fracasse l'enrochement derrière l'auberge. Non. Ça ne peut pas être ça. C'est le moteur du réfrigérateur. Il entend la mer partout. Il ajoute de l'huile, du sel. Il commence à malaxer le mélange, avec ses mains, ajoute de l'eau, peu à peu, à la farine qui devient pâte.

— Salut.

Derrière lui, la voix de Simone Lord. Il se tourne en l'entendant. Elle est encore dans l'entrée. Apparemment, elle arrive d'un bateau. Elle se penche et retire ses bottes. Moralès voit alors ses bas glisser sur ses pieds et la courbure des talons apparaît, délicate et bouleversante. Simone se redresse, avance vers la salle à manger.

— J'ai fait les calculs que vous m'avez demandés, pour la dérive du bateau d'Angel. À partir de son port d'attache, il faut manœuvrer le homardier sur une distance d'à peu près cent cinquante mètres pour le sortir de la passe.

Dans un geste de repos du guerrier, elle détache ses cheveux, les secoue pour se libérer de la tension de les avoir maintenus serrés toute la journée. La chevelure se répand et vient se poser, en désordre, sur ses épaules.

— Cette nuit-là, la pleine mer était autour de minuit. Comme la mort d'Angel a eu lieu au matin, la marée était descendante. Si le moteur était éteint, ç'a pu prendre deux heures avant que le bateau arrive là où on a repêché le corps. Étant donné que l'heure de la mort est située après quatre heures, il faudrait que l'assassin soit allé à Grande-Grave autour de deux heures du matin.

Elle tente maladroitement de défriper ses vêtements. Elle s'arrête au coin du comptoir de cuisine, mal à l'aise. Sa voix se fait plus basse. Pas un murmure, mais presque.

— Ce matin, la garde côtière a ramené le homardier d'un pêcheur de Caplan qui, selon toute probabilité, est allé mourir au large.

Joaquin va vers le bar, choisit une bouteille de vin, des verres et les rapporte vers la salle à manger. Son corps lui fait mal. Une douleur aux côtes, une raideur dans l'épaule, la tête lourde. Peut-être parce qu'il s'est fait battre.

— Cyrille Bernard. Il y a quelqu'un, au poste de police de Bonaventure, qui nous a dit que c'était un ami à vous.

Il y avait un clair de lune splendide, la nuit dernière, de quoi tracer un sentier au vieil homme. Moralès a mal dans un espace qui n'a rien de physique et que la mort du pêcheur a atteint plus efficacement que tous les coups portés l'autre nuit.

— Je suis désolée, enquêteur Moralès.

Il se détourne d'elle, avance vers le comptoir de cuisine, pose un linge humide sur la boule de pâte, prend un bol, approche les tomates, la mangue, le basilic et un couteau.

— Je vous offre mes condoléances pour votre ami.

Il entame le découpage des fruits. La voix de Simone s'est éteinte derrière lui. Joaquin dépose les morceaux de tomate et de mangue dans le bol, déchire le basilic.

— Je vais vous laisser tranquille…

Il met le basilic, les épices, le citron et l'huile dans le bol, pousse la salsa au fond du comptoir, nettoie le plan de travail. Simone, appuyée dos à un buffet de cuisine, ne bouge pas. Il se tourne, la regarde sans la voir, trouve ce qu'il cherchait, avance vers elle. Elle déglutit. Il tend la main, prend un rouleau à pâte sur une étagère derrière elle, revient vers le comptoir, le pose près de la pâte. Simone se redresse, s'apprête à partir lorsqu'il se met à parler. Doucement. Elle ne sait même pas si c'est à elle qu'il s'adresse.

— Quand j'étais jeune, j'allais à Puerto Morelos pendant les vacances scolaires. Mes parents travaillaient, alors je passais l'été chez mes grands-parents, qui tenaient un restaurant en bord de mer.

Simone n'ose plus ni rester ni partir. Il prend un paquet, déplie le papier ciré, pose les poissons qu'il contient sur le comptoir.

— C'était pas un restaurant. Il n'y avait pas d'affiche ni de tables ni de menu. Mais ma grand-mère y faisait à manger.

Il saisit un couteau effilé, tranche les filets, les pose dans une assiette, près du poêle, nettoie le comptoir.

— Ç'avait été une idée de mon grand-père. Il était pêcheur et, comme il avait peur de mourir en mer et de laisser ma grand-mère dans l'indigence, il lui avait organisé un petit commerce pour qu'elle soit capable d'être autonome. C'était pas une femme à refuser une telle offre.

Il se retourne face à l'espace de travail qu'il a enfariné plus tôt, allume la plaque chauffante, retire la serviette humide de la boule de pâte qu'il pétrit un moment avant d'en détacher une partie.

— Ils avaient une maison près de la plage, en face du quai. Dans un mur, mon grand-père avait construit un four qu'on pouvait chauffer de l'intérieur comme de l'extérieur. Il était surmonté d'une grande plaque à cuisson et, juste à côté, il y avait une fenêtre avec un rebord en céramique, qui servait de passe-plat.

Moralès façonne une rondelle de pâte, avec le rouleau.

— Mon grand-père allait à la pêche tous les jours. Ils étaient quatre à bord du bateau. Ma grand-mère et moi, on le regardait entrer dans l'horizon.

Il dépose la rondelle de pâte sur la plaque chauffante, entreprend d'en aplanir une autre. La pâte se gonfle sous l'effet de la chaleur comme si elle respirait.

— En milieu de journée, elle allumait le feu depuis l'intérieur, et les enfants du coin venaient y ajouter du bois. Elle leur offrait des petites galettes sucrées en échange. L'été, c'était moi qui étais responsable du feu, avec mes amis.

Il tourne la pâte sur la plaque. Elle est dorée.

— On ramassait du bois de mer sur la plage, on le mettait à sécher au soleil. Sur le bord de la rivière, il y avait le bois humide ; sous le palmier, le bois plus sec et, près de la maison, le bois prêt à brûler. Quand on voyait la braise diminuer, on allait chercher le bois prêt à brûler et on le mettait au feu.

Il retire la première pâte du feu, la pose dans une assiette à réchaud, met la suivante sur la plaque, en aplanit une troisième. Il prend une poêle, la place sur un rond, allume le feu.

— Ma grand-mère gardait toujours la plaque à cuisson propre. Quand mon grand-père réapparaissait sur la grève, il prenait un coquillage et soufflait dedans, comme dans une corne de brume. Ça voulait dire qu'il y avait du poisson frais. Il s'installait sur l'établi du marché. Avec ses hommes, il préparait le poisson et le vendait. Il en préparait pour ma grand-mère, qu'il me donnait dans un papier journal. Je le rapportais chez elle.

Il pose un filet dans la poêle, ôte la deuxième pâte et continue son manège.

— Je me mettais sur mon coin de plaque et je faisais cuire les tortillas. Elle, sur son côté, elle faisait cuire le poisson. Elle disait qu'on devait faire ça ensemble. Je pensais qu'elle voulait dire qu'il fallait cuire les tortillas et le poisson et les épices en même temps, mais c'était pas ça. Elle voulait dire : le faire à deux. Elle et moi.

Ou lui et son fils. Il alterne la cuisson des filets de poisson et celle des pâtes, comme ils l'ont fait hier.

— C'étaient pas des tortillas comme celles-là. Ma grand-mère utilisait de la farine de maïs qu'elle pétrissait sur un grand comptoir de bois que mon grand-père lui avait posé. Elle faisait aussi du pain, qu'elle cuisait d'un côté du four. Elle devait le tourner trois fois pour éviter qu'il brûle et pour qu'il cuise également.

Joaquin termine la cuisson des filets, ouvre une bouteille de vin, verse deux verres, en pose un près de Simone, sans la regarder, glisse une autre pâte sur la plaque. Simone observe les tortillas de blé qui respirent sur le feu, que Joaquin Moralès empile sur le réchaud. Ça sent la farine chaude.

— Quand mes tortillas étaient prêtes, je devais les pousser de son côté du four. Avec une pince, elle mettait la chair chaude du poisson dessus. Quand les gens entendaient la corne de brume, certains descendaient au marché, d'autres venaient directement chez ma grand-mère et faisaient la queue. Elle posait les tortillas sur une feuille de papier journal, contre la céramique de la fenêtre ouverte. Les gens mettaient de l'argent dans un pot et partaient avec leur repas du soir.

Il a terminé la cuisson des tortillas, qu'il a empilées dans une assiette.

— Ma grand-mère avait un banc de bois que son père à elle lui avait fabriqué. Il disait que ce serait plus confortable qu'être debout, pour cuisiner, mais elle ne l'utilisait que rarement. Elle était toujours debout pour préparer la pâte et pour la cuisson du poisson. Mais c'était son banc à elle et on le savait. Quand ma mère allait m'y conduire, elle me le rappelait toujours. Parfois, quand nous étions seuls, ma grand-mère me le montrait du menton et disait « *sientate* », assieds-toi.

Moralès nettoie méthodiquement, avec une lame plate, la surface enfarinée.

— J'allais m'asseoir sur le banc de bois. J'osais à peine respirer. J'avais le sentiment d'être assis sur quelque chose de fragile et de mystérieux. J'y restais pas longtemps parce que, à huit ou douze ans, c'est le genre de fragilité qu'on côtoie mal, mais aussi parce que tout le reste m'appelait : la pêche près de la rivière, la course aux lézards, la baignade, le ramassage de bois de mer.

Il regarde les tortillas sans les voir.

— Quand ma grand-mère est morte, ma mère a vendu tout ce qui lui appartenait parce qu'elle n'avait besoin de rien. Mais elle a gardé le banc. Elle l'a gardé sur ses genoux tout le temps du retour à la maison, chez nous, en voiture. Elle pleurait.

Il prend les plats, les apporte sur une table près de la fenêtre. Puis il fait de même avec les couverts. Par la fenêtre, il voit la mer.

— Un jour, Cyrille Bernard m'a dit que le passé était fait de souvenirs séchés et durcis posés sur le comptoir de la cuisine. Il a dit que ces instants-là, dilués dans l'eau salée des chagrins, revenaient parfois à la surface de la mémoire et qu'ils écorchaient tout, à mesure qu'ils remontaient. Depuis que je suis en Gaspésie, c'est pas juste l'eau des chagrins, mais celle de la mer que je bois malgré moi. Elle fait tout remonter à la surface.

Il retourne à la cuisine, regarde Simone Lord, observe les fines pattes d'oie au coin de ses yeux, des rides douces qui allongent son regard de tout ce qu'elle a vu, qui l'encombre sûrement, mais la rendent belle.

— Il me reste quoi de mes parents ? Un banc de bois ? Un accent écorché ? Qu'est-ce qu'on lègue à nos enfants ? Des mots qui font mal, des gestes maladroits ? Un désir d'être englouti par l'horizon ? Une façon de découper le poisson et de cuire les tortillas ?

Décontenancée, Simone attrape le verre de vin, en boit la moitié d'un coup, s'étouffe un peu, se tourne à demi. Au moment où elle penche la tête pour tousser discrètement, Joaquin la voit, si proche que c'en est insoutenable, cette vertèbre mystérieuse à la base de sa nuque. Se peut-il qu'autant d'images de la beauté, qui s'était fragmentée au cours des dernières semaines, se condensent chez cette femme-là ? Il déglutit, jette un œil sur le comptoir où il vient de préparer seul le même repas qu'hier il a préparé avec Sébastien ; le même repas qu'il a, jadis, préparé au Mexique. Se peut-il que notre histoire, à l'instar de la beauté, soit sans cesse un amas de fragments qui s'égrène et se reconstitue ? Visiblement mal à l'aise, Simone tente de se ressaisir en avalant une petite gorgée de vin.

— C'est Érik Lefebvre qui m'envoie. Il a dit que vous vouliez parler avec quelqu'un de la garde côtière qui avait participé au sauvetage de Bruce Roberts quand le crevettier de Firmin Cyr avait coulé. J'y étais.

Il plonge dans ses yeux verts et lui fait signe.

— Viens manger pendant que c'est chaud.

Vendredi 5 octobre

Hier soir, Jacques Forest a appelé à l'auberge pour lui rappeler qu'ils avaient prévu aller à la pêche ensemble, avec Sébastien, à bord du bateau d'Annie Arsenault. Forest a dit qu'il s'occupait du lunch et de l'équipement. Fallait juste s'habiller chaudement. Moralès n'a pas eu le cœur de décliner l'invitation, même s'il se sentait peu d'entrain pour cette sortie en mer.

Hier soir, il a parlé beaucoup. Ce n'était pas pour Simone qu'il parlait, mais elle était là. Il boit une gorgée de café. Il ment. C'est à elle qu'il s'adressait. Si elle n'avait pas été là, il n'aurait pas parlé seul à voix haute. Il ne se souvient pas d'avoir autant parlé à quelqu'un. Sauf à Cyrille Bernard, au cours des derniers mois.

Sébastien n'est pas rentré dormir à l'auberge. Son cellulaire étant noyé, Joaquin ignore si son fils se souvient de l'invitation. À cinq heures, il monte dans sa voiture. Il a laissé une note manuscrite à Sébastien. Il espère que ce dernier l'attendra au quai. Mais non. Il stationne la voiture, déçu et froissé.

Jacques Forest et Annie Arsenault sont déjà sur le petit bateau de pêche et lui font de grands signes de la main. L'enquêteur s'attendait à arriver devant une chaloupe, mais c'est une embarcation plus adaptée à la mer, profonde, en aluminium et dotée d'un puissant moteur, que la jeune femme possède.

— Je vous ai apporté un imperméable, j'ai pensé que vous en aviez peut-être pas, à l'auberge.

Moralès enfile avec reconnaissance le vêtement que Jacques Forest lui tend.

— Vous avez des nouvelles de mon gars ? Il n'est pas rentré coucher.

Forest secoue négativement la tête.

— J'ai essayé de l'appeler hier soir, mais il a pas répondu.

— Son cellulaire est mort.

Annie Arsenault intervient. Pour elle, la pêche, c'est du sérieux.

— Je ne veux pas gâcher votre pêche père-fils, mais on pourra pas l'attendre parce qu'on s'en va à L'Anse-aux-Amérindiens. Il est cinq heures trente, on va arriver là environ une demi-heure avant la pleine mer. On va avoir un demi-nœud dans le derrière de zéro à trois heures après la pleine mer. Vers neuf heures et demie, va falloir remballer en vitesse parce que deux heures et demie avant la basse mer, ça va être la fronde.

Forest acquiesce. Joaquin n'a presque rien compris, sinon qu'ils ne peuvent attendre Sébastien qui, de toute façon, ne donne pas signe de vie. Il hoche la tête. Jacques largue les amarres et Annie s'éloigne du ponton. Moralès trouve l'engin étrangement silencieux, puis comprend que le bateau est équipé d'un moteur électrique.

Le soleil se lève à peine sur la pointe Forillon. L'air est froid, rafraîchissant. Personne ne parle pendant un moment, comme si la mer imposait son silence. Un goéland crie en les voyant passer. Les autres ne se retournent pas. Ça ne les concerne pas. Des cormorans volent à basse altitude.

Joaquin voit défiler, du côté nord, la route qu'il a empruntée tant de fois dans les derniers jours. Le village de Cap-aux-Os se dessine et il repense à celui de Caplan qu'il habite maintenant, à Cyrille qui est parti en mer. Hier soir, il a découvert que le vieux pêcheur lui avait laissé un message téléphonique, le soir où Moralès cuisinait avec son fils. Il disait que les grosses mers formaient les meilleurs équipages. Assis sur son lit, Joaquin a entendu la voix de son ami et il a pleuré des sanglots d'enfant. Il a sauvegardé le message non seulement parce qu'il a été incapable de l'écouter jusqu'au bout, mais aussi parce qu'il sentait que, s'il effaçait la voix de Cyrille Bernard, la Gaspésie se viderait de sa saveur salée. Le froid lui picote les yeux et il doit cligner des paupières pour retenir ses larmes devant l'anse de Petit-Gaspé.

Annie Arsenault a rejoint le bord du parc Forillon. Le bateau longe la falaise et Moralès se rappelle cette nuit, il n'y a pas si longtemps, où il a marché là-haut, entendu la voix de Simone sur l'onde, s'est fait battre. En cale sèche, *L'Échoueuse II* garde son secret.

Il se détourne de cette côte. Son regard survole l'horizon, du côté où ils ont récupéré Angel, puis atterrit sur la plage de Haldimand. Le tourisme a vidé l'endroit à la fin de l'été; la petite boutique et les restaurants hispano-québécois sont placardés pour l'hiver. Moralès pense à tous ces lieux de festivités et d'euphorie qu'il a vus s'entacher de sang. Diront-ils, sur cette plage, l'été prochain, que c'est là, juste à l'est, tu vois, là où le soleil t'aveugle, qu'ils ont repêché le corps d'une jeune femme pas plus tard que l'automne dernier ?

La plage sera remplie de parasols colorés, de chaises pliantes, de couvertures fripées, d'enfants hilares, d'adolescents brûlés par le soleil, de garçons cherchant des crabes, de fillettes construisant des châteaux de sable imprenables dont la mer se saisira en quelques vagues insouciantes. Des ribambelles de jeunes attaqueront l'onde froide en poussant des hurlements de joie grelottante. Dans ces odeurs de crèmes solaires à la lavande et au coco, les adultes, détendus par leur foi en l'été, jetteront un œil de ce côté et diront qu'un serveur, oui, au resto, hier, leur a raconté que la femme portait une robe de mariée.

— C'est le meilleur coin pour pêcher.

Annie chuchote. Le bateau est immobile, Moralès ne s'est aperçu de rien. Ni qu'elle avait éteint le moteur, ni que Forest lui tendait une canne à pêche. Il la prend rapidement, gêné de s'être absenté en pensée, mais l'aide-pêcheur lui adresse une sorte de clin d'œil, comme s'il avait lui-même suivi le fil des réflexions de son invité.

— C'est L'Anse-aux-Amérindiens.

— J'aime ça, ici. C'est un coin ben stable.

Ils sont étonnamment proches de la côte. La grève est presque à leur portée.

— On est sur un bassin assez profond. La côte nous protège. Pour l'instant, y a rien qui bouge. Même pas besoin de mettre l'ancre.

Elle regarde sa montre.

— On en a pour une demi-heure.

Joaquin lance, mouline sans presse. L'embarcation les berce délicatement. Il songe soudain qu'il est dans la zone de pêche d'Angel Roberts, à l'heure même où, des années durant, elle relevait ses casiers avec Jacques Forest, en sortait le homard, y déposait la boëtte et les retournait au fond. Il fait froid, mais le lieu est habité par une sorte de paix enveloppante. Est-ce que c'est ça qu'Angel est venue chercher en mer ? Il rembobine, lance de nouveau.

— Tout a été difficile, le premier été. T'en souviens-tu, Annie ? T'étais enceinte jusqu'aux oreilles, à ce moment-là.

La voix de Forest, en écho au lieu, s'élève en chuchotement grave dans le bateau.

— Oui, monsieur !

— À un moment donné, c'était au début de juillet, la météo avait annoncé une tempête.

Ils moulinent et lancent tous les trois, dans une cadence calme, adaptée au lieu, comme s'il s'agissait d'une étrange commémoration.

— Le gars qui occupait la zone, avec nous autres, est pas venu lever ses casiers, ce matin-là. Il nous a laissés faire notre pêche, sans rien dire. Ça fait qu'on passe, on lève les casiers, on ramasse les homards, on redescend les casiers pis on repart. On trouve ça bizarre, parce que le gars attend la noirceur avant d'aller lever ses trappes. Sais-tu pourquoi il a fait ça ? Parce

348

que, vers quatre heures du matin, le lendemain, y a un orage qui est arrivé. Des rafales jusqu'à soixante-dix nœuds ! La mer était tellement mauvaise qu'on n'a pas pu sortir pendant deux jours ! On est venus voir les casiers, depuis la berge : tout était brisé ! On a compris pourquoi l'autre pêcheur était allé de nuit : lui, y a sorti ses casiers et y est allé les descendre à un kilomètre et demi du bord. Il savait que s'il les laissait ici, la vague était pour tout casser. S'il était venu à la pêche le matin, à la même heure que d'habitude, on l'aurait vu pis on aurait suivi son exemple. Ben non ! Il s'est caché pour laisser Angel briser ses casiers toute seule ! T'imagines ?

À mesure que l'heure avance, le bateau sort lentement de l'anse et l'aube se lève. Cyrille lui a souvent parlé des levers de soleil, plus beaux que les couchers parce que l'œil est pur, fraîchement ouvert, comme nettoyé par la nuit, alors que les couchers arrivent par-dessus les autres images du jour, quand la pupille est déjà pleine. L'air est doux et Joaquin sent la chaleur sur son visage, ses mains. Annie a ouvert un thermos de café et leur tend des gobelets munis de couvercles.

— Quand le capelan rentre, des fois, il arrive en bancs tellement denses qu'il roule sur les plages. T'en as pour deux semaines à voir le bord de l'eau plein de boue. Il faut alors aller mener les casiers plus au large. Personne nous avait dit ça non plus. Il a fallu qu'Angel apprenne toute seule. Non seulement qu'elle apprenne la mer, mais qu'elle apprenne à se méfier des hommes.

— Ça mord !

Annie se met à rire. Jacques sort de sa rêverie et revient au fil tendu de la ligne de Moralès.

— Tout de suite après la pleine mer, les poissons sont faciles à prendre, bars et maquereaux.

L'enthousiasme envahit les trois pêcheurs. Les heures qui suivent, le bateau dérive mollement vers le centre de la baie de Gaspé pendant que les prises se succèdent à folle allure. Vers le milieu de l'avant-midi, Annie décrète la fin de la pêche.

Il faut rentrer avant que le courant de la marée descendante les entraîne trop loin. Joaquin rembobine, range sa canne. La capitaine démarre le moteur, fait demi-tour et prend le chemin du retour. Cette fois à contre-courant, le bateau avance avec difficulté. Moralès songe de nouveau à Cyrille Bernard, le vieux pêcheur parti en mer. Il se demande si son ami a sermonné Sébastien, s'il lui a dit d'arrêter de fixer l'hameçon, de regarder le large. Il lève la tête, tourne les yeux vers l'horizon et le salue un long moment.

Sébastien n'est toujours pas au quai quand ils accostent. Ils amarrent le bateau et débarquent les cannes, les restes du lunch que Jacques Forest leur a servi plus tôt, les prises. Ce dernier propose d'arranger les poissons au comptoir public pendant qu'Annie rince son bateau avec le boyau d'eau claire installé sur le ponton. Moralès accompagne Forest, mais s'immobilise soudain.

— Ça va?

Il acquiesce.

— Je dois parler à Annie.

Forest lui fait signe d'y aller, qu'il va s'occuper des prises. L'enquêteur retourne sur le ponton. Annie a rincé son bateau, elle ferme l'arrivée d'eau claire.

— Annie, pourriez-vous m'expliquer le courant de marée que vous avez calculé tantôt?

Elle affiche une mine surprise, tout en enroulant le boyau d'arrosage sur son socle.

— J'ai rien calculé...

— Oui. Vous avez dit: «On va arriver à la pleine mer avant le courant, on va rester stables.»

— Ah! Ça! C'est pas un calcul, c'est un phénomène naturel.

Elle termine d'enrouler le boyau, se tourne vers l'enquêteur.

— Une demi-heure avant la pleine mer, la marée finit de monter. Ça implique qu'il n'y a plus de courant. L'eau devient stable pendant une grosse heure. Après, la marée va être descendante, mais ça prend à peu près une heure et demie avant que le courant se forme. C'est plus long dans L'Anse-aux-Amérindiens parce que c'est une baie protégée. Ça prend environ trois heures, après la pleine mer, avant qu'on sente le courant. Pendant ce temps-là, tu dérives doucement vers la pointe de l'anse, là, où il y a une ligne de courant fort.

— C'est ce que vous avez appelé la «fronde»?

— Oui. Si tu te méfies pas, tu te fais envoyer loin! C'est l'océan juste ici, au bout de la baie. Moi, j'ai un bon moteur, mais j'ai pas envie de me battre contre ce courant-là. C'est pour ça que je voulais partir de là au plus tard à dix heures et quart.

Moralès réfléchit un instant.

— Les courants de marée ne sont pas tous les jours à la même heure…

Elle cesse soudain de sourire, fronce les sourcils.

— Non. Il y a environ une demi-heure de décalage par jour. J'ai une table des marées dans mon bateau.

— Pourriez-vous me dire à quelle heure la mer était stable la nuit où…?

Il hésite, la regarde droit dans les yeux, mais elle a déjà compris.

— Mets-en que je vais te calculer ça, enquêteur Moralès!

Sébastien Moralès se réveille avec une violente migraine. Il s'assoit péniblement sur le lit de camp inconfortable, se retient à grand-peine de vomir. Il a du mal à réfléchir. Sur le mur en face de lui, une tête de chevreuil mort le regarde avec ses yeux de billes noires. La pièce est humide et sent le renfermé. Il frissonne.

Les souvenirs lui reviennent en désordre, fragmentés.

Kimo l'a amené ici, hier. C'est où, ici? Il ne saurait pas répondre. Ils sont d'abord remontés jusqu'à Gaspé et, de là, ils ont pris la route de Murdochville. Ça, il s'en souvient. Ensuite, la conductrice a bifurqué sur une voie non pavée, puis sur une autre. Elle avait préparé deux verres thermos de gin-tonic pour boire sur la route.

— Dans le bois, on croise jamais de police !

Il s'est étonné.

— On va pas sur le bord de la mer ?

Elle a secoué la tête en fixant le chemin de gravier.

— Non. Le camp est dans le bois, proche d'une rivière à saumon. C'est un bel endroit, inquiète-toi pas.

L'alcool et la conversation aidant, il a perdu le fil du trajet. Il faut dire qu'il n'a jamais su s'orienter en forêt. Il se lève. La tête lui tourne. Par la petite fenêtre, il n'aperçoit que des arbres. Ils sont arrivés en fin d'après-midi. Sébastien a sorti ses sacs d'épicerie et les a posés sur la table, ce qui a embarrassé Kimo.

— Il n'y a pas d'électricité au camp, j'aurais dû te le dire.

Pendant qu'il emballait les aliments frais dans des sacs de plastique et qu'il les déposait dans la rivière, elle leur a refait des cocktails. Bien sûr, elle a sorti les cannes à pêche et ils ont mouché, mais l'alcool leur est vite monté à la tête. À lui, en tout cas. Il faut dire qu'il avait peu dormi, la nuit précédente, qu'il était épuisé par le jogging et les émotions, qu'il n'avait rien mangé de la journée.

Puis ils ont rangé les cannes à pêche et elle a exigé du sexe avant le souper. Ça, il s'en souvient. Elle a même prononcé une phrase autoritaire et un peu vulgaire qui l'a surpris et allumé. Elle lui a dit de descendre son pantalon, l'a assis sur une petite chaise en bois dur de la cuisine et s'est perchée dessus sans préliminaires, comme on prend son dû. Elle les a fait jouir.

Ensuite seulement, elle a allumé un feu dans le poêle. Il est allé chercher ses sacs dans la rivière et s'est mis en frais de préparer le souper pendant qu'elle versait le vin. C'est là qu'ils ont eu leur première vraie conversation. Sébastien sent sa gorge se nouer. Que se sont-ils dit ? Ils ont parlé de soumission. Qui a ouvert le sujet ?

— Je me ramasse toujours avec des hommes dominants!

— Moi, je suis plutôt un gars soumis.

Elle coupait des légumes pendant qu'il assaisonnait la viande.

— Pas avec moi, en tout cas...

— Arrête! Tu viens de jouer les dominatrices!

— Parce que tu l'as demandé!

— Je t'ai pas demandé ça...

— Oui! T'as dit que toi, ce qui te ferait fantasmer, ce serait d'avoir une dominatrice dans le chalet...

— J'ai dit ça en blague!

— T'avais un petit air de défi ironique et je sais pas... Je me suis sentie... pas obligée, mais je veux tellement plaire que je finis toujours par obéir à ce genre de remarque là. Des fois, je me dis que j'ai hérité ça de mes années d'entraînement. Quand mon entraîneur me disait : « Es-tu capable de me prouver que t'es la meilleure? », je me sentais tout de suite obligée de...

— Arrête! J'ai toujours été un homme soumis, Kimo!

Il avait lancé sa phrase avec brusquerie, pour la forcer à obtempérer.

— Tu te racontes des histoires, Sébastien! Quand j'ai dansé avec toi, tu me dirigeais comme si j'étais une marionnette. Pis au lit aussi, tu décides de tout!

Soudain, il sent l'angoisse monter en lui. Il se lève et se précipite vers la porte de la chambre.

— Sûreté du Québec, poste de police de Gaspé.

Thérèse Roch n'est pas du genre à enrober ça de beaux « bonjour » fleuris et mielleux ni à faire des finesses de « comment ça va ». Elle, elle a fait une technique de bureau spécialisée, elle a suivi des cours de RCR, de fleuret, de maniement d'armes à feu et d'autodéfense, mais on l'a flanquée à l'accueil. Elle aurait pu assister des policiers dans de vraies enquêtes, aller sur le terrain mieux que l'agent Lefebvre et faire une différence au sein des forces de l'ordre, mais on l'a plantée derrière une vitre pare-balles. Pourquoi ? Probablement par machisme. C'est clair : il y a discrimination sexuelle envers les lesbiennes. Elle a déposé une plainte anonyme, mais personne n'en a tenu compte. Elle devrait écrire au gouvernement. Ça fait quatre ans qu'elle y pense. Un jour, elle va tous les dénoncer.

— Madame Roch, c'est Joaquin Moralès.

Elle écrit son nom en gros sur son bloc-notes. Lui, il va être un des premiers qu'elle va dénoncer.

— Votre amie, Mme Dotrice Percy, détient des informations importantes concernant le meurtre d'Angel Roberts. Maintenant que j'en ai fini avec la famille immédiate, j'aimerais rencontrer ce témoin-clé.

La réceptionniste s'oppose.

— Vous l'avez durement repoussée, quand elle est allée vous voir à l'hôpital. Elle n'est peut-être plus disposée à vous parler.

— D'abord, je relevais d'une commotion cérébrale et je prenais une puissante médication.

La réceptionniste hésite à le croire.

— Ensuite, je n'aurais pas pris de tels témoignages dans un lieu public. Vous qui travaillez depuis longtemps pour les forces de l'ordre, vous savez très bien que l'identification publique d'un témoin-clé dans une affaire de meurtre risque de menacer sa vie.

Thérèse Roch trace un point d'interrogation près du nom de Moralès. Elle n'avait pas songé à cet aspect de l'affaire.

— C'était même risqué pour elle de venir me voir à l'hôpital. Il ne faut jamais, mais jamais, mettre en péril la vie d'un civil, vous le savez, n'est-ce pas ?

— Oui.

Elle l'a avoué dans un souffle, honteuse de n'y avoir pas pensé plus tôt.

— Enfin, elle vous dira elle-même que ce n'est pas moi qui l'ai mise à la porte, puisque j'étais couché dans mon lit.

Ça, c'est vrai. Dotrice a parlé d'un jeune homme, peut-être un garde de sécurité, qui était arrivé en même temps qu'une infirmière.

— Bref, madame Roch, j'aurais besoin de l'adresse à laquelle je pourrais, aujourd'hui même, trouver Dotrice Percy afin de recueillir son témoignage.

Thérèse Roch n'est pas qu'une secrétaire plantée à l'accueil. Elle a ses cours de RCR, de fleuret, de maniement d'armes et d'autodéfense. On lui a octroyé ce poste parce qu'elle est digne de confiance, veille à la sécurité des citoyens et effectue des relais d'informations confidentielles entre des sergents qui l'estiment. Elle déchire la première feuille de son bloc-notes et, parlant fort pour couvrir le bruit de la déchiqueteuse, donne son adresse personnelle à l'enquêteur.

Moralès hésite avant de frapper à la porte. En montant les marches du perron, il s'est aperçu qu'il avait encore mal aux côtes et se demande si c'est une bonne idée de venir seul ici. Il songe aux menottes que l'agent Lefebvre lui a dit avoir passées tant de fois autour de poignets consentants, secoue la tête en sonnant. Même avec des menottes, Dotrice Percy serait dangereuse. Mais pire : elle refuserait probablement de parler.

Elle ouvre la porte. Ses cheveux fous sont retenus par un bandeau violet pimpant harmonisé avec une combinaison moulante en lycra mauve par-dessus laquelle elle a enfilé un maillot une pièce jaune vif et une ceinture orange. Des bas d'échauffement du même orange fluo plissent par-dessus des souliers à talons hauts. Malgré la gravité de l'affaire et le sérieux de la situation, Joaquin ne peut s'empêcher de se dire que Lefebvre serait fier : la voyante est voyante.

— Thérèse vient de m'aviser que vous deviez passer. Vous voulez quoi ?

Déstabilisé par le ton sec et la précision réaliste de la phrase, l'enquêteur reste un moment sans voix. En provenance de la demeure, il entend un entraîneur qui crache, dans le téléviseur, des consignes pour faire des exercices à la maison. Il se dépêche de formuler sa requête.

— L'autre jour, à l'hôpital, vous m'avez dit que, la nuit où Angel Roberts est morte, vous aviez vu…

Elle lui coupe la parole, pressée qu'il arrive au bout de sa question.

— Un monstre nu, doté d'un appendice translucide et d'un sexe atrophié. Et alors?

Le maître des sportifs casaniers est rendu aux triceps, ce muscle qui pend, dit-il, et fait écho à votre geste quand vous faites un joyeux bye-bye de la main. Dotrice s'impatiente: elle est en train de manquer ça.

— C'était vers quelle heure?

— Minuit et quart.

— Vous en êtes sûre?

— Oui. À minuit pile, j'ai entendu un bruit de moteur sur l'eau. Je le sais parce que minuit, c'était une heure d'alignement.

Elle n'en dit pas plus, mais Moralès comprend qu'elle parle d'astres ou d'énergie davantage que d'aiguilles sur l'horloge.

— Un bruit de moteur qui arrive, qui repart?

— Qui arrive et qui s'éteint. Quinze minutes après, le monstre nu passe à côté de moi.

Dans le téléviseur, les triceps sont en pleine action.

— C'était où, exactement, le lieu de votre méditation?

Elle soupire, exaspérée.

— Vous écoutez rien, vous! Je vous ai tout dit ça, l'autre jour.

— Vous avez parlé d'une terre rouge.

— La terre des ancêtres rouges, près du souffle puissant des baleines, me semble que c'est pas dur à comprendre!

— Peut-être, mais je ne suis pas natif de la région…

Elle l'observe un instant, fait un signe de tête qui semble indiquer qu'elle admet qu'il puisse y avoir là un empêchement à saisir l'évidence.

— L'Anse-aux-Amérindiens. C'est un site reconnu pour l'observation des baleines. Y a une petite cabane, à droite, en arrivant. Je m'étais installée à côté, à l'abri du vent du nord.

Moralès la remercie.

— Si jamais vous avez d'autres questions, j'aimerais mieux que vous reveniez à une autre heure.

Elle referme la porte.

Il retourne à sa voiture et fonce en direction du parc Forillon.

Il saisit la poignée. C'est une porte de bois qui a gondolé avec le temps et l'humidité. La poignée menace de lâcher dans sa main. Il la tourne d'un côté puis de l'autre en tirant. Rien ne bouge. Un élan de nausée l'étourdit. Son cœur bat à toute vitesse. Il recommence, vacille étrangement. Il s'aperçoit qu'il doit pousser au lieu de tirer la porte. Il se sent idiot d'avoir eu une bouffée de panique pour rien.

Il sort de la chambre. Dans la cuisinette, tout est propre : la vaisselle a été lavée, séchée et rangée. Il se dirige vers une armoire, l'ouvre. De la vaisselle. Une autre. Des outils. Des serviettes. Des manteaux de rechange. Enfin, il trouve une série de pots portant des étiquettes pharmaceutiques. Il avale des comprimés. Il a la bouche pâteuse et les pilules lui râpent la gorge.

Il sort. La voiture de Kimo est toujours dans l'allée, mais la jeune femme est invisible.

L'enquêteur Moralès met une vingtaine de minutes à parcourir la distance entre Cap-des-Rosiers et L'Anse-aux-Amérindiens. Il se stationne et avance vers le site aménagé par les agents de la faune. Une clôture de perches fait le tour d'un large promontoire qui domine la falaise et sur lequel trônent trois tables de pique-nique. À l'est, le terrain descend vers une petite plage de cailloux. Un escalier de bois y est aménagé.

En avançant de ce côté, il peut apercevoir l'endroit où ils ont pêché, Annie Arsenault, Jacques Forest et lui, ce matin. Il peut aussi voir la petite cabane dont Dotrice Percy lui a parlé. C'est plus une boîte de bois qu'une cabane.

La voyante devait être assise à l'avant pour observer la mer à l'abri du vent quand le monstre au sexe atrophié est monté par l'escalier situé à l'arrière. Il sort du sentier, s'approche de la cabane pour en comprendre l'utilité, sans succès. Elle est étroite et mesure un mètre et demi de haut. Il y a une petite porte cadenassée sur un des côtés et les menuisiers ont laissé, du côté de la mer, un écart d'environ dix centimètres entre certaines planches. Une affichette décolorée indique qu'il est interdit de toucher à cette boîte.

Moralès allume la lampe de poche de son cellulaire, regarde à l'intérieur. Vide. Il se recule, retourne vers le sentier, et c'est là qu'il en voit une autre sur sa droite, vers l'est, de l'autre côté de l'escalier qui descend vers la mer, puis une autre encore plus loin. Moralès remonte vers le stationnement, cherche un sentier pour se rendre à la deuxième boîte de bois. Il n'y en a pas. Depuis le stationnement, il n'y a qu'un sentier, celui qui mène au belvédère du Bout-du-Monde. Il prend cette direction, cherche comment se rendre à l'une ou l'autre des deux boîtes. Ne trouvant pas, il s'engage entre deux bosquets d'arbustes. Il avance péniblement pendant un moment, puis s'aperçoit qu'il ne voit plus les boîtes. Elles sont largement camouflées par les buissons, disposées à n'être visibles que depuis la mer. Moralès continue à tâtons jusqu'au bord de la falaise, se retourne et trouve l'une des deux boîtes. Il avance vers elle, l'examine. Même structure. Sur la porte cadenassée, une affichette similaire à celle qui est apposée sur la première boîte, mais moins défraîchie, indique qu'il est interdit de l'ouvrir. Au bas de l'avis, il y a un logo clairement imprimé qui porte les lettres IML.

Moralès contourne la boîte, rallume sa lampe de cellulaire, regarde par l'interstice disposé à l'avant des deux planches, fait le saut et recule d'un bond. Il comprend maintenant pourquoi ces boîtes sont si bien dissimulées.

Il observe la mer, éteint sa lampe et compose le numéro de l'agent Lefebvre.

— Salut, Moralès! Mais vous êtes où, ton gars et toi? Je suis passé à l'auberge à l'heure du dîner et...

— J'ai besoin de toi, Lefebvre. Une entreprise qui s'appelle IML, ça te dit quelque chose?

Un court silence.

— Vite comme ça, non.

— Cherche et rappelle-moi.

Moralès raccroche. Inutile de monter jusqu'à l'autre boîte. Il revient vers le stationnement, arrive à sa voiture. Il sent la vibration de son cellulaire dans sa main. Il regarde l'écran, constate qu'il a manqué plusieurs appels en matinée. Il a éteint la sonnerie lorsqu'il était à la pêche et a oublié de la remettre en route. Il décroche.

— IML, ça peut se rapporter à une compagnie de conteneurs de Saint-Placide, à un fabricant d'emballages plastiques pour l'agroalimentaire de Drummondville, à un designer d'étiquettes de Saint-Eustache ou à l'Institut Maurice-Lamontagne de Mont-Joli.

— C'est quoi, l'Institut Maurice-Lamontagne?

Il entend Lefebvre pianoter sur le clavier de son ordinateur.

— « L'Institut Maurice-Lamontagne est un institut de recherche en science marine situé à Mont-Joli et faisant partie du ministère des Pêches et des Océans canadien. » C'est ça que tu cherches?

— Du ministère des Pêches et Océans?

— Oui.

Moralès s'appuie un instant le dos contre sa voiture. Pourquoi Simone Lord ne lui a-t-elle pas parlé de ces boîtes?

— Je veux bien t'aider, Moralès. Je suis même payé pour le faire, mais il faudrait que tu m'aides à t'aider en m'expliquant ce qu'il te faut.

— Quels sont les liens entre l'Institut Maurice-Lamontagne et les bureaux de Pêches et Océans?

Lefebvre tape sur son clavier.

— L'institut fait partie d'un réseau de centres de recherche qui sont tous reliés à Pêches et Océans. Je sais pas ce que t'as trouvé, mais si tu te demandes pourquoi Simone t'en a pas parlé, c'est peut-être parce qu'elle est pas au courant. Je lis qu'il y a plus de trois cents personnes qui travaillent dans ce genre de centres de recherche autonomes financés par le gouvernement fédéral. Ils se spécialisent dans les sciences des océans et la gestion des écosystèmes aquatiques.

Moralès comprend enfin, soupire de soulagement, se redresse.

— Lefebvre, je veux que t'appelles Simone Lord et que tu lui dises de contacter l'Institut Maurice-Lamontagne.

— Et elle leur demande quoi, aux scientifiques de la baleine?

— Elle leur demande les enregistrements vidéo qu'ils ont effectués à partir de la caméra qui est installée à L'Anse-aux-Amérindiens.

— À L'Anse-aux-Amérindiens?

— Il y a peut-être deux caméras. Peut-être davantage. Je veux qu'elle sorte les enregistrements de la nuit où Angel a disparu, mais aussi ceux de la semaine précédente. Tu me regardes tout ça, Lefebvre.

— Moi?

— Et tu m'appelles dès que tu vois un monstre nu, doté d'un appendice translucide et d'un sexe atrophié, sortir de l'eau.

— Après ça, tu fournis le popcorn, j'espère?

— Mieux que ça: je vais aussi te confier la mission de rappeler ta belle docteure.

— Tu saisis enfin mon vrai champ d'expertise, patron!

En raccrochant, Moralès réactive la sonnerie du cellulaire.

Sébastien Moralès étouffe. Il se tourne vers la gauche, court aussi vite qu'il le peut, s'arrête au bout d'une dizaine de mètres, tombe à genoux et se met à vomir à grands jets. Son corps entier est secoué de spasmes et couvert de sueur, des larmes coulent de ses yeux. Il a la gorge en feu. Il se relève, s'appuie le dos à un arbre, respire. Il a besoin d'eau. Il retrouve son équilibre, se dirige vers la rivière.

Kimo est assise en lotus sur une grande pierre plate. Elle a les pieds nus et ses leggings sont remontés.

— Ça va ?

« Les apparences t'ont trompé. » Il avance en sa direction, s'agenouille sur le bord de l'eau et se rince les mains. La jeune femme se lève, s'étire.

— Tu veux que je te prête une serviette ? Il y en a dans le chalet.

Le corps de Kimo est ferme et athlétique, beaucoup plus musclé que le sien.

— Peut-être que ça te ferait du bien de te rincer la tête…

Il a honte d'être malade devant cette femme si énergique qui, hier encore, lui offrait son corps. Il étouffe, une fois de plus. Comme avec Maude. Il voudrait s'enfuir. Non pas parce qu'il relève d'une nuit d'ivresse, qu'il a l'estomac barbouillé et la tête sur le point d'exploser, mais parce qu'il vient d'admettre qu'il a erré, qu'il a été l'artisan de son malheur avec Maude. De leur malheur. Les images lui apparaissent et se succèdent comme un film cauchemardesque dont il voudrait se débarrasser. Elle a dix-huit ans, elle a bu, la veille, et elle a embrassé un autre garçon, dans une fête, un geste idiot qu'on fait quand on est jeune, et qu'on regrette. Qu'elle a regretté, il s'en souvient. Il revoit son amoureuse qui lui demande pardon. Et il se revoit, lui, surtout. Il se moque d'elle, de son absence d'audace. Il lui rit au nez en lui disant qu'elle est timorée jusque dans l'infidé-lité : « Tant qu'à me tromper, fais-le pour vrai ! » Il la met au défi avec une hauteur apparemment indifférente. Il fait exprès pour la blesser.

Alors elle relève le défi. Quelques semaines plus tard, lasse de ses moqueries, elle va coucher avec un autre gars pour lui prouver qu'elle est capable de « le faire pour vrai ». Elle espère qu'il lui dira d'arrêter, qu'il l'aime et qu'il veut la garder pour lui seul. Mais il est blessé et accueille son adultère avec un haussement d'épaules. Et le jeu continue. « Tu veux que je te trompe ce soir ? » Il rit. « Peut-être que ça m'exciterait. » Elle le refait pendant que, de son côté, il entreprend, pour se venger, de lui faire l'amour avec des mots d'une cruelle ironie qui font écho à une douleur qu'il est incapable d'avouer.

Elle l'a trompé par dépit parce qu'ils avaient à peine vingt ans et qu'ils apprenaient à s'aimer ainsi, en se déchirant. Le temps passant, ils ont pris ce rythme, ils se sont forgé, constate-t-il, une histoire à laquelle ils ont cru. Ils en sont venus à ne plus faire l'amour que rarement, animés par l'alcool, le désarroi et les fins de soirée nostalgiques. L'an dernier, quand elle lui a dit qu'elle voulait un enfant, il lui a répondu d'aller se trouver un géniteur dans la foule de ses amants. Par habitude, elle a hoché la tête.

Il se couche contre le sol. Les nuages laissent paraître un peu de soleil. L'air est tiède, mais il ne le sent pas. Il prend une grande inspiration et enfonce sa tête sous l'eau. C'est saisissant. Il relâche lentement l'air de ses poumons, ouvre les yeux. Au fond de la rivière, il voit l'ombre pâle de Kim Morin qui se déplace près de lui. La gorge nouée, il s'avoue en frissonnant que la situation lui a échappé.

Moralès sort du parc et roule le plus rapidement qu'il le peut, malgré les courbes, jusqu'à l'auberge. La voiture de Sébastien n'y est pas. Il regarde l'heure, entre dans la salle à manger. Corine, un foulard de ménagère autour des cheveux, l'accueille avec bonne humeur.

— Jacques Forest vient de partir, vous l'avez manqué de peu! Il a laissé un sac plein de poissons pour vous! Belles prises! Voulez-vous que je nous retourne quelques filets dans la poêle?

— Volontiers.

— Vous pouvez travailler, si vous voulez, je vous apporte ça dès que c'est prêt!

Corine disparaît dans la cuisine. Moralès monte à son appartement, constate que Sébastien n'y est pas passé, entre dans sa chambre, sort sa copie du dossier du tiroir où il l'a enfouie, sous une pile de vêtements, puis redescend dans la salle à manger. Il préférerait travailler dans sa cuisinette, mais n'ose pas s'enfermer de son côté pendant que Corine lui prépare un repas.

Il s'assoit à une table près de la fenêtre, rouvre le dossier, revoit la chronologie de la nuit où Angel Roberts est morte. En après-midi, le jeune couple revêt des habits de noces et file chez Gaétane Cloutier et Fernand Cyr prendre l'apéro.

Corine sort la tête de la cuisine.

— Vous êtes déjà là! Parfait! Je vais faire une petite salade pour accompagner le poisson.

Puis le couple se rend chez Leeroy Roberts, rejoindre le père et les deux frères, Bruce et Jimmy, vers dix-huit heures. Angel a pris des comprimés contre les allergies, mais ils ne font pas effet parce qu'elle a avalé des analgésiques. Ils mangent ensemble un repas préparé par Corine et Kimo.

— Les filets sont vraiment beaux! Jacques a bien fait ça.

Autour de vingt-deux heures, Angel et son mari viennent chez Corine pour la fête de fin de saison des pêcheurs. En plus de Corine, son conjoint, Kimo et Louis Legrand, une soixantaine de pêcheurs et d'aides-pêcheurs du coin sont présents. Leeroy passe faire un tour, mais Jimmy Roberts ne vient pas, car il ne pêche plus.

— Je fais une sauce tartare et j'arrive.

Vers vingt-trois heures trente, Angel se plaint d'étourdissements et de nausée. Son mari la ramène à la maison. Là, ils se chicanent, car Angel ne veut pas que Clément reparte. Ce dernier quitte cependant sa femme autour de minuit trente et revient à l'auberge, après avoir enfilé des vêtements plus confortables.

— C'est prêt! Fermez votre dossier une petite minute, Joaquin, que je vous donne une assiette!

Moralès pousse ses documents à l'autre bout de la table. Corine pose devant lui une belle assiette et s'installe à la table à côté de la sienne. Difficile de se concentrer.

— Le bar, c'est meilleur que le maquereau, je trouve. J'aime aussi le saumon de rivière, mais les règles de pêche sont strictes, alors…

Moralès tente de se soustraire à son bavardage. Il sent qu'il est près du but, mais quelque chose lui échappe encore.

Angel est amenée à *L'Échoueuse II*.

— C'est une bonne pêcheuse, elle aussi. En plus, elle a un petit camp juste à côté d'une rivière à saumon.

Vers quelle heure Annie a-t-elle dit que la mer était stable, cette nuit-là, à L'Anse-aux-Amérindiens?

— D'après moi, c'est là qu'ils sont allés. Ça m'étonnerait pas, d'autant plus que Sébastien a laissé sa voiture dans sa cour.

Moralès relève brusquement la tête.

— Dans la cour de qui?

Corine avale sa bouchée de travers, tousse, boit une gorgée d'eau.

— De Kimo!

— Mon garçon est avec Kimo? Je m'excuse, Corine, j'ai pas tout compris, j'étais…

Elle sourit.

— J'ai bien vu que vous étiez absorbé dans votre enquête. J'ai dit que j'étais heureuse que Kimo et Sébastien aient une aventure ensemble.

C'était elle, la femme courbée sur la table?

— Ça m'étonne que votre gars vous l'ait pas dit parce que vous avez l'air d'être très proches, vous et lui. Il vous admire, c'est évident.

Moralès pose sa fourchette. Il songe à ce matin-là où Sébastien est débarqué chez lui, caché derrière une boîte de casseroles.

— J'aurais peut-être pas dû vous en parler, mais les secrets se gardent ben mal en Gaspésie.

De quoi son fils lui a-t-il parlé l'autre soir ? De loyauté. Envers qui ? Joaquin Moralès est mal à l'aise. Tout s'est passé comme si Sébastien était venu le rejoindre pour lui demander son consentement. Pour faire quoi ? Quelque chose lui échappe.

— Ça va lui faire du bien, à Kimo, de se changer les idées. Il faut qu'elle comprenne que l'amour, ça n'a rien à voir avec la jalousie et les compétitions.

Ils ont cuisiné ensemble. Mais de quoi ont-ils vraiment parlé ? Des relations qu'on choisit. Il revoit le cellulaire de Sébastien sur la table de la cuisinette. Son garçon veut s'affranchir. Mais de quoi ? Il ne réussit pas à bien le saisir.

L'enquêteur Moralès fixe Corine sans la voir. Il n'a plus faim tout d'un coup.

— Vous finissez pas votre assiette, Joaquin ? Vous allez où ? J'ai dit quelque chose de pas correct ?

Simone Lord insiste.

— Fais avancer la vidéo.

— Es-tu pressée ?

Lefebvre retire ses pieds de la table de conférences près de laquelle ils ont pris place, pose la main sur la souris, met la vidéo en avance rapide. L'agente a eu accès à un lien en ligne qui leur permet de visionner l'enregistrement de la caméra. Le technicien de l'IML lui a expliqué qu'ils posent toujours trois boîtes en bois sur leurs sites d'enregistrement vidéo, dont deux boîtes vides facilement accessibles, afin de tromper les délinquants qui voudraient s'attaquer aux caméras ou les voler. Quand les contrevenants voient que deux des boîtes sont vides, ils ne se rendent pas à la troisième. C'est une stratégie peu coûteuse qui leur a sauvé un paquet de caméras.

Les chiffres défilent rapidement au bas de l'image, le téléchargement en direct traîne un peu, puis reprend du rythme. La nuit tombe sur L'Anse-aux-Amérindiens, la lune éclaire la mer.

— Là, regarde!

Lefebvre arrête l'image, recule, remet la vidéo en route à une vitesse normale, indique un souffle de baleine.

— C'est vraiment beau!

Simone Lord soupire.

— Oui, mais c'est pas ça qu'on cherche.

— Après ça, on a le droit de tout observer!

— Remets l'avance rapide.

De mauvaise grâce, il obtempère et les chiffres courent de plus belle sur un fond toujours éclairé par une mer à peine secouée par les souffles occasionnels des baleines qui jaillissent en geysers inattendus dans la nuit.

— Là!

Cette fois, Lefebvre a raison.

Il arrête la vidéo, la fait reculer, la remet en marche. Un homardier arrive. Il est facile, même dans la pénombre de la nuit, d'en percevoir les contours et d'identifier *L'Échoueuse II*. Une silhouette se découpe soudain sur la proue. Elle avance jusqu'au puits d'ancre, s'y penche ou s'y agenouille un instant, retourne vers la poupe. Elle reparaît, quelques secondes plus tard, complètement à l'arrière du bateau. Impossible de saisir correctement ce qui se passe. Ça dure un moment. Ensuite, la personne plonge à l'eau, nage rapidement jusqu'au bord en poussant quelque chose. Un paquet qui flotte. L'angle de la caméra ne permet pas de la voir sortir de l'eau.

Les agents tendent le cou vers l'écran.

— C'est qui?

— Je sais pas.

Le téléphone cellulaire de Lefebvre sonne, mais il ne répond pas. Il est tendu vers l'écran. Enfin, la silhouette ressurgit, cette fois plus proche. Elle avance vers les buissons, ramasse un objet.

— C'est un vélo.

Elle sort du champ de l'écran.

Simone Lord regarde Érik Lefebvre au moment où celui-ci se penche sur son cellulaire pour voir qui l'a appelé.

— T'as vu l'heure?

Il hoche la tête.

— Oui, j'ai vu.

Une minute, elle semble complètement défaite. Puis elle se ressaisit.

— Il faut visionner les jours précédents. Le vélo est quand même pas arrivé là tout seul!

Lefebvre hoche la tête.

— Faut trouver qui est allé le porter là. Fais ça, toi. Moi, je dois rappeler mon médecin.

Il se lève et sort de la pièce.

Moralès sort de l'auberge, marche jusqu'au bout du station-nement, du côté ouest, et épie le terrain voisin. À quelques centaines de mètres, de l'autre côté de la maison de Kimo, il aperçoit effectivement l'arrière de ce qui semble être l'auto-mobile de Sébastien. Il revient vers sa propre voiture, y monte.

Cette nuit-là, l'assassin a conduit *L'Échoueuse II* jusqu'à L'Anse-aux-Amérindiens, une demi-heure avant la pleine mer. L'endroit était désert et la mer, immobile. Il a arrêté le moteur, s'est rendu à la proue. Il a coupé le câblot d'ancrage et détaché la chaîne de l'ancre. Il a apporté la chaîne et le câblot sur le pont et les a attachés aux jambes d'Angel Roberts, qui, droguée, était couchée, adossée à la timonerie. Puis il est entré dans le bateau, a trouvé le casier de bois, y a inséré les deux couvertures, a pris un bout de corde et s'est rendu à la poupe du homardier. Arrivé là, il a relié le casier à la chaîne. Puis il a ouvert le hayon, il a pris la cordelette, en a noué un bout au casier et l'autre au bateau, de façon que le casier empli de couvertures soit suspendu au-dessus de l'eau. Enfin, le monstre, dirait Dotrice Percy, s'est déshabillé, a mis ses vêtements dans un sac de plastique, a plongé dans la mer et a rejoint la berge. L'eau était glaciale, mais il est arrivé rapidement au bord, car la pleine mer a gardé le homardier complètement immobile près du bord.

En conduisant, Moralès imagine la scène. Il revoit la courbe que le bateau d'Annie Arsenault a suivie, ce matin, près de la côte. Le homardier d'Angel Roberts a dû dériver de la même façon, très lentement, pendant plus de deux heures. Puis, deux heures trente avant la basse mer, avant l'aube, *L'Échoueuse II* a été entraînée par la fronde, un courant puissant qui l'a propulsée vers l'extérieur de la baie de Gaspé.

Moralès quitte la route et s'engage dans l'allée de gravier, obsédé par la minutie avec laquelle tout a été prévu. Plus le bateau avançait vers le large, plus les vagues sont devenues fortes, hautes. Elles ont imbibé le casier de bois et les couvertures. À un moment, l'ensemble est devenu si lourd que la cordelette a cédé sous leur poids. Le casier a coulé. Il a entraîné la chaîne d'ancre, puis le câblot qui y étaient reliés et, enfin, Angel Roberts, qui a glissé vers le fond. *L'Échoueuse II* était rendue, à ce moment-là, à environ dix-sept kilomètres du bord.

Pendant que Sébastien se rinçait la tête dans la rivière, Kimo lui a préparé un petit-déjeuner. Puis elle est revenue le chercher avec une tasse de café. Se peut-il qu'il l'ait entraînée, comme Maude, dans une direction qui n'était pas la sienne? Comme il a peut-être accusé son père injustement pour justifier son propre comportement? Sébastien Moralès prend le café que lui tend la jeune femme. Il a honte. Il voudrait sortir de sa peau, de son histoire remplie de casseroles clinquantes.

— Est-ce que t'avais prévu coucher ici ?

— Non.

— Mais quand t'as vu que je me soûlais, tu t'es sentie obligée de rester ?

— C'est pas grave, ça me fait du bien à moi aussi, un petit congé...

Il boit une gorgée, mal à l'aise.

— Le jour où on s'est rencontrés, tu m'as demandé si j'étais un gars correct, mais j'ai pas répondu.

Elle détourne le regard, elle en a assez des hommes qui se fichent d'elle, qui la courtisent pour se prêter à des jeux de coqs sur les quais, pour assouvir des vengeances mesquines. Elle est allée vers lui pour se libérer, pour ne penser à rien, sinon à son propre désir.

— Je me suis inventé une façon d'aimer qui est pas correcte. Je m'excuse.

Gênée, elle l'entraîne vers le chalet. Elle n'a jamais aimé ce genre de conversations.

— Viens manger pendant que c'est chaud...

Il continue à parler en marchant, comme s'il avait besoin de vider son sac de remords.

— Mon père dit tout le temps que les criminels s'inventent une histoire à laquelle ils croient.

— Tout le monde fait un peu ça. C'est pas grave.

Ils entrent et elle s'assoit avec lui.

— T'avais raison, hier, de dire que je manipulais les autres.

— C'est pas ce que j'ai dit.

Elle s'empare de sa tasse de café.

— J'ai fait ça avec mon père. L'autre jour, je lui ai dit que j'agissais tout croche à cause de lui, je l'ai accusé d'avoir gâché ma vie.

Soudain, elle fronce les sourcils.

— Qu'est-ce que tu veux dire par là ?

— J'ai fait des niaiseries. Des affaires cruelles qui ont gâché ma vie de couple. Pis je trouvais ça difficile de m'assumer, j'ai mis ça sur le dos de mon père. Je lui ai dit que j'avais agi comme ça à cause de lui.

Il se penche vers son assiette, prend sa fourchette. Elle a cuisiné des œufs brouillés. Il avale une bouchée, se tourne vers elle. Elle le regarde fixement.

— Par loyauté envers lui ?

— Oui. C'est le même mot que j'ai utilisé. Sauf que c'est pas vrai. Bref, je m'excuse, Kimo.

Elle ne l'écoute plus.

— Ça va ?

— Ton affaire de loyauté, ça me rappelle une discussion que j'ai eue…

Elle secoue la tête, étrangement silencieuse, immobile comme si elle voyait un fantôme apparaître.

— Ça va pas ?

Kimo se lève d'un bond.

— Je sais qui a tué Angel !

Sur le terrain d'hivernement, l'enquêteur avance entre les crevettiers et les camionnettes, gare sa voiture, en sort.

L'Échoueuse II, délestée de sa capitaine, a filé, moteur éteint, vers l'horizon. Vingt-quatre heures plus tard, Leeroy Roberts et ses fils, Bruce et Jimmy, ont retrouvé le bateau en suivant une route approximative que Bruce Roberts avait calculée, en fonction du courant et de la marée.

Moralès déteste ces escaliers en aluminium. Il monte prudemment. Il s'en veut de n'avoir pas songé davantage à ces calculs de courants. Quand le sergent est monté à bord de *L'Ange-Irène*, la première fois, Leeroy Roberts a parlé des calculs de son fils, et Moralès aurait dû retenir qu'il s'agissait là d'un indice essentiel pour son enquête.

Il saute sur le pont sans soulagement. La désagréable sensation de vertige l'a repris. Nauséeux de nouveau, il ouvre la porte de la timonerie, franchit le seuil en se concentrant uniquement sur ses gestes. Il avance jusqu'au muret de bois en se demandant si tous les crevettiers ont une configuration similaire. Il descend l'escalier qui tourne à quarante-cinq degrés et se retrouve à bâbord. Il entre dans la cuisinette éclairée d'un néon, jette un œil dans la cabine de la proue. L'étage est muet. Il retourne vers le pont, vire à gauche, longe le mur et se rend sur le côté tribord. Il regarde la gorge ouverte de l'escalier qui mène à la cale, hésite. Il devrait sortir, appeler Lefebvre, demander des renforts. Il se ressaisit. Le pêcheur n'a jamais été menaçant à son endroit, il n'a aucune raison de s'inquiéter. De toute façon, il n'a aucune preuve de sa théorie, il doit attendre que Lefebvre effectue les vérifications qu'il lui a demandées avant de formuler les accusations formelles.

Il descend silencieusement le second escalier. La lumière éclaire durement les marches, les murs parsemés de points de rouille, le sol sur lequel le sel a tracé des courbes pâles. Les portes menant aux cales d'entreposage sont fermées, les lumières, de ce côté, sont éteintes. Moralès frissonne. L'endroit est humide et il a froid. Il tourne vers la proue. La porte de la salle des moteurs est entrouverte. Il avance dans cette direction. Avant même de l'atteindre, il entend la voix du pêcheur qui s'élève dans le silence.

— Tout est correct, p'pa. Tout est réglé. Là, y faut penser à la prochaine saison.

Moralès se fige, les cheveux dressés sur sa tête. Il recule de deux pas en direction de l'escalier.

Simone Lord fait reculer la vidéo à grande vitesse. Si c'est bien l'individu auquel elle pense, il sera passé tôt en journée, voire la veille au soir, à une heure où personne ne l'aurait vu faire. Elle revient jusqu'au samedi matin et aperçoit soudain quelqu'un apparaître dans le champ de la caméra. L'homme avance avec le vélo, jette un œil autour de lui, et elle immobilise l'image sur son visage tourné vers la lentille.

Lefebvre entre en coup de vent dans la pièce.

— Je sais qui c'est!

— Je l'ai sur vidéo!

— Montre!

— Regarde!

Il se penche sur l'image, hoche la tête.

— Mon médecin vient de me confirmer qu'il y a eu des problèmes de troubles mentaux dans sa famille.

Il attrape son téléphone.

— J'appelle Moralès!

Il compose le numéro, les chiffres glissent un à un sous ses doigts comme s'il pressait un code secret armant une bombe à distance.

La sonnerie du cellulaire retentit dans sa poche et Moralès fige. Il sait que le grand pêcheur l'entend lui aussi. Il s'est tu.

— Y a quelqu'un?

Le sergent saisit son cellulaire, éteint la sonnerie, lit le nom qui s'allume en texto et sort son arme. Le pêcheur apparaît dans l'embrasure. Il fronce les sourcils.

— Enquêteur, qu'est-ce que vous faites là?

Avant que l'autre ait pu répondre, le pêcheur voit l'arme, comprend, hoche la tête, puis retourne dans la salle des machines. Moralès avance vers la porte restée ouverte.

Sébastien et Kimo sortent de la voiture en courant. Ils ont essayé d'appeler Joaquin, mais il n'a pas répondu. Ils entrent dans le poste de police, s'arrêtent devant la réceptionniste, qui tape du texte à toute allure sans regarder dans leur direction.

— Excusez-nous, madame, nous voudrions parler au sergent Moralès, s'il vous plaît.

Le cerbère leur jette une œillade acide.

— Qui vous a informé de la présence du sergent Moralès dans ce poste de police ?

— Je dois lui parler, je suis son fils, Sébastien Moralès.

— Pouvez-vous le prouver ?

Il sort son portefeuille en vitesse, lui tend une pièce d'identité qu'elle prend et étudie longuement, en le dévisageant.

— Afin d'éviter de mettre en danger la vie de mes supérieurs, je ne peux pas vous dire si le sergent Moralès est ou n'est pas au poste en ce moment.

Enfin, elle lui rend son permis de conduire, se tourne vers son écran et poursuit son travail. Estomaqué, Sébastien reste un instant en silence.

— Si mon père est pas là, pouvez-vous informer l'agent Lefebvre que Sébastien Moralès est à la porte et souhaite le voir, s'il vous plaît ? C'est urgent.

Elle ne répond pas, mais Sébastien et Kimo la voient soupirer, appuyer sur une touche, l'entendent annoncer leur présence à l'agent Lefebvre et ajouter :

— Ouvrir la porte n'est pas dans ma description de tâches.

Le géant est penché sur un moteur. Il effectue, comme Bruce Roberts l'a fait la veille sur son propre crevettier, un changement d'huile de fin de saison. Moralès observe les lieux. La tête lui tourne. Clément Cyr lève les yeux. Près du coffre à outils, une ombre apparaît, mais ce n'est pas Angel. C'est Firmin, qui boit une bière en regardant travailler son fils.

— Mon père est mort à cause d'un complot entre Leeroy Roberts et son gars, Bruce.

La voilà, se dit Moralès, l'histoire fausse que le géant se raconte et à laquelle il croit au point d'avoir assassiné sa femme.

Il analyse rapidement le lieu. S'il demande au pêcheur de s'agenouiller pour lui passer les menottes, ce dernier va se retrouver tout près du coffre à outils. Il faudrait le faire reculer, mais l'espace est trop étroit. S'il lui demande d'avancer, c'est l'enquêteur qui sera coincé en étau entre le mur et l'escalier.

— Quand j'ai appris ce qui s'était passé, j'ai su qu'il fallait que je venge mon père. Parce que je suis un gars loyal, vous comprenez?

Le géant dévisse un filtre et de l'huile sale commence à couler dans un bidon de métal.

— Je connaissais pas encore Angel à ce moment-là. Ç'a pris un an avant que je la rencontre. Pis quand c'est arrivé, comme un pauvre gars sans défense, je suis tombé amoureux d'elle. Fou raide! Je pouvais pas croire que c'était la fille des Roberts.

Il lève la tête, regarde le vide. Son père lui fait signe d'aligner le bidon, sans quoi l'huile va couler par terre. C'est pas d'avance quand ça arrive.

Moralès a le tournis. L'enfermement, l'odeur d'huile et le délire du pêcheur l'étourdissent.

— Vous auriez fait quoi, vous, à ma place? J'ai repoussé l'affaire. Je me disais: un jour, je vais la tuer, mais avant je vais l'aimer un peu. M'as me remplir d'elle, me remplir le corps, la tête, les yeux. M'as tellement me remplir d'elle que je vais l'avoir vidée. Mais ça s'est pas produit. Chaque jour, je me disais: j'en prends encore un peu, pis demain je vais la tuer. Mais, à un moment donné, j'ai compris que jamais je la viderais. Parce que chaque jour elle devenait plus belle que la veille. Là, j'ai compris que j'en verrais pas la fin.

L'huile usée achève de couler. Clément Cyr remet le bouchon, prend une bouteille qu'il dévisse. Il observe une ombre dans le vide, puis verse l'huile neuve dans le moteur. Son père rit, de belle humeur.

— Ça fait que je me suis dit qu'il fallait le faire là, pour que Leeroy Roberts paye enfin.

— Il y a une caméra pour des recherches scientifiques à L'Anse-aux-Amérindiens. On a le meurtre sur vidéo.

Clément tourne la tête, comme surpris de voir que l'enquêteur est toujours là. Moralès n'aurait pas dû descendre ici. Il étouffe. L'endroit ressemble à un piège.

— Clément Cyr, vous êtes en état d'arrestation pour le meurtre d'Angel Roberts. Vous avez le droit de garder le silence, si vous ne voulez pas exercer ce droit...

— Oui, je comprends.

— Je vous demande de vous retourner, de vous mettre à genoux et de lever lentement les mains en l'air.

Moralès s'avance, mais Clément ne recule pas. Il referme le bouchon du réservoir à l'huile, place ses outils, dépose le jerrican dans une poubelle. Sa stature est imposante dans cet espace réduit. Il se tourne vers son père, le cherche un instant du regard, puis voit l'enquêteur, qui pointe son revolver en direction de sa poitrine.

— Non, enquêteur. Ça se passera pas comme ça. Le bateau est peut-être pas sur la mer, mais vous savez très bien que vous êtes sur le terrain d'un pêcheur.

Thérèse Roch est fière d'elle. Non seulement elle a protégé son supérieur, gardé les secrets du poste intacts, mais elle a aussi contribué à la rapidité d'une intervention importante. En effet, lorsque l'agent Lefebvre et Simone Lord sont arrivés dans l'entrée, ils ont tout de suite compris qu'il y avait urgence, ont embarqué dans leurs voitures et sont partis vers de potentiels lieux d'embuscade pour sauver le sergent Moralès. Thérèse Roch le sait parce qu'elle s'est branchée sur la fréquence d'intervention policière et qu'elle a écouté ce qui se tramait: l'agente de Pêches et Océans Canada a attendu les renforts policiers qui étaient à proximité et s'est dirigée avec eux vers la maison de Clément Cyr, alors que, de son côté, l'agent Lefebvre, qui n'est pas doué pour le terrain, a décidé d'aller vérifier que tout allait bien à la marina.

Moralès pourrait tirer, appuyer sur la détente et en finir avec Clément Cyr. Mais la nausée risquerait de ne plus jamais le lâcher et il le sait.

— La fois où je suis allé vous rencontrer au poste de police, j'étais prêt à me rendre.

Il resserre le bouchon du réservoir à l'huile, s'essuie les mains.

— Je suis encore prêt à y aller, mais pas avec des menottes ni avec une arme pointée comme ça. C'est probablement la dernière fois que je monte à bord de mon bateau. Je veux pas en sortir comme un criminel. Ça va être ça ou vous devrez me tirer dessus. Je préfère mourir à bord plutôt que de sortir dans la honte.

Moralès choisit de négocier.

— Vous allez mettre les mains derrière la tête et passer devant moi. Je vais garder mon arme braquée sur vous tant que nous sommes à l'intérieur. Si je sens que vous changez d'idée, je tire. Si tout se passe calmement, je vous laisserai baisser les bras quand nous serons dehors.

— Et vous baisserez votre arme ?

— Oui. Je baisserai mon arme.

Cyr lève les bras et croise les mains derrière la tête. Moralès recule du côté opposé à l'escalier et le géant passe devant lui.

— Pouvez-vous éteindre la lumière en passant ?

Il avance vers l'escalier. Moralès le suit, ferme la lumière, s'engage derrière lui dans la première volée de marches. Il se sent toujours nauséeux, mais soulagé de s'en tirer à si bon compte avec le géant. Ils arrivent au premier palier.

— Est-ce que ma mère est au courant ?

Ils longent le corridor entre les deux escaliers.

— Je pense qu'elle s'en doute.

— Pourquoi vous dites ça ?

Ils s'aventurent dans la deuxième cage d'escalier.

— Quand je lui ai parlé, elle m'a demandé pourquoi tout le monde cherchait des coupables. J'ai compris qu'elle parlait de vous.

— Qu'est-ce que vous voulez dire ?

Les hommes arrivent dans la timonerie. Clément Cyr baisse les bras sans se retourner, franchit la porte, sort sur le pont. Moralès le suit.

— Vous êtes un homme loyal, vous cherchez un coupable pour la mort de votre père, parce que vous voulez le venger, mais c'était un accident.

— Non. C'était pas un accident.

L'enquêteur baisse son arme.

— Votre père était soûl et il a fait une mauvaise manœuvre. C'est pour ça que le bateau a chaviré.

— Mon père était pas soûl !

Moralès relève le bras pour tirer, mais pas assez vite. Clément Cyr s'est tourné et élancé vers lui à toute vitesse. Il le pousse si violemment que Joaquin s'écrase contre le mur de la timonerie. Sous l'impact, il lâche son arme, qu'il entend dégringoler vers la cale. Sans que le policier ait le temps de réagir, le géant l'attrape par le cou et l'entraîne vers le bord du crevettier. Moralès tend les mains pour freiner le mouvement. En vain. Il sent le mur de la timonerie glisser sous ses doigts.

— Vous avez rien compris ! Mon père a été assassiné par les Roberts !

Dans son dos, Moralès sent la rambarde du bateau. Clément le soulève de terre. Joaquin entrevoit les trois étages de vide. Le géant va le jeter par-dessus bord.

— Haut les mains, Clément Cyr ! Pose-le sur le pont ou je tire !

Le pêcheur s'immobilise, tourne la tête. Moralès essaie de s'agripper à quelque chose pendant qu'Érik Lefebvre, l'arme pointée vers Clément Cyr, s'avance vers eux. Le pêcheur ricane.

— Arrêtez ça, agent Lefebvre : tout le monde le sait qu'y a pas de balles dans votre arme !

— Peut-être pas dans la sienne, mais moi, je te jure que j'ai en masse de balles pour toi !

Cyr regarde devant lui. Debout sur le crevettier voisin, Bruce Roberts pointe une carabine dans sa direction.

— Tu vas tirer dans le dos d'un policier, Roberts !

— Peut-être, mais après je vais tirer dans la face de l'assassin de ma sœur !

Au moment où le géant va répliquer, Moralès entend les bottes de Lefebvre taper sur le pont métallique, puis le géant s'affaisse soudain sur lui-même, comme évanoui. Il entend un bruit similaire à celui que son arme a fait, quelques minutes auparavant, en dégringolant dans l'entrepont.

L'agent s'avance en sautillant, les bras levés vers le ciel.

— C'est un retrait, mesdames et messieurs !

Moralès comprend qu'il a lancé son revolver sur Clément Cyr et qu'il l'a violemment atteint à la tête.

— Un à zéro pour les Mariniers !

Bruce Roberts décharge et range son arme pendant que Moralès repousse le meurtrier assommé et s'adosse au rebord du bateau.

— Passe-lui les menottes avant qu'il reprenne connaissance.

Lefebvre, tout émoustillé, retourne le pêcheur inconscient sur le ventre et lui passe les bracelets d'acier dans le dos.

— C'est la première fois que je m'en sers pour ça ! C'est vraiment excitant !

Par la fenêtre de la salle à manger de l'auberge, Joaquin observe le mince croissant de lune qui crée un C couché dans le ciel.

La lune décroît et ne crée plus, sur l'onde d'automne, qu'une faible lueur de réverbère épuisé. Quelque part, Cyrille devient du corail. Dans quelques jours, ce sera nuit noire. Soudain, l'eau se brise devant lui : un phoque s'est élancé dans l'air, comme s'il tentait d'attraper l'argent mouvant des scintillements, et est retombé lourdement dans la mer.

— Je suis pas mal fier de toi, Moralès !

Érik Lefebvre accroche sa veste dans l'entrée de l'auberge.

Sébastien est venu le rejoindre, avec Kimo, sur le terrain d'hivernement des bateaux, mais Joaquin n'a pas eu l'occasion de leur parler, il était coincé avec les agents du poste de Gaspé. Son fils l'a serré dans ses bras, puis est reparti. Au passage, il a invité Érik Lefebvre et Simone Lord à souper à l'auberge.

— Tu veux une bière ?

L'agent se dirige vers le bar, sort deux bouteilles et rejoint Moralès, qui ferme le dossier.

Des policiers sont rapidement arrivés sur le terrain d'hivernement, après que Lefebvre est intervenu, et ont emmené Clément Cyr. Les hommes ont dû se rendre au poste, expliquer leurs conclusions et promettre de remettre leur rapport cette semaine. Moralès a appelé la lieutenante Forest sur la route.

Le matin du samedi 22 septembre, Clément Cyr est allé cacher son vélo à L'Anse-aux-Amérindiens. Ensuite, il est rentré chez lui et il a échangé les antihistaminiques de sa femme contre des somnifères. En fin d'après-midi, le couple a pris l'apéro chez les Cyr et a soupé chez le père Roberts, qui a deux chiens. Étant donné qu'Angel souffrait d'allergie, elle a avalé un premier comprimé. Puisqu'il ne semblait pas faire effet, elle en a pris un deuxième. L'alcool et les somnifères aidant, elle s'est sentie si mal que, vers vingt-trois heures, elle a demandé à rentrer chez elle.

Clément Cyr n'a pas emprunté, comme il l'a affirmé aux enquêteurs, le chemin de la Radoune, mais la route du parc. Sa femme ne l'a pas su, car elle a fermé les yeux et s'est endormie. Cyr l'a ainsi conduite à Grande-Grave.

Dans la voiture, il n'a touché qu'au bas du volant, pour laisser le moins d'empreintes possible. Il connaissait le numéro de la barrière du parc puisqu'il était souvent allé rejoindre sa femme à son bateau. En arrivant au quai, il a enfilé des gants et porté Angel jusqu'à *L'Échoueuse II*. Il a largué les amarres et a conduit l'embarcation jusqu'à L'Anse-aux-Amérindiens. Là, il a immobilisé le bateau et a attaché la cage aux jambes d'Angel. La manœuvre lui a pris environ une demi-heure. Il s'est déshabillé, a mis son linge dans un sac en plastique transparent, a plongé et a nagé jusqu'au bord en poussant ce sac qui, dans la lumière nocturne, ressemblait à un «appendice transparent» aux yeux de la voyante.

— Après ça, l'eau devait être très froide pour que la voyante parle du «sexe atrophié» de Clément.

Les deux hommes boivent une gorgée de bière en silence. La voiture de Sébastien entre au bout du stationnement. Le jeune homme se gare, sort du véhicule, ouvre le coffre, prend la canne à pêche, les appâts et autres accessoires que Corine lui a prêtés, se rend au cabanon près de la mer et ressort les mains vides.

En tout, Cyr s'est absenté une heure trente de la fête. Puisqu'il a souvent parlé de pêche avec sa femme, il savait que le courant, à L'Anse-aux-Amérindiens, allait garder le bateau immobile pendant au moins deux heures. À son retour au bar, il s'est soûlé, pour oublier ce qui était en train de se produire, pour fuir, mais aussi pour rester à coucher à l'auberge, sa présence sur place devant lui être nécessaire.

Sébastien entre à ce moment, avec des sacs. Plus tôt dans la journée, quand il a évoqué la loyauté, Kimo s'est rappelé une discussion avec Clément Cyr, qui était hanté par une loyauté dévastatrice, funeste. Elle a surtout compris qu'il l'avait courtisée non pas pour rendre Bruce Roberts jaloux, mais pour qu'elle lui serve d'alibi lors de la nuit du meurtre. Profondément secouée, elle a accompagné Sébastien au poste de police, puis a décidé de rentrer chez elle. Elle l'a quitté en lui disant qu'elle le rappellerait.

Ensuite, Sébastien était passé à l'auberge pour téléphoner à Maude et en finir avec cette relation malsaine. À la fois triste et soulagé, il s'était rendu à la poissonnerie : il était temps de commencer ses expérimentations culinaires.

— Des homards, ça vous tente ?

Érik Lefebvre salue l'initiative. Son père le suit des yeux, tandis qu'il va poser ses sacs à la cuisine, puis revient vers eux avec une bouteille de tequila et trois verres. Il pose les verres sur la table, ouvre la bouteille et verse le liquide. Il prend un verre et le lève en direction de son père, qui a déjà fait de même. Lefebvre suit le mouvement et trinque avec eux.

— Ark ! Après ça, c'est dégueulasse, la tequila !

L'enquêteur regarde son fils, ému.

— Tu nous mets de la musique ?

Sébastien hoche la tête pendant que Lefebvre se rince la bouche avec sa bière.

Clément Cyr savait que Jimmy Roberts et les frères Babin braconnaient avec le bateau d'Angel, qu'ils iraient tourner au quai et que le homardier serait rempli de leurs empreintes. C'est probablement la raison pour laquelle les hommes voulaient absolument se joindre aux recherches : pour justifier ensuite la présence de leurs empreintes à bord de *L'Échoueuse II*. Or c'est Leeroy Roberts que le meurtrier espérait frapper. Il voulait que son beau-père soit montré du doigt à cause du contrat de financement qu'il avait fait signer à sa fille. Clément savait que, s'il attendait une semaine encore avant de mettre son plan à exécution, ce serait lui-même qui serait accusé d'avoir tué sa femme pour hériter du bateau. Alors, dès qu'Angel a eu fini ses remboursements, il s'est décidé à agir. Il avait tout calculé, depuis le sens du courant jusqu'à cette note que sa femme lui avait laissée plusieurs semaines auparavant et qu'il avait conservée pour la remettre aux enquêteurs le premier jour.

Les hommes boivent en silence.

— Penses-tu qu'elle s'est réveillée, Angel, quand elle a entendu le casier de bois tomber à l'eau ?

— Je sais pas.

A-t-elle ouvert les yeux, regardé la mer et su qu'elle allait mourir ?

— Après ça, j'imagine qu'elle se serait débattue…

Moralès tique. Il y a des couples qui prennent des allures étranges, des gens qui s'unissent et se détruisent l'un l'autre, mais restent immobiles à observer la destruction s'opérer. Certains participent même à leur dévastation progressive, comme s'ils suivaient une route tracée, sans s'apercevoir qu'ils peuvent, à tout moment, bifurquer. Est-ce qu'Angel faisait partie de ceux qui se résignent à leur destin ? Savait-elle que son mari était à la fois amoureux d'elle et obsédé par l'idée de la tuer ?

L'enquêteur aimerait se dire que non. Mais il doute. Parce que, Angel Roberts, elle avait choisi son destin. Elle avait décidé d'embarquer et, même si on coupait ses lignes, elle plongeait sous la surface pour les rattacher. Parce qu'elle aimait son frère au point de le laisser braconner avec son bateau. Il regarde son fils, qui a mis de la musique et qui cuisine la mer. Parce qu'elle était loyale.

Dehors, une portière de voiture se referme.

— C'est Simone.

Lefebvre se lève pour aller chercher à boire autant que pour l'accueillir. Moralès se tourne de nouveau vers la mer. La voix de Celia Cruz s'élève dans la cuisine.

C'est peut-être la raison pour laquelle Angel fêtait ses anniversaires de mariage avec tant d'enthousiasme : pour souligner le fait qu'ils avaient vaincu la folie de son mari, encore un an. Et elle restait auprès de lui, malgré la menace, aveuglée par le mirage de son amour, par ces photos de camping et de voyages auxquelles elle tenait probablement comme à l'argent des fous.

Simone entre, Érik ramasse des bières et Sébastien sort de la cuisine. L'enquêteur pense à Sarah.

Angel savait ce que son mari tramait. Moralès en est sûr. Parce que, au bout d'un certain temps, on devine son conjoint jusque dans ses silences. On devine quand l'amour, à la manière des éclats scintillants de la lune sur l'onde, n'est plus qu'une illusion qui s'éparpille et se dissout. On devine que notre conjoint ne viendra plus nous rejoindre, ni en Gaspésie ni ailleurs. Qu'il est inutile de se conter des histoires. Que le condo n'est pas qu'un pied-à-terre en ville. Qu'il faudra signer les papiers du divorce.

Moralès pose le dossier d'enquête sur le rebord de la fenêtre pendant que les autres s'installent à sa table.

— Salut, Simone! Y a un gars sur le quai qui m'a dit que t'étais mutée aux Îles-de-la-Madeleine. C'est vrai?

Un instant, Joaquin reste interdit.

— Oui. Pour l'hiver.

— Tu vas aller à la chasse aux phoques?

Elle lui jette un regard épouvanté.

— J'espère que non...

— Mais t'es pas sûre.

Soudain, un téléphone sonne. Lefebvre se précipite sur sa veste.

— C'est peut-être mon médecin. J'ai demandé une consultation médicale urgente. Après ça, faut s'assurer que le bras du lanceur étoile des Mariniers de Sainte-Thérèse n'a pas subi de lésions graves à la suite de sa prouesse héroïque...

Il fait la moue pendant que Sébastien s'éloigne et va répondre au téléphone de l'auberge.

— Monsieur Sébastien? J'm'en vas vous dire que c'est Renaud Boissonneau à l'appareil.

La voix du serveur est enthousiaste.

— Renaud? Comment vous avez fait pour me retrouver?

— Vous m'avez dit que vous étiez à l'auberge Le Noroît. J'm'en vas vous dire que j'ai une grande nouvelle pour vous!

Sébastien entre dans la cuisine, vérifie que l'eau chauffe.

— Dites-moi ça, Renaud.

— La sœur de Cyrille Bernard est allée voir le notaire pis ç'aurait l'air que c'est l'inspecteur Moralès qui hérite de son bateau!

Estomaqué, Sébastien tourne sa tête vers Joaquin, qui, depuis la table, l'aperçoit et se lève à son tour, intrigué, pour venir le rejoindre.

— J'm'en vas vous dire que, si ça y tente, on pourrait se faire un petit casse-croûte flottant, votre père à la barre, vous à la cuisine pis moi au service!

— OK. Et on les prendrait où, les clients, Renaud? Sur l'eau?

— Ah, oui. J'avais pas pensé à ça.

Sébastien entend son interlocuteur s'adresser aux gens qui l'entourent.

— On les prendrait où, les clients?

Derrière Boissonneau, des rires explosent.

— Renaud? Si ça peut vous consoler, je vais repasser au bistro la semaine prochaine pour vous donner un cours de danse.

— Ah, ben j'm'en vas vous dire rien qu'une affaire, que ça, c'est une bonne idée!

Pendant qu'il l'entend annoncer la bonne nouvelle aux autres, Sébastien raccroche. Son père est près de lui, dans la cuisine.

— Ça va?

— Oui. J'ai appelé Maude. Je lui ai dit que je retournerais pas. Elle pense que c'est mieux de même, elle aussi.

Il laisse passer un silence.

— Faut que je te dise quelque chose à propos de m'man… Joaquin secoue la tête.

— Elle ne viendra pas en Gaspésie.

— Je sais.

— Vous allez divorcer?

— L'eau commence à bouillir.

Sébastien s'approche du chaudron.

— Si ça te gêne pas, je resterais un peu chez toi… Corine dit que son chum pourrait m'engager dans sa microbrasserie.

— Tu es le bienvenu, *chiquito*.

Sébastien prend les homards et les plonge dans le chaudron.

— Renaud Boissonneau vient de m'appeler concernant Cyrille Bernard… Il dit que t'as hérité du bateau.

Joaquin ravale. Sébastien se tourne vers la fenêtre, mal à l'aise.

— Quand je suis allé voir ton ami, j'ai essayé de lui décrire la mer. Je lui ai dit que j'avais vu deux cargos…

— Il t'a dit que tu regardais la mer comme un comptable?

Sébastien lève les yeux vers son père, soulagé.

— Il t'a fait le même coup?

Joaquin rit, s'approche de son fils et le serre contre lui. Sébastien s'abandonne, comme lorsqu'il était enfant. Pendant qu'il étreint son garçon, Joaquin voit Lefebvre, qui étire son bras droit dans de grands gestes circulaires, et la vertèbre gracieuse de Simone, qui apparaît pendant que, penchée sur la table, l'agente lit quelque chose sur son cellulaire. Joaquin esquisse un tendre sourire.

Au-delà des fenêtres, l'horizon s'étend dans la nuit, la mer éparpille les tessons lumineux de la lune comme autant de fragments insaisissables qui scintillent, illusoires, à sa surface.

Merci

Merci à mon ami O'Neil Poirier, ainsi qu'à Gaétane Cloutier, Jimmy Lepage, Leroy Roberts, Réginald et Dan Cotton pour leurs histoires de pêche.

Merci à Simon Bujold pour ses images, à Annie Arsenault pour la pêche au bar rayé, ainsi qu'au sergent enquêteur Michaël Lecours pour ses conseils.

Merci à Ghislain Taschereau pour la bande-son de Sébastien Moralès et à Patrick Senécal pour nos échanges sur les défis de l'écriture.

Merci à Annie Landreville, dont la lecture savante a noirci des suspects, et à Dominique Corneillier, qui a mis Moralès au régime.

Merci à Marianne et à Fred Pellerin pour la pêche blanche et les discussions sur le roman policier.

Merci à mon chum Pierre Luc, qui fait cuire la tortilla, met la musique, danse et sert le rhum pendant que j'écris. Je t'aime.

Merci à vous, lecteurs et lectrices, encore et toujours.

f Restez à l'affût des titres à paraître chez
Libre Expression en suivant Groupe Librex :
facebook.com/groupelibrex

libreexpression.com

Cet ouvrage a été composé en Adobe Caslon 11,5/13,8
et achevé d'imprimer en septembre 2020 sur les presses
de Marquis imprimeur, Québec, Canada.

Imprimé sur du papier 100% postconsommation,
fabriqué avec un procédé sans chlore et à partir d'énergie biogaz.